Jakob (1785–1863) und Wilhelm Grimm (1786–1859), die Brüder Grimm, waren im Leben und Schaffen eng verbunden. Sie begründeten die Wissenschaft der Germanistik und standen mit ihrer Vertiefung in die nationale Vergangenheit und der Freude am Erbe der Sprache in der Tradition der jüngeren Romantik. Besondere Aufmerksamkeit widmeten sie den Mythen, Märchen und Sagen der Deutschen.

Der Ausgabe der *Kinder- und Hausmärchen* (it 112/113/114) folgt nun die Sammlung *Deutsche Sagen*, mit zahlreichen Illustrationen von Otto Ubbelohde.

insel taschenbuch 481
Grimm
Deutsche Sagen
Zweiter Band

DEUTSCHE SAGEN

HERAUSGEGEBEN VON DEN
BRÜDERN GRIMM
MIT ILLUSTRATIONEN VON
OTTO UBBELOHDE
ZWEITER BAND

INSEL VERLAG

Wiedergabe der Illustrationen von Otto Ubbelohde
mit freundlicher Genehmigung von Else Ubbelohde-Doering

insel taschenbuch 481
Erste Auflage 1981
Insel Verlag Frankfurt am Main 1981
Vertrieb durch den Suhrkamp Taschenbuch Verlag
Umschlag nach Entwürfen von Willy Fleckhaus
Typografie: Gerd Lenz
Satz: Fotosatz Otto Gutfreund, Darmstadt
Druck: Ebner Ulm · Printed in Germany

Unserm Bruder
Ludwig Emil Grimm
aus herzlicher Liebe
zugeeignet

VORREDE DER BRÜDER GRIMM
ZUM ZWEITEN BAND

Eine Zusammenstellung der deutschen Sagen, welche vorliegenden Band ausmachen und sich unmittelbar an die wirkliche Geschichte schließen, ist unseres Wissens noch nicht unternommen worden und deswegen vielleicht verdienstlicher, aber auch mühsamer. Nicht allein haben die hauptsächlichsten gedruckten Geschichtsbücher und Chroniken durchlesen werden müssen, sondern es ist uns noch viel angelegener gewesen, handschriftliche Hilfsmittel, soviel wir deren habhaft werden können, sorgfältig zu gebrauchen. Die wenigsten der hier mitgeteilten Erzählungen waren aus mündlicher Überlieferung zu schöpfen; auch darin unterscheiden sie sich von den örtlichen, welche in umgekehrtem Verhältnisse gerade ihrer lebendigen Fortpflanzung unter dem Volke zu verdanken sind. Nur zuweilen berührt sich noch das, was die Lokalsage bedingt, mit der historischen Anknüpfung; für sich betrachtet, gibt ihr jenes einen stärkeren Halt, und um die seltsame Bildung eines Felsens sammelt sich die Sage dauernder als um den Ruhm selbst der edelsten Geschlechter. Über das Verhältnis der Geschichte zur Sage haben wir uns bereits im allgemeinen erklärt, so gut es, ohne in die noch vorbehaltene Untersuchung und Ausführung des einzelnen einzugehen, geschehen konnte. In bezug auf das Eigentümliche der gegenwärtigen, die man Stamm- und Geschlechtssagen nennen könnte, läßt sich hinzufügen, daß sie wenig wirkliche und urkundliche Begebenheiten enthalten mögen. Man kann der gewöhnlichen Behandlung unserer Geschichte zwei, und auf den ersten Schein sich widersprechende, Vorwürfe machen: daß sie zu viel und zu wenig von der Sage gehalten habe. Während gewisse Umstände, die dem reinen Elemente der letzteren angehören, in die Reihe wirklicher Ereignisse eingelassen wurden, pflegte man andere, ganz gleichartige schnöde zu verwerfen, als fade Mönchserdichtungen und Gespinste müßiger Leute. Man verkannte also die eigenen

Gesetze der Sage, indem man ihr bald eine irdische Wahrheit gab, die sie nicht hat, bald die geistige Wahrheit, worin ihr Wesen besteht, ableugnete und sich, gleich jenen Herulern, als sie durch blaublühenden Lein schwimmen wollten, etwas zu widerlegen anschickte, was in ganz verschiedenem Sinn behauptet werden mußte. Denn die Sage geht mit andern Schritten und sieht mit andern Augen, als die Geschichte tut; es fehlt ihr ein gewisser Beischmack des Leiblichen oder, wenn man lieber will, des Menschlichen, wodurch diese so mächtig und ergreifend auf uns wirkt[1]; vielmehr weiß sie alle Verhältnisse zu einer epischen Lauterkeit zu sammeln und wiederzugebären. Es ist aber sicher jedem Volke zu gönnen und als eine edle Eigenschaft anzurechnen, wenn der Tag seiner Geschichte eine Morgen- und Abenddämmerung der Sage hat; oder wenn die menschlicher Augenschwäche doch nie ganz ersehbare Gewißheit der vergangenen Dinge statt der schroffen, farblosen und sich oft verwischenden Mühe der Wissenschaft, sie zu erreichen, in den einfachen und klaren Bildern der Sage, wer sagt es aus, durch welches Wunder? gebrochen widerscheinen kann. Alles, was dazwischen liegt, den unschuldigen Begriff der dem Volke gemütlichen Sage verschmäht, zu der strengen und trockenen Erforschung der Wahrheit aber doch keinen rechten Mut faßt, das ist der Welt jederzeit an unnützesten gewesen.

Was unsere Sammlung jetzt noch enthalten kann, kündigt sich deutlich als bloße, oft ganz magere und bröckelhafte Überbleibsel von dem großen Schatze uralter deutscher Volksdichtung an, wie die ungleich zahlreichere und besser gepflegte Menge schriftlicher und mündlicher Überlieferungen des nordischen Stammes beweist. Die Unstetigkeit der meisten übrigen Völkerschaften, Kriege, teilweiser Untergang und Vermengung

---

1 Nur wenigen Schriftstellern des Mittelalters ist die Ausführlichkeit, wonach in der Geschichte unser Herz begehrt, eigen, wie dem Eckart von St. Gallen oder dem, der uns die rührende Stelle von Kaiser Otto und den Tränen seiner Mutter aufbehalten (Vita Mathildis, bei Leibnitz, I, 205; es ist die jüngere Vita, cap. 22). Dergleichen steht jede Sage nach, wie der Tugend des wirklichen Lebens jede Tugend der Poesie.

mit Fremden haben die Lieder und Sagen der Vorzeit gefährdet und nach und nach untergraben. Wieviel aber muß ein Volk besessen haben, das immer noch solche Spuren und Trümmer aufzuweisen vermag! Die Anordnung derselben hat diesmal weniger zufällig sein dürfen, sondern sie ist beides, nach den Zeiten und Stämmen, eingerichtet. Wenige Erzählungen gehen voran, die wir der Aufzeichnung der Römer danken und andere Sammler vielleicht ausgelassen oder vermehrt haben würden. Inzwischen schienen uns keine anderen Züge sagenhaft, namentlich die Taten des Arminius rein historisch. Von der Herrlichkeit gotischer Sage ist auf eine nie genug zu beklagende Weise das meiste untergegangen; den Verlust der älteren und reicheren Quellen kann man nach dem wenigen schätzen, was sich aus ihnen bei Jornandes noch übrig zeigt. Die Geschichte hat dem gotischen und den mit ihm verwandten Stämmen große Ungunst bewiesen; wäre der Arianismus nicht, dem sie ergeben gewesen, und der mit dadurch begründete Gegensatz zu den Rechtgläubigen, so würde vieles in anderm Lichte stehn. Jetzt läßt uns nur einiges hin und wieder Zerstreutes ahnen, daß diese Goten milder, gebildeter und edler begabt gewesen als ihre Feinde, die aufstrebenden, arglistigen Franken. Von den Longobarden, die gleichfalls unterliegen mußten, gilt fast dasselbe in schwächerem Maße; außer daß sie noch kriegerischer und wilder als die Goten waren. Ein besserer Stern hat über ihren Sagen gewaltet, die ein aneinanderhangendes Stück der schönsten Dichtung, von wahrem epischem Wesen durchzogen, bilden. Weniger ist die fränkische Sage zu loben, der doch die meisten Erhaltungsmittel zu Gebot gestanden; sie hat etwas von dem düsteren, tobenden Geiste dieses Volkes, bei welchem sich kaum Poesie gestalten mochte. Erst nach dem Erlöschen der Merowinger zieht sich um Karl den Großen die Fülle des edelsten Sagengewächses. Stammüberlieferungen der Völker, welche den Norden Deutschlands bewohnen, namentlich der Sachsen, Westfalen und Friesen, sind beinahe ganz verloren und wie mit einem Schlage zu Boden gedrückt; einiges haben die

Angelsachsen behalten. Jene Vertilgung wäre kaum begreiflich, fände sie nicht in der grausamen Bezwingung dieser Völker unter Karl dem Großen Erklärung; das Christentum wurde mit der Zerstörung aller Altertümer der Vorzeit zu ihnen geführt und das Geringhalten heidnischer Sitten und Sagen eingeschärft. Schon unter den sächsischen Kaisern mögen die Denkmäler früherer Volksdichtung so verklungen gewesen sein, daß sie sich nicht mehr an dem Glanze und unter dem Schutze ihrer für uns Deutsche so wohltätigen Regierung aufzurichten imstande waren. Merkwürdig bleibt, daß die eigentlichen Kaisersagen, die mit Karl anheben, schon nach den Ottonen ausgehen, und selbst die Staufenzeit erscheint unmythisch; bloß an Friedrich Rotbart, wie unter den Späteren an Rudolf von Habsburg und Maximilian, flammen noch einzelne Lichter. Dieser Zeitabschnitt bindet andere Sagenkreise so wenig, daß sie noch während des zwölften und dreizehnten Jahrhunderts eben in ihrer Blüte stehn. Unter allen einzelnen Geschlechtern aber, die in der Sage gefeiert worden, ragen früher die Amaler, Gunginger und Agilolfinger, später die Welfen und Thüringer[1] weit hervor. Es bleibt überhaupt bei der Frage, auf welchem Boden die epische Poesie eines Volkes gedeihe und fortlebe, von Gewicht, daß sie sich in urdeutschen Geschlechtsfolgen am liebsten zeigt, hingegen auszugehen und zu verkommen pflegt da, wo Unterbrechungen und Vermischungen mit fremden Völkern, selbst mit andern deutschen Stämmen vorgegangen sind[2]. Dies ist der Grund, warum die in Deutschland eingezogenen und allmählich deutsch gewordenen slawischen Stämme keine Geschlechtssagen aufzuweisen haben; ja auch an örtlichen gegen die ursprünglichen Länder entblößt dastehen. Die Wur-

1 Kein deutscher Landstrich hat auch so viel Chroniken als Thüringen und Hessen für die alte Zeit ihrer Vereinigung. Es gibt deren gewiß über zwanzig gedruckte und ungedruckte von verschiedenen Verfassern, wiewohl sie auf ähnlicher Grundlage ruhen.
2 Wie die Liebe zum Vaterlande und das wahre Heimweh auf einheimischen Sagen hafte, hat lebhaft gefühlt: Brandes: Vom Einfluß des Zeitgeistes, erste Abteilung, Hannover 1810, S. 163–168.

zeln greifen in das ungewohnte Erdreich nicht gerne ein, ihren Keimen und Blättern schlägt die fremde Luft nimmer an.

Die äußere Gestalt, in der diese Sagen hier mitgeteilt werden müssen, scheint uns manchem gegründeten Tadel ausgestellt, der indessen, wo es so überwiegend auf Stoff und Inhalt ankam, schwer zu vermeiden war. Sollten letztere als Hauptsache betrachtet und gewissenhaft geschont werden, so mußte wohl aus der Übersetzung lateinischer, der Auflösung gereimter und der Vergleichung mehrfacher Quellen ein gemischter, unebener Stil hervorgehen. Eine noch strengere Behandlungsart des Ganzen – so daß man aus dem kritisch genauen, bloßen Abdruck aller, sei es lateinischen oder deutschen Quellen, mit Beifügung wichtiger späterer Renzensionen, einen förmlich diplomatischen Kodex für die Sagendichtung gebildet hätte – würde mancherlei Reiz neben unleugbarem Gewinn für die gründliche Forschung gehabt haben, allein doch jetzt nicht gut auszuführen gewesen sein, schon der einmal im Zweck liegenden gleichmäßigen Übersicht des Ganzen halben. Am meisten geschmerzt hat es uns, die selbst ihren Worten nach wichtigen, aus dem Heidelberger Kodex 361 geschöpften Sagen von Karl und Adalger von Bayern in einem geschwächten Prosaauszug liefern zu müssen; ohne Zweifel hatten sie, zum wenigsten teilweise, ältere deutsche Gesänge zur Unterlage. So stehen andere Stellen dieser merkwürdigen Reimchronik in unverkennbarem Bezug auf das Lied von Bischof Anno, und es bleibt ihr vollständiger, wörtlicher Abdruck in aller Rücksicht zu wünschen.

Eine solche Grundlage von Liedern haben gewiß noch andere Stammsagen gehabt. Bekannt sind die Verweisungen auf altgotische Lieder, für die longobardische Sage läßt es sich denken[1]. Einzelne Überlieferungen gehen in der Gestalt späterer Volkslieder umher, wie die von Heinrich dem Löwen, dem Mann im

---

1 Man beschränkt sich hier auf das Zeugnis von Alboin, bei Paulus Diaconus, I, 27: »Alboini ita praeclarum longe lateque nomen percrebuit, ut hactenus etiam tam apud Bajoariorum gentem quam et Saxonum, sed et alios ejusdem linguae homines, ejus liberalitas et gloria, bellorumque felicitas et virtus in eorum carminibus celebretur. «

Pflug und so weiter; merkwürdiger ist schon das Westfriesenlied der Schweizer. Andere sind im dreizehnten Jahrhundert gedichtet worden, wie Otto mit dem Bart, und der Schwanritter, Ulrich von Württemberg und so weiter. Möchten die damaligen Dichter nur öfter die vaterländische Sage der ausländischen vorgezogen haben! Auf eigentliche Volks- und Bänkelgesänge verweisen die Geschichtschreiber bei den Sagen von Hattos Verrat und Kurzbolds Heldentaten[2]. Andere Sagen sind mit den Liedern verschollen, wie die bayrische von Erbos Wisentjagd, die sächsische von Benno, und was der blinde Friese Bernlef besungen[3].

Es ist hier der Ort, ausdrücklich zu bemerken, welche deutsche Sagen aus unserer Sammlung ausgeschlossen bleiben mußten, weil sie in dem eigenen und lebendigeren Umfang ihrer Dichtung auf unsere Zeit gekommen sind. Dahin gehören die Sagen: 1) Von den Nibelungen, Amalungen, Wolfungen, Harlungen und allem, was diesen großen Kreis von ursprünglich gotischen, burgundischen und austrasischen Dichtungen bildet, in deren Mitte das Nibelungenlied und das Heldenbuch stehen. 2) Von den Kerlingern, namentlich Karl, Roland, den Haimonskindern

---

2 Eckehardus jun.: De casibus S. Galli (ap. Goldast, I, 15): »Hattonem franci illi saepe perdere moliti sunt, sed astutia hominis in falsam regis gratiam suasi; qualiter ad alpes (I. Adalpertus) fraude ejus de urbe Pabinberk detractus capite sit plexus, quoniam vulgo concinnatur et canitur, scribere supersedeo.«

Otto Frising., VI, 15: »Itaque ut non solum in regum gestis invenitur, sed etiam in vulgari traditione in compitis et curiis hactenus auditur, praefatus Hatto Albertum in castro suo Babenberg adiit« etc.

Eckehardus jun., l. c., pag. 29: »Chuono quidam regii generis Churzibolt a brevitate cognominatus – de quo multa concinnantur et canuntur.«

3 Chron. ursperg.: »Erbo et Boto, illius famosi Erbonis posteri, quem in venatu a bisonte (die Ausg. 1540, p. 256, und 1609, p. 185, lesen: ab insonte) bestia confossum vulgares adhuc cantilenae resonant.«

Norberti vita Bennonis, ap. Eccard, C. Hist., II, S. 2165.: »Quantae utilitati, quanto honori, quanto denique vitae tutamini et praesidio fuerit, populares etiam nunc adhuc notae fabulae attestari solent et cantilenae vulgares.« Vergl. Mösers Osnabr. Gesch., II, 32.

Vita Ludgeri (mehrmals gedr. hier nach einer alten Kasseler Handschrift): »Is, Bernlef cognomento, vicinis suis admodum carus erat, quia antiquorum actus regumque certamina more gentis suae non inurbane cantare noverat, sed per triennium ita erat continua caecitate depressus« etc. etc.

und anderen Helden, meist austrasischen Ursprungs, doch auch in französischen, italienischen und spanischen Gedichten eigentümlich erhalten. Einige besondere Sagen von Karl dem Großen haben indessen, der Verbindung wegen, aufgenommen werden müssen, und weil sie einigermaßen außerhalb des Bezirks jenes Hauptkreises liegen. Mit der schönen (bayrischen) Erzählung von Karls Geburt und Jugend war dies nicht völlig der Fall. 3) Die spätern fränkischen und schon mehr französischen Sagen von Lother und Maller, Hugschapler und Wilhelm dem Heiligen. 4) Die westgotischen von Rodrigo[1]. 5) Die bayrische Sage von Herzog Ernst und Wetzel. 6) Die schwäbischen von Friedrich von Schwaben und von dem Armen Heinrich. 7) Die austrasischen von Orendel und Breite, desgleichen Margaretha von Limburg. 8) Die niedersächsische von Thedel von Wallmoden[2].

Sind auf solche Weise die Grenzen unserer Unternehmung gehörig abgesteckt, so glauben wir nicht, daß sich zu dem Inhalt des gegewärtigen Bandes bedeutende Zusätze ergeben können, es müßten denn unverhofft ganz neue Quellen eröffnet werden. Desto mehr wird sich aber für die Vervollständigung der örtlichen Sagen tun lassen; wir haben zu dem ersten Teile glücklich nachgesammelt und so erfreuliche Mitteilungen empfangen, daß wir diese zuvor in einem dritten Teil herauszugeben wünschen, um uns dann desto ungestörter und sicherer zu der Untersuchung des ganzen Vorrats wenden zu können.

Kassel, den 24. Februar 1818

1 Silva de romances viejos, pag. 286–298.
2 Eine besondere Sammlung dessen, was aus der Heiligenlegende zur deutschen Sage gerechnet werden muß, schickt sich besser für ein eigenes Werk. Dahin gehört zum Beispiel die Geschichte von Zeno (lombardisch), von Meinrad und Ottilie (alemannisch), von Elisabeth (thüringisch-hessisch), und vorzüglich viel altfränkische: von Martin, Hubert, Gregor vom Stein, Gangolff und so weiter.

DEUTSCHE SAGEN
ZWEITER BAND

364. DER HEILIGE SALZFLUSS

Die Germanen gewannen auf diese Art Salz, daß sie das salzhaltige Wasser auf glühende Bäume gossen. Zwischen den Hermunduren und Katten strömte ein salzreicher Fluß (die Saale[1]), um dessen Besitz Krieg ausbrach. Denn die Germanen glaubten, eine solche Gegend liege dem Himmel nah und die Gebete der Menschen könnten von den Göttern nirgends besser vernommen werden. Durch die Gnade der Götter komme das Salz in diesen Fluß und diese Wälder; nicht wie bei andern Völkern trockne es an dem Erdreich, von dem die wilde Meeresflut zurückgewichen sei, sondern das Flußwasser werde auf glühende Baumschichten gegossen, und aus der Vermischung zweier feindlicher Urstoffe, Wassers und Feuers, gehe das Salz hervor. Der Krieg aber schlug den Hermunduren glücklich, den Katten unselig aus, und die Sieger opferten nach ihrem Gelübde alle eroberten Männer und Pferde.

365. DER HEILIGE SEE DER HERTHA

Die Reudigner, Avionen, Angeln, Wariner, Eudosen, Suarthonen und Nuithonen, deutsche Völker, zwischen Flüssen und Wäldern wohnend, verehren insgesamt die Hertha, das ist Mutter Erde, und glauben, daß sie sich in die menschlichen Dinge mischt und zu den Völkern gefahren kommt. Auf einem Eiland des Meeres liegt ein unentweihter, ihr geheiligter Wald, da stehet ihr Wagen, mit Decken umhüllt, nur ein einziger Priester darf ihm nahen. Dieser weiß es, wann die Göttin im

1 Nach Wenk: Hess. Landesgesch., die fränkische Saale, die bei Gemünden in den Main fließt, nach Zeuß, S. 95, die Werra.

heiligen Wagen erscheint; zwei weibliche Rinder ziehen sie fort, und jener folgt ehrerbietig nach. Wohin sie zu kommen und zu herbergen würdigt, da ist froher Tag und Hochzeit; da wird kein Krieg gestritten, keine Waffe ergriffen, das Eisen verschlossen.

Nur Friede und Ruhe ist dann bekannt und gewünscht; das währt so lange, bis die Göttin genug unter den Menschen gewohnt hat und der Priester sie wieder ins Heiligtum zurückführt. In einem abgelegenen See wird Wagen, Decke und Göttin selbst gewaschen; die Knechte aber, die dabei dienen, verschlingt der See alsbald.

Ein heimlicher Schrecken und eine heilige Unwissenheit sind daher stets über das gebreitet, was nur diejenigen anschauen, die gleich darauf sterben.

366.   DER HEILIGE WALD DER SEMNONEN

Unter den Sweben waren die Semnonen das älteste und edelste Volk. Zu gewissen Zeiten hielten sie in einem Wald, heilig durch den Gottesdienst der Vorfahren und durch alten Schauer, Zusammenkünfte, wozu alle aus demselben Blute entsprungene Stämme Abgesandte schickten, und brachten ein öffentliches Menschenopfer. Vor dem Haine tragen sie solche Ehrfurcht, daß niemand hineintritt, der sich nicht vorher in Bande hätte binden lassen, zur Anerkennung seiner Schwäche und der göttlichen Allmacht. Fällt er von ungefähr zur Erde, so ist ihm nicht erlaubt, aufzustehn oder aufgehoben zu werden, sondern er wird auf dem Erdboden hinausgeschleift. Dieser Gebrauch weist dahin, wie aus dem Heiligtum das Volk entsprungen und der allwaltende Gott da gegenwärtig sei, dem alles andere unterwürfig und gehorsam sein müsse.

Die Friesen waren in einen leeren Landstrich unweit des Rheines vorgedrungen, hatten schon ihre Stätte genommen und die Äcker besäet, da wurden sie von den Römern mit Gewalt wieder ausgetrieben. Das Erdreich stand von neuem leer, die Ansivaren rückten hinein: ein nicht zahlreiches Volk, aber stark durch den Beistand, den ihm die umliegenden Stämme mitleidig leisteten, weil es heimatlos und von den Chauken aus seinem Sitz verjagt worden war. Bojokal, der Ansivaren Führer, wollte sich und sein Volk unter den Schutz der Römer stellen, wenn sie diesen leeren und öden Platz ihnen für Menschen und Viehherden lassen würden. Das Land habe vorzeiten den Chamaven, dann den Tubanten und hierauf den Usipiern gehört; und weil den Göttern der Himmel, den Menschen die Erde zustehe, so dürfe jedes Volk ein leeres Land besetzen. Darauf wandte Bojokal (die Abneigung der Römer voraussehend) seine Augen zur Sonne, rief die übrigen Gestirne an und stellte sie öffentlich zur Rede: Ob sie den leeren Grund und Boden bescheinen wollten? Sie möchten lieber das Meer wider diejenigen ausschütten, welche also den Menschen das Land entzögen. Die Römer aber schlugen das Gesuch ab und wollten keinen andern Richter anerkennen über das, was sie zu geben oder zu nehmen hätten, als sich selbst. Das antworteten sie den Ansivaren öffentlich und boten doch zugleich dem Bojokal ein Grundstück für ihn selbst, als ihrem guten Freund, an (den sie sich durch ein solches Geschenk geneigt zu erhalten trachteten). Bojokal verachtete das, um dessentwillen er sein Volk hätte verraten sollen, und sagte: »Haben wir gleich keine Erde, auf der wir leben können, so soll uns doch keine gebrechen, auf der wir sterben.« Darauf zogen sie feindlich ab und riefen ihre Bundesgenossen, die Brukterer, Tenkterer und noch andere, zum Kriege auf. Der Römerfeldherr überzog schnell die Tenkterer, daß sie abstehen mußten, und wie diese sich lossagten, befiel auch die Brukterer und die andern Furcht. Da wichen die verlassenen Ansivaren in das Gebiet der

Usipier und Tubanten; die wollten sich nicht leiden. Von da vertrieben, kamen sie zu den Katten und dann zu den Cheruskern. Über dem langen unsteten Herumziehen auf fremdem Boden, bald als Gäste, bald als Dürftige, bald als Feinde, wurde ihre Mannschaft und mannbare Jugend aufgerieben. Die Unmündigen fielen als Beute andern zuteil.

368. DIE SEEFAHRT DER USIPIER

Eine Schar Usipier, von den Römern in Deutschland geworben und nach Britannien gebracht, beging ein großes und bewundernswürdiges Wagstück. Nachdem sie den Hauptmann und die Soldaten der Römer, welche unter ihren Haufen, um sie zum Dienst abzurichten, gemischt worden waren, getötet hatten, bestiegen sie drei leichte Schiffe, deren Steuerleute sie mit Gewalt dazu nötigten. Zwei derselben, die ihnen verdächtig wurden, brachten sie gleichfalls um und stachen mit dem einen Ruderer in die hohe See, ein wahres Wunder! Bald hier, bald dahin getrieben, hatten sie mit den britannischen Küstenbewohnern, die ihre Habe verteidigten, um Lebensmittel zu kämpfen; meistens siegten, einigemal unterlagen sie. Zuletzt stieg die Hungersnot so weit auf ihren Schiffen, daß sie erst ihre Schwachen und Kranken verzehrten, bald aber Lose darum zogen, wer den andern zur Speise dienen mußte. Als sie endlich Britannien umfahren und aus Unkunde der Schiffahrt die Schiffe eingebüßt hatten, wurden sie für Räuber angesehen und von den Sweben, dann von den Friesen aufgefangen. Einige darunter kamen verhandelt und verkauft hernachmals wieder in die Hände der Römer nach Italien, wo sie ihre merkwürdige Begebenheit selbst erzählten.

Aus der Insel Schanze *(Scanzia)* brachen die Völker wie ein Schwarm Bienen hervor. Die Goten nämlich fuhren von da unter Berich, ihrem Könige; dem Ort, wo sie aus den Schiffen zuerst landeten, legten sie den Namen Gotenschanze bei. Drauf zogen sie zu den Ulmrügern, die am Meerufer wohnten, und besiegten sie. Dann schlugen sie die Vandalen, deren Nachbarn. Als aber ihres Volkes Menge mächtig wuchs und schon seit Berich ihr fünfter König, namens Filimer, herrschte, wurde beschlossen, daß er mit den Goten weiterziehen möchte. Da nun diese sich eine gute Niederlassung aussuchen wollten, kamen sie nach Szythien ins Land Ovin, wo ein Teil des Heers durch eine gebrochene Brücke abgeschnitten wurde. Die, welche den Fluß glücklich hinübergegangen waren, zogen weiter bis an das äußerste Ende Szythiens an das Schwarze Meer.

Sie waren anfangs aus Skanzien unter Berich bloß mit dreien Schiffen ausgefahren. Von diesen Schiffen fuhr eins langsamer wie die andern, darum wurde es Gepanta (das gaffende[1]) geheißen, und davon bekam der Stamm den Unnamen der Gepiden. Denn sie sind auch groß von Leib und träg an Geist. Diese Gepiden blieben auf einer Insel der Weichsel wohnen, die Ostgoten und Westgoten zogen weiter fort, ließen sich aber auch eine Weile nieder. Dann führten sie Krieg mit den Gepiden, schlugen sie und teilten sich nachher selbst voneinander ab; jeder Stamm wanderte seine eigenen Wege.

370. DIE EINGEFALLENE BRÜCKE

Die Goten kamen auf ihren Wanderungen auch in das Land Szythien und fanden einen fruchtbaren Strich, bequem und zur

---

1 Die gewöhnliche Ableitung von beiten (got. beidan), warten, ist unzulässig, die hier gegebene von gapan, gepan, unserm gaffen, dagegen natürlich; das Wort bedeutet: das Maul aufsperren, stutzen, gähnen und hat gleich dem lat. hiare den Nebensinn von harren, faul und unentschlossen sein. Diese ganze Erklärung des

Niederlassung einladend. Ihr Zug mußte aber über einen breiten Fluß setzen, und als die Hälfte des Heers hinüber war, geht die Sage, sei die Brücke gebrochen, so daß kein Mann zurückkehren, der hinüber war, und keiner mehr übersetzen konnte. Die ganze Gegend ist durch Moor und Sumpf, den niemand zu betreten wagt, eingeschlossen. Man soll aber noch heutzutag[1], wie Reisende versichern, von jenseits aus weiter Ferne Vieh brüllen hören und andere Anzeichen daselbst wohnender Menschen finden.

371. WARUM DIE GOTEN IN GRIECHENLAND EINGEBROCHEN

Folgende Sage hat man von den silbernen Bildsäulen, die zur Abhaltung der Barbaren eingeweiht worden waren: Zur Zeit der Herrschaft Kaiser Konstantins geschah dem Valerius, Präfekten in Thrazien, Anzeige von einem zu hebenden Schatz. Valerius begab sich an Ort und Stelle und erfuhr von den Einwohnern, daß es ein altes, feierlich geweihtes Heiligtum wäre. Dieses meldete er dem Kaiser, empfing aber Weisung, die Kostbarkeiten zu heben. Man grub daher in die Erde und fand drei aus gediegenem Silber gearbeitete Bildsäulen, nach barbarischer Weise mit gehenkelten (eingestemmten) Armen, in bunten Gewändern und Haaren auf dem Haupt; sie lagen mit den Gesichtern gen Norden, wo der Barbaren Land ist, gewendet. Sobald diese Bildsäulen gehoben und weggenommen waren, brachen wenig Tage darauf die Goten zuerst in Thrazien ein, und ihnen folgten andere Barbaren, von welchen ganz Thrazien und Illyrien überschwemmt wurde. Jene geheiligte Stätte lag zwischen Thrazien und Illyrien, und die drei Bildsäulen schienen gegen alle barbarischen Völker eingeweiht gewesen zu sein.

Namens ist indessen sagenmäßig und, wie in solchen Fällen insgemein, nie die eigentliche.
1 Das heißt zu Jornandes' Lebzeiten.

Fridigerns Taten priesen die Goten in Liedern. Von ihm ist folgende Sage aufbehalten worden: Als die Westgoten noch keinen festen Wohnsitz hatten, brach Hungersnot über sie ein. Fridigern, Alatheus und Safrach, ihre Vorsteher und Anführer, von dieser Plage bedrängt, wandten sich an die Anführer des römischen Heers, Lupicinus und Maximus, und handelten um Lebensmittel. Die Römer, aus schändlichem Geiz, feilschten ihnen Schaf- und Ochsenfleisch, ja selbst das Aas von Hunden und andern unreinen Tieren zu teurem Preis, so daß sie für ein Brot einen Knecht, für ein Fleisch zehn Pfund (Geld) erhandelten. Die Goten gaben, was sie hatten; als die Knechte und ihre Habe ausgingen, handelte der grausame Käufer um die Söhne der Eltern. Die Goten erwägten, es sei besser, die Freiheit aufzugeben als das Leben, und barmherziger, einen durch Verkauf zu erhalten als durch Behalten zu töten. Unterdessen ersann Lupicinus, der Römer Anführer, einen Verrat und ließ Fridigern zum Gastmahl laden. Dieser kam arglos mit kleinem Gefolge; als er inwendig speiste, drang das Geschrei von Sterbenden zu seinem Ohr. In einer andern Abteilung der Wohnung, wo Alatheus und Safrach speisten, waren Römer über sie gefallen und wollten sie morden. Da erkannte Fridigern sogleich den Verrat, zog das Schwert mitten am Gastmahl, und verwegen und schnell eilte er seinen Gesellen zur Hilfe. Glücklich rettete er noch ihr Leben, und nun rief er alle Goten zur Vernichtung der Römer auf, denen es erwünscht war, lieber in der Schlacht als vor Hunger zu fallen. Dieser Tag machte dem Hunger der Goten und der ruhigen Herrschaft der Römer ein Ende, und die Goten walteten in dem Lande, das sie besetzt hatten, nicht wie Ankömmlinge und Fremde, sondern wie Herren und Herrscher.

373. DES KÖNIGS GRAB

Die Westgoten wollten durch Italien nach Afrika wandern, unterwegs starb plötzlich Alarich, ihr König, den sie über die Maße liebten. Da huben sie an und leiteten den Fluß Barent, der neben der Stadt Consentina vom Fuße des Berges fließt, aus seinem Bette ab. Mitten in dem Bett ließen sie nun durch einen Haufen Gefangener ein Grab graben, und in den Schoß der Grube bestatteten sie, nebst vielen Kostbarkeiten, ihren König Alarich. Wie das geschehen war, leiteten sie das Wasser wieder ins alte Bett zurück und töteten, damit die Stätte von niemand verraten würde, alle die, welche das Grab gegraben hatten.

374. ATHAULFS TOD

Den Tod König Athaulfs, der mit seinen Westgoten Spanien eingenommen hatte, erzählt die Sage verschieden. Nach einigen nämlich soll ihn Wernulf, über dessen lächerliche Gestalt der König gespottet hatte, mit dem Schwert erstochen haben. Nach andern stand Athaulf im Stalle und betrachtete seine Pferde, als ihn Dobbius, einer seiner Hausleute, ermordete. Dieser hatte früher bei einem andern, von Athaulf aus dem Wege geräumten Gotenkönig in Dienst gestanden und war hernach in Athaulfs Hausgesinde aufgenommen worden.
So rächte Dobbius seinen ersten Herrn an dem zweiten.

375. DIE TRULLEN

Die Vandalen nannten die Goten Truller, aus dieser Ursache: Einst litten die Goten Hungersnot und mußten sich Getreide von den Vandalen kaufen. Sie bekamen aber für ein Goldstück nur eine Trulle voll Korn. Eine Trulle hält noch nicht einmal den dritten Teil eines Sechters.

Zur Zeit, da die Vandalen Afrika besetzt hatten, war in Karthago ein altes Sprichwort unter den Leuten: daß G. das B., hernach aber B. das G. verfolgen würde. Dieses legte man von Genserich aus, der den Bonifatius, und Belisarius, der den Gelimer überwunden hatte. Dieser Gelimer wäre sogleich gefangengenommen worden, wo sich nicht folgender Umstand zugetragen hätte. Belisarius beauftragte damit den Johannes, in dessen Gefolge sich Uliares, ein Waffenträger, befand. Uliares ersah ein Vöglein auf einem Baume sitzen und spannte den Bogen; weil er aber in Wein berauscht und seiner Sinne nicht recht mächtig war, fehlte er den Vogel und traf seinen Herrn in den Nacken. Johannes starb an der Wunde, und Gelimer hatte Zeit zu fliehen. Gelimer entrann und langte noch denselben Tag bei den Maurusiern an. Belisarius folgte ihm nach und schloß ihn ganz hinten in Numidien auf einem kleinen Berge ein. So wurde nun Gelimer mitten im Winter hart belagert und litt an allem Lebensunterhalt Mangel, denn Brot backen die Maurusier nicht, sie haben keinen Wein und kein Öl, sondern essen, unvernünftigen Tieren gleich, unreifes Korn und Gerste. Da schrieb der Vandalenkönig einen Brief an Pharas, Hüter des griechischen Heeres, und bat um drei Dinge: eine Laute, ein Brot und einen Schwamm. Pharas fragte den Boten: »Warum das?«

Der Bote antwortete: »Das Brot will Gelimer essen, weil er keines gesehen, seit er auf dieses Gebirge stieg; mit dem Schwamm will er seine roten Augen waschen, die er die Zeit über nicht gewaschen hat; auf der Laute will er ein Lied spielen und seinen Jammer beweinen.« Pharas aber erbarmte sich des Königs und sandte ihm die Bedürfnisse.

Gelimer (Childemer), nach verlorener Schlacht, rettete sich nur mit zwölf Vandalen in eine sehr befestigte Burg, worin er von Belisarius belagert wurde.

Als er nun keinen weiteren Ausweg sah, wollte er sich auf die Bedingung ergeben, daß er frei und ohne Fesseln vor das Angesicht des Kaisers geführt würde. Belisarius sagte ihm zu, weder mit Seilen noch Stricken noch eisernen Ketten sollte er gebunden werden. Gelimer verließ sich auf dieses Wort, aber Belisarius ließ ihn mit einer silbernen Kette binden und führte ihn im Triumphe nach Konstantinopel. Hier wurde der unglückliche König von den Höflingen gehöhnt und beschimpft; er flehte zum Kaiser, man möge ihm das Pferd geben, das er vorher gehabt, so wolle er es auf einmal mit zwölfen von denen aufnehmen, die ihn angespien und ihm Ohrschläge gegeben hatten, »dann soll ihre Feigheit und mein Mut kundwerden«. Der Kaiser ließ es geschehen, und Gelimer besiegte zwölf Jünglinge, die es mit ihm aufnahmen.

378. URSPRUNG DER HUNNEN

Die Entstehung der Hunnen wird von alters her so erzählt: Filimer, Gandarichs Sohn, der fünfte König der Goten seit ihrer Auswanderung aus Skanzien, fand unter seinem Volke gewisse wahrsagende Weiber, die in gotischer Sprache Alirunen hießen. Diese wollte er nicht länger dulden, sondern verjagte sie aus der Mitte des Volks weit weg in die Wildnis. Als die Alirunen eine Zeitlang in der Wüste herumirrten, wurden sie von den Waldleuten, die man Faune und Feigenblattmänner nennt, gesehen, und sie vermischten sich zusammen. Das Geschlecht, welches von den Waldleuten und Alirunen ausging, war klein, häßlich und wild; es hauste anfangs in den mäotischen Sümpfen. Bald aber rückten sie aus und kamen an die Grenze der Goten.

379. DIE EINWANDERUNG DER HUNNEN

Die Hunnen lebten von Raub und Jagd. Eines Tages kamen Jäger von ihnen an das Ufer des mäotischen Sees, und unvermutet zeigte sich ihren Augen eine Hindin. Diese Hindin trat in das Gewässer und ging bald vorwärts, bald stand sie still; so zeigte sie ihnen den Weg. Die Jäger folgten nach und kamen zu Fuß durch den See, den sie undurchwandelbar, wie das Meer, früher geglaubt hatten. Sobald sie nun das nie gesehene szythische Land erblickten, verschwand die Hindin. Erstaunt von dem Wunder, kehrten sie heim und verkündigten ihren Leuten das schöne Land und den Weg, den die Hirschkuh gewiesen hatte. Darauf sammelten sich die Hunnen und brachen mit unwiderstehlicher Macht in Szythien ein.

380. SAGE VON DEN HUNNEN

Zu Jornandes' Zeit ging eine mündliche Sage um, die er zwar verwirft, wonach die Hunnen nicht aus Szythien gekommen wären, sondern anderswoher. In Britannien oder auf irgendeinem andern Eilande seien sie (auf ihrer Wanderung) vormalen in Knechtschaft geraten, aber durch das Lösegeld eines einzigen Pferdes wieder in Freiheit gesetzt worden.
Im Mittelalter glaubte man hernach, die Hunnen und Türken, die für ein Volk galten, wären Ungetüme, von einem Zauberer mit einer Wölfin zusammen erzeugt. Sie selbst scheinen diesen Aberglauben, um die Furcht vor ihnen zu mehren, geflissentlich ausgebreitet zu haben. Noch heutzutage hat er sich an der türkischen Grenze unter den östreichischen Christen erhalten (Sismondi, I., p. 54).

381. DAS KRIEGSSCHWERT

Ein Hirt weidete seine Herde und sah, wie ein Vieh am Fuße hinkte. Als er nun die Ursache der scharfen Wunde nicht erklären konnte, folgte er den Blutspuren und fand endlich das Schwert, worauf die grasende Kuh unvorsichtig getreten hatte. Der Hirt grub das Schwert aus und brachte es dem König Attila. Attila freute sich und sah, daß er zum Herrn der Welt bestimmt war, weil ihm das Kriegsschwert, das die Szythen stets heilig hielten, in seine Hände geliefert worden sei.

382. DIE STÖRCHE

Als Attila schon lange die Stadt Aquileja belagerte und die Römer hartnäckig widerstanden, fing sein Heer an zu murren und wollte von dannen ziehen. Da geschah es, daß der König, im Zweifel, ob er das Lager aufheben oder noch länger harren sollte, um die Mauern der Stadt wandelte und sah, wie die weißen Vögel, nämlich die Störche, welche in den Giebeln der Häuser nisteten, ihre Jungen aus der Stadt trugen und gegen ihre Gewohnheit auswärts ins Land schleppten. Attila, als ein weiser Mann, rief seinen Leuten und sprach: »Seht, diese Vögel, die der Zukunft kündig sind, verlassen die bald untergehende Stadt und die einstürzenden Häuser!« Da schöpfte das Heer neuen Mut, und sie bauten Werkzeuge und Mauerbrecher; Aquileja fiel im Sturm und ging in den Flammen auf; diese Stadt wurde so verheert, daß kaum die Spuren übrigblieben, wo sie gestanden hatte.

383. DER FISCH AUF DER TAFEL

Theoderich, der Ostgoten König, nachdem er lange Jahre in Ruhm und Glanz geherrscht hatte, befleckte sich mit einer

Grausamkeit am Ende seines Lebens. Er ließ seine treuen Diener Symmachus und den weisen Boethius auf die Verleumdung von Neidern hinrichten und ihre Güter einziehen.

Als nun Theoderich wenige Tage darauf zu Mittag aß, geschah es, daß seine Leute den Kopf eines großen Fisches zur Speise auftrugen. Kaum erblickte ihn der König auf der Schüssel liegen, so schien ihm der Kopf der des enthaupteten Symmachus zu sein, wie er die Zähne in die Unterlippe biß und mit verdrehten Augen drohend schaute. Erschrocken und von Fieberfrost ergriffen eilte der König ins Bett, beweinte seine Untat und verschied in kurzer Zeit. Dies war die erste und letzte Ungerechtigkeit, die er gegangen hatte, daß er den Symmachus und Boethius verurteilte, ohne wider seine Gewohnheit die Sache vorher untersucht zu haben.

384. THEODERICHS SEELE

Zu den Zeiten Theoderichs, Königs der Ostgoten, kehrte ein Mann von einer nach Sizilien getanen Reise wieder nach Italien zurück; sein Schiff, vom Sturm verschlagen, trieb zu der Insel Liparis. Daselbst wohnte ein frommer Einsiedel, und während seine Schiffsleute das zerbrochene Gerät wieder einrichteten, beschloß der Mann, hin zu dem Heiligen zu gehen und sich dessen Gebet zu empfehlen. Sobald der Einsiedel ihn und die andern Begleitenden kommen sah, sagte er im Gespräch: »Wißt ihr schon, daß König Theoderich gestorben ist?« Sie antworteten schnell: »Unmöglich, denn wir verließen ihn lebendig und haben nichts dergleichen von ihm gehört.« Der Diener Gottes versetzte: »Er ist gestorben, denn gestern am Tage um die neunte Stunde sah ich, daß er entgürtet und entschuht[1], mit gebundenen Händen, zwischen Johannes dem Papst und Symmachus dem Patrizier hergeführt und in den Schlund des

1 Discinctus et discalceatus, in der Weise einer vogelfreien Verbannten. Lex salica, Tit. 61.

benachbarten Vulkans gestürzt wurde.« Die Leute schrieben sich Tag und Stunde genau, wie sie gehört hatten, auf, reisten heim nach Italien und vernahmen, daß Theoderich gerade zu jener Zeit gestorben war. Und weil er den Papst Johannes im Gefängnisse totgemartert und den Patrizier Symmachus mit dem Schwert enthauptet hatte: so wurde er gerecht von denen ins Feuer geleitet, die er ungerecht in seinem Leben gerichtet hatte.

385. URAJAS UND ILDEBAD[1]

Urajas, der Gote, hatte eine Ehefrau, reich an Vermögen und schön an Gestalt. Diese ging einmal ins Bad, angetan in herrlichem Schmuck und begleitet von einer Menge Dienstfrauen. Da sah sie im Bade sitzen Ildebads, des Königes, Gemahlin in schlechten Kleidern, grüßte sie nicht demütig, wie es sich vor einer Königin ziemt, sondern sprach höhnende Reden aus stolzem Mut. Denn es war Ildebads Einkommen noch gering und seine Macht noch nicht königlich.

Allein diesen Schimpf ertrug die Königin nicht, entbrannte vor Schmerz und ging zu ihrem Gemahl; den bat sie mit Tränen, daß er das von Urajas Frau ihr zugefügte Unrecht räche. Bald darauf schuldigte Ildebad den Urajas bei den Goten an, daß er zum Feinde übergehen wollte, und nicht lange darauf brachte er ihn hinterlistig ums Leben. Darüber fingen die Goten an, sich in Haß und Zwietracht zu spalten, und Wilas, ein Gepide, beschloß, den König zu morden. Als Ildebad eben am Gastmahl saß und aß, hieb ihm Wilas unversehens mit dem Schwert in den Nacken, so daß seine Finger noch die Speise hielten, während sein abgeschnittenes Haupt auf den Tisch fiel und alle Gäste sich entsetzten.

1 Bei Marcellinus, p. 70, 71 (ed. Sirmond, 1618, 8) Orajus und Heldebadus genannt.

Als Totila, König der Goten, vernommen hatte, daß auf dem heiligen Benediktus ein Geist der Weissagung ruhe, brach er auf und ließ seinen Besuch in dem Kloster ankündigen. Er wollte aber versuchen, ob der Mann Gottes die Gabe der Weissagung wirklich hätte. Einem seiner Waffenträger, namens Riggo, gab er seine Schuhe und ließ ihm königliche Kleider antun; so sollte er sich in Gestalt des Königs dem Heiligen nahen. Drei andere Herren aus dem Gefolge, Wulderich, Ruderich und Blindin[1], mußten ihn begleiten, seine Waffen tragen und sich nicht anders anstellen, als ob er der wahre König wäre. Riggo begab sich nun in seinem prächtigen Gewande unter dem Zulaufen vieler Leute in das Münster, wo der Mann Gottes in der Ferne saß. Sobald Benediktus den Kommenden in der Nähe, daß er von ihm gehört werden konnte, sah, rief er aus: »Lege ab, mein Sohn, lege ab; was du trägst, ist nicht dein!« Riggo sank zu Boden vor Schrecken, daß er sogleich entdeckt worden war, und alle seine Begleitung beugte sich mit ihm. Darauf erhuben sie sich wieder, wagten aber nicht, dem Heiligen näher zu gehen, sondern kehrten zitternd zu ihrem König zurück mit der Nachricht, wie ihnen geschehen wäre. Nunmehr machte sich Totila selbst auf und beugte sich vor dem in der Weite sitzenden Benediktus nieder. Dieser trat hinzu, hob den König auf, tadelte ihn über seinen grausamen Heerzug und verkündete ihm in wenig Worten die Zukunft: »Du tust viel Böses und hast viel Böses getan; jetzt laß ab vom Unrecht! Du wirst in Rom einziehen, über das Meer gehen, neun Jahre herrschen und im zehnten sterben.« Totila erschrak heftig, beurlaubte sich von dem Heiligen und war seitdem nicht so grausam mehr.

---

1 Bei Marcellinus, p. 72, heißen die drei Herzöge des Totila Ruderit, Viliarid, Bleda.

Der Bischof Sabinus hatte vor hohem Alter das Licht der Augen verloren und war ganz blind. Da nun Totila von diesem Mann hörte, daß er weissagen könne, wollte er's nicht glauben, sondern selbst prüfen. Bei seiner Ankunft in jener Gegend lud der Mann Gottes den König zum Gastmahl ein. Totila wollte nicht speisen, sondern setzte sich zur Rechten des Greises. Als darauf ein Diener dem Sabinus den Weinbecher reichen wollte, streckte der König seine Hand stillschweigend aus, nahm den Kelch und reichte ihn mit seiner eigenen Hand statt des Knaben dem Bischof hin. Dieser empfing ihn, sagte aber: »Heil dieser Hand!« Totila, errötend über seine Entdeckung, freute sich gefunden zu haben, was er suchte.

Dieser Sabinus brachte sein Leben weit hinauf, so daß endlich sein Archidiakonus, aus Begierde, ihm als Bischof zu folgen, den frommen Mann zu vergiften trachtete. Er gewann den Weinschenken, daß er ihm Gift in den Kelch mischte, und bestach den Knaben, der dem Sabinus bei dem Mittagsmahl den Trank zu reichen pflegte. Der Bischof sprach auf der Stelle zum Knaben: »Trinke du selbst, was du mir reichst.« Zitternd wollte der Knabe doch lieber trinken und sterben als die Qualen leiden, die auf einem solchen Menschenmord standen. Wie er aber den Becher eben an den Mund setzte, hielt ihn Sabinus zurück und sprach: »Trinke nicht, sondern reiche mir, ich will trinken; geh aber hin und sage dem, der dir's gab, daß ich tränke und er doch nicht Bischof werden würde.« Hierauf machte der Bischof das Zeichen des Kreuzes und trank ohne Gefahr. Zur selben Stunde sank der Archidiakonus an einem andern Orte, wo er sich eben aufhielt, tot zu Boden, als ob das Gift in seine Eingeweide durch des Bischofs Mund gelaufen wäre.

388. DER AUSGANG DER LANGOBARDEN

Die Winiler, hernachmals Langobarden genannt, als sie sich in dem Eiland Skandinavien so vermehrt hatten, daß sie nicht länger zusammen wohnen konnten, teilten sich in drei Haufen ab und losten. Wer nun das Los zog, der Haufen sollte das Vaterland verlassen und sich eine fremde Heimat suchen. Als nun das Los auf einen Teil gefallen war, so zog dieser unter zwei Heerführern, den Brüdern Ibor und Ayo (oder Agio) samt ihrer weisen Mutter Gambara aus. Sie langten zuerst in Skoringen an, schlugen die Vandalen und deren Könige Ambri und Aßy; zogen sodann nach Moringen und dann nach Goland. Nachdem sie da eine Zeitlang verweilt, besetzten sie die Striche Anthaib, Banthaib und Wurgenthaib, wo sie auch noch nicht blieben, sondern durch Rugiland zogen, eine Zeit über im offenen Felde wohnten, mit den Herulern, Gepiden und Goten Händel hatten und zuletzt in Italien festen Sitz nahmen.

389. DER LANGOBARDEN AUSGANG

In Dänemark herrschte König Snio (Schnee), da brach im Land Hunger und Not aus; der König gab ein Gesetz, welches Gastereien und Trinkgelage verbot; aber das wollte nicht helfen, sondern die Teurung nahm immer zu. Der König ließ seinen Rat versammeln und beschloß, den dritten Teil des Volkes töten zu lassen. Ebbe und Aage, zwei mannliche Helden, saßen zuoberst im Rat; ihre Mutter hieß Gambaruk, wohnte in Jütland und war eine weise Frau. Als sie dieser den Entschluß des Königs meldeten, mißfiel ihr es höchlich, daß soviel unschuldig Volk umkommen sollte: »Ich weiß bessern Rat, der uns frommt; laßt Alte und Junge losen; auf welche unter diesen das Los fällt, die müssen aus Dänemark fahren und ihr Heil zur See versuchen.« Dieser Ratschlag wurde allgemein beliebt und das Los geworfen. Es fiel auf die Jungen, und alsbald wurden die Schiffe ausgerüstet. Ebbe und Aage waren nicht träg dazu und ließen ihre Wimpel wehen; Ebbe führte die Jüten und Aage die Gundinger aus.

390. SAGE VON GAMBARA[1] UND DEN LANGBÄRTEN

Als das Los geworfen war und der dritte Teil der Winiler aus der Heimat in die Fremde ziehen mußte, führten den Haufen zwei Brüder an, Ibor und Ayo[2] mit Namen, junge und frische Männer. Ihre Mutter aber hieß Gambara, eine schlaue und kluge Frau, auf deren weisen Rat in Nöten sie ihr Vertrauen setzten. Wie sie sich nun auf ihrem Zug ein anderes Land suchten, das ihnen zur Niederlassung gefiele, langten sie in die Gegend, die Schoringen hieß; da weilten sie einige Jahre. Nah dabei wohnten die Vandalen, ein rauhes und siegstolzes Volk, die hörten ihrer Ankunft und sandten Boten an sie: daß die Winiler entweder den Vandalen Zoll gäben oder sich zum Streit rüsteten. Da ratschlagten Ibor und Ayo mit Gambara, ihrer Mutter, und wurden eins, daß es besser sei, die Freiheit zu verfechten, als sie mit dem Zoll zu beflecken, und ließen das den Vandalen sagen. Es waren die Winiler zwar mutige und kräftige Helden, an Zahl aber gering. Nun traten die Vandalen vor Wodan und flehten um Sieg über die Winiler. Der Gott antwortete: »Denen will ich Sieg verleihen, die ich bei Sonnenaufgang zuerst sehe.« Gambara aber trat vor Frea, Wodans Gemahlin, und flehte um Sieg für die Winiler. Da gab Frea den Rat: Die Winilerfrauen sollten ihre Haare auflösen und um das Gesicht in Bartes Weise zurichten, dann aber frühmorgens mit ihren Männern sich dem Wodan zu Gesicht stellen, vor das Fenster gen Morgen hin, aus dem er zu schauen pflegte. Sie stellten sich also dahin, und als Wodan ausschaute bei Sonnenaufgang, rief er: »Was sind das für Langbärte?« Frea fügte hinzu: »Wem du Namen gabst, dem mußt du

1 Diese Gambara ist merkwürdig die Cambra des Hunibald.
2 Bei Gotfr. viterb.: Hibor et Hangio.

auch Sieg geben.« Auf diese Art verlieh Wodan den Winilern den Sieg, und seit der Zeit nannten sich die Winiler Langbärte (Langobarden).

391. DIE LANGOBARDEN UND ASSIPITER

Bald nach Besiegung der Winiler mußten die Langbarten aus Hungersnot das Land Schoringen verlassen und gedachten in Moringen zu ziehen. Die Aßipiter (Usipeter?) aber widerstanden und wollten ihnen keinen Durchzug durch ihre Grenzen verstatten. Da nun die Langbarten die große Zahl der Feinde und ihre geringe sahen, sprengten sie listig aus, daß sie Hundsköpfe im Lager bei sich führten, das heißt ungeheure Menschen mit Hundsköpfen; die dürsteten nach Menschenblut und tränken, wenn sie keinen Feind erreichen könnten, ihr eigenes. Und um dies glaubhafter zu machen, stellten sie ihre Zelte weit auseinander und zündeten viele Feuer im Lager an. Die Aßipiter gerieten dadurch in Furcht und wagten nun den Krieg, womit sie gedroht hatten, nicht mehr zu führen. Doch hatten sie unter sich einen starken Mann, auf dessen Kräfte sie vertrauten; mit diesem boten sie den Langbarten einen Einkampf an. Die Langbarten möchten nämlich auch einen aus ihren Leuten, welchen sie wollten, wählen und ihrem Fechter entgegenstellen. Siegte der Aßipiter, so sollten die Langbarten auf dem Wege, den sie gekommen wären, wieder zurückwandern; würde er aber besiegt, so müßte ihnen der freie Durchzug gestattet werden.

Als nun die Langbarten anstanden, wen sie von ihren Männern dazu auswählten, da bot sich einer aus der Knechtschaft von freien Stücken zum Kampf an und hielt sich aus, wo er den Feind besiegen würde, daß er und seine Nachkommen in den Stand der Freien aufgenommen werden sollte. Dies wurde ihm verheißen, er übernahm den Kampf und besiegte seinen Gegner. Seinem Wunsche gemäß wurde er darauf freigesprochen und erwarb den Langbarten freien Durchzug, worauf sie glücklich in das Land Moringen einrückten.

392. DIE SIEBEN SCHLAFENDEN MÄNNER IN DER HÖHLE

In ganz Deutschland weiß man folgende wunderbare Begebenheit: An der äußersten Meeresküste liegt unter einem ragenden Felsen eine Höhle, in der, man kann nicht mehr sagen seit welcher Zeit, langeher sieben Männer schlafen; ihre Leiber bleiben unverwest, ihre Kleider verschleißen nicht, und das Volk verehrt sie hoch. Der Tracht nach scheinen sie Römer zu sein. Einen reizte die Begierde, daß er der Schläfer einem das Gewand ausziehen wollte; alsbald erdorrten ihm die Arme, und die Leute erschraken so, daß niemand näher zu treten wagte. Die Vorsehung vewahrt sie zu einem heiligen Zweck auf, und dereinst sollen sie vielleicht aufstehen und den heidnischen Völkern die heilige Lehre verkündigen.

393. DER KNABE IM FISCHTEICH

Zu den Zeiten Agelmunds, des langobardischen Königs, trug es sich zu, daß ein Weib dieses Volkes sieben Knäblein auf einmal gebar und, um der Schande zu entgehn, grausamer als wilde Tiere sie sämtlich in einen Fischteich warf. Bei diesem Teich ritt der König gerade vorüber, sah die elenden Kinder liegen, hielt sein Pferd an und wandte sie mit dem Spieß, den er in der Hand trug, von einer Seite auf die andere um. Da griff eins der Kindlein mit seinen Händchen den königlichen Spieß fest. Der König sah darin ein Zeichen, daß aus diesem Kind ein besonderer Mann werden würde, befahl, es aus dem Fischbehälter zu ziehen, und übergab es einer Amme zum Säugen. Und weil er ihn aus dem Fischteich, der in ihrer Sprache

Lama[1] heißt, gezogen hatte, legte er dem Kind den Namen Lamissio bei. Es erwuchs, wurde ein streitbarer Held und nach Agelmunds Tode König der Langobarden.

394. LAMISSIO UND DIE AMAZONEN

Als die Langobarden sich dem Reiche der Kriegsjungfrauen (deren es noch in dem Innern Deutschlands geben soll) näherten, wollten ihnen diese den Übergang eines Flusses an ihrer Grenze nicht verstatten. Es wurde daher ausgemacht, daß ein auserwählter Held von seiten der Langobarden mit einer der Frauen in dem Flusse schwimmend fechten sollte. Würde nun ihr Kämpfer von der Jungfrau besiegt, so sollte das lombardische Heer zurückweichen; unterläge sie hingegen dem Helden, so sollte ihnen der Übergang vergönnt sein. Diesen Kampf bestand der tapfere Lamissio und erwarb sich durch seinen Sieg großen Ruhm, seinen Landsleuten aber den freien Zug über den Strom.

395. SAGE VON RODULF UND RUMETRUD

Als die Heruler und Langobarden ihren Krieg durch ein Friedensbündnis aufheben wollten, sandte König Rodulf seinen Bruder zu König Tato, daß er alles abschließen sollte. Nach beendigtem Geschäfte kehrte der Gesandte heim; da geschah es, daß er unterwegs vorbeiziehen mußte, wo Rumetrud wohnte, des langobardischen Königs Tochter. Diese sah die Menge seines Gefolges, fragte, wer das wohl sein möchte, und hörte, daß es der herulische Gesandte, Rodulfs leiblicher Bruder wäre, der in sein Land heimzöge. Da schickte sie einen zu ihm und ließ

1 Aus keiner germanischen Sprache jetzt zu erläutern, aber im lat. ist lama Pfütze, Sumpf, Schlund, griech. λαμος. Vgl. Schlamm. Lit. lama, locus depressus in agro. Lett. loma, palus, fossa.

ihn laden, ob er kommen wolle, einen Becher Wein zu trinken. Ohne Arg folgte er der Ladung; aber die Jungfrau spottete seiner aus Übermut, weil er kleinlicher Gestalt war, und sprach höhnende Reden. Er dagegen, übergossen von Scham und Zorn, stieß noch härtere Worte aus, also daß die Königstochter viel mehr beschämt wurde und innerlich vor Wut entbrannte. Allein sie verstellte ihre Rache und versuchte mit freundlicher Miene ein angenehmes Gespräch zu führen und lud den Jüngling zu sitzen ein. Den Sitz aber wies sie ihm da an, wo in der Wand eine Luke war, darüber sie, gleichsam zu des Gastes Ehren, einen köstlichen Teppich hängen lassen; eigentlich aber wollte sie damit allen Argwohn entfernen. Nun hatte sie ihren Dienern befohlen, sobald sie zu dem Schenken das Wort sprechen würde: »Mische den Becher!« daß sie durch die Luke des Gastes Schulterblatt durchstoßen sollten, und so geschah es auch. Denn bald gab das grausame Weib jenes Zeichen, und der unselige Gast sank mit Wunden durchbohrt zur Erde.

Da König Rodulf von seines Bruders Mord Kundschaft bekam, klagte er schmerzlich und sehnte sich nach Rache; alsbald brach er den neuen Bund und sagte den Langobarden Krieg an. Wie nun der Schlachttag erschien, war Rodulf seiner Sache so gewiß, daß ihm der Sieg unzweifelhaft deuchte, und während das Heer ausrückte, er ruhig im Lager blieb und Schachtafel spielte. Denn die Heruler waren dazumal im Kampf wohlerfahren und durch viele Kriege berühmt. Um freier zu fechten, oder als verachteten sie alle Wunden, pflegten sie auch nackend zu streiten und nichts als die Scham zu bedecken an ihrem Leibe.

Als nun der König, wie gesagt, fest auf die Tapferkeit der Heruler baute und ruhig Tafel spielte, hieß er einen seiner Leute auf einen nahestehenden Baum steigen, daß er ihm der Heruler Sieg desto schneller verkündige; doch mit der zugefügten Drohung: »Meldest du mir von ihrer Flucht, so ist dein Haupt verloren.« Wie nun der Knecht oben auf dem Baume stand, sah er, daß die Schlacht übel ging; aber er wagte nicht zu sprechen, und erst wie das ganze Heer dem Feinde den Rücken kehrte, brach er in die Worte aus: »Weh dir, Herulerland, der Zorn des Himmels hat dich betroffen!« Das hörte Rodulf und sprach: »Wie, fliehen meine Heruler?« – »Nicht ich«, rief jener, »sondern du, König, hast dies Wort gesprochen.« Da traf den König Schrecken und Verwirrung, daß er und seine umstehenden Leute keinen Rat wußten und bald die langobardischen Haufen einbrachen und alles erschlugen. Da fiel Rodulf ohne männliche Tat. Und über der Heruler Macht, wie sie hierhin und dorthin zerstreut wurde, waltete Gottes Zorn schrecklich. Denn als die Fliehenden blühende Flachsfelder vor sich sahen, meinten sie vor einem schwimmbaren Wasser zu stehen, breiteten sie Arme aus, in der Meinung zu schwimmen, und sanken grausam unter der Feinde Schwert[1]. Die Langobarden aber trugen unermeßliche Beute davon und teilten sie im Lager; Rodulfs Fahne und Helm, den er in den Schlachten immer getragen hatte, bekam Tato, der König. Von der Zeit an war alle Kraft der Heruler gebrochen, sie hatten keine Könige mehr; die Langobarden aber wurden durch diesen Sieg reicher und mächtiger als je vorher.

396. ALBOIN WIRD DEM AUDOIN TISCHFÄHIG

Als Alboin, Audoins Sohn, siegreich vom Feldzug gegen die Gepiden heimkehrte, wollten die Langobarden, daß er auch seines Vaters Tischgenoß würde. Audoin aber verwarf dies, weil nach der Gewohnheit des Volks der Königssohn nicht eher mit dem Vater speisen dürfe, bis er von einem auswärtigen König gewaffnet worden sei. Sobald dies Alboin hörte, ritt er, nur von vierzig Jünglingen begleitet, zu Thurisend, dem Gepidenkönig, dessen Sohn Thurismod er eben erlegt hatte, und erzählte ihm, aus welcher Ursache er käme. Thurisend nahm ihn freundlich auf, lud ihn zu Gast und setzte ihn zu seiner Rechten an der Mahlzeit, wo sonst sein Sohn zu sitzen pflegte. Als nun

---

1 Diesen poetischen und ganz sagenhaften Zug hat auch Aimoin in seinen sonst kurzen Exzerpten aus Paulus (lib. II, cap. 13).

Thurisend so saß und seines Sohnes Mörder neben sich erblickte, seufzte er vor Schmerz und sprach: »Der Platz ist mir lieb, aber der Mann leid, der jetzt darauf sitzt.« Durch diese Worte gereizt, hub der andere Sohn Thurisends an, der Langobarden zu spotten, weil sie unterhalb der Waden weiße Binden trügen, und verglich sie Pferden, deren Füße bis an die Schenkel weiß sind, »das sind ekelhafte Mähren, denen ihr gleicht«. Einer der Langobarden versetzte hierauf: »Komm mit ins Asfeld; da kannst du sehen, wie gut die, welche du Mähren nennst, mit den Hufen schlagen; da liegen deines Bruders Gebeine wie die eines elenden Gauls mitten auf der Wiese.« Die Gepiden gerieten dadurch in Wut und wollten sich rächen, augenblicklich faßten alle Langobarden ihre Degengriffe. Der König aber stand vom Tische auf, warf sich in ihre Mitte und bedrohte den, welcher zuerst den Streit anheben würde: der Sieg mißfalle Gott, wenn man in seinem eignen Hause den Feind erlege. So beschwichtigte er den Zank, nahm nach vollbrachtem Mahle die Waffen seines Sohnes Thurismod und übergab sie dem Alboin. Dieser kehrte in Frieden zu seinem Vater heim, und wurde nun dessen Tischgenoß. Er erzählte alles, was ihm bei den Gepiden begegnet war, und die Langobarden lobten mit Bewunderung sowohl Alboins Wagstück als Thurisends große Treue.

397. ANKUNFT DER LANGOBARDEN IN ITALIEN

Narses, weil er seiner Mannheit beraubt worden war, wurde von der Kaiserin verhöhnt, indem sie ihm ein goldenes Spinnrad sandte: mit den Weibern solle er spinnen, aber nicht unter den Männern befehlen. Da antwortete Narses: »So will ich ihr ein solches Gewebe spinnen, aus dem sie zeitlebens ihren Hals nicht wieder wird loswickeln können.« Darauf lockte er die Langobarden und leitete sie mit ihrem König Alboin aus Pannonien nach Italien.

Die altdeutsche Weltchronik erzählt dieses nicht von Narses, sondern von Aetius, dem die Königin spottweise entbieten ließ, in ihrer Frauenstube Wolle zu zeisen.

398. ALBOIN GEWINNT TICINUM[1]

Drei Jahre und etliche Monate hatte Alboin Ticinum belagert, eh es sich ergab. Als nun der König durch die Johannespforte an der Ostseite der Stadt eintritt, fiel sein Pferd mitten unter dem Tor hin und konnte durch keine Streiche dazu gebracht werden, wieder aufzustehen. Da sagte ein Langobarde: »Gedenk, o König, deines Gelübdes und brich es, so wirst du in die Stadt eingehen, denn es wohnt auch Christenvolk darin.« Alboin hatte nämlich gelobt, das ganze Volk, weil es sich nicht ergeben wollte, über die Klinge springen zu lassen. Hierauf brach er nun das harte Gelübde und verhieß den Bürgern Gnade; alsbald hob sich sein Pferd auf, und er hielt ruhig den Einzug.

399. ALBOIN BETRACHTET SICH ITALIEN

Alboin war nun mit seinem Heer und einer großen Menge Volkes an die äußerste Grenze Italiens gekommen. Da stieg er auf einen in der Gegend emporragenden Berg und beschaute das Land, soweit er von da hineinsehen konnte. Seit der Zeit heißt derselbe Berg nach ihm der Königsberg. Auf diesem Gebirge sollen wilde Wisente hausen. Ein wahrhafter Greis erzählte, die Haut eines auf dem Berg erlegten Wisents gesehen zu haben, welche so groß gewesen sei, daß fünfzehn Männer nebeneinander daraufliegen können.

1 Pavia.

Nach Thurisends Tod brach dessen Sohn und Nachfolger Kunimund aufs neue den Frieden mit den Langobarden. Alboin aber schlug die Feinde, erlegte den Kunimund selber und machte sich aus dessen Schädel eine Trinkflasche. Kunimunds Tochter Rosimund führte er mit vielen andern in die Gefangenschaft und nahm sie darauf zu seiner Gemahlin. Alboins Taten erschollen überall, und sein Ruhm wurde nicht bloß bei den Langobarden, sondern auch bei den Bayern, Sachsen und andern Völkern der deutschen Zunge in Liedern besungen. Auch erzählen viele, daß zu seiner Zeit ganz vorzügliche Waffen geschmiedet worden seien.

Eines Tages saß Alboin zu Verona fröhlich am Mahl und befahl der Königin, in jener Schale Wein zu schenken, die er aus ihres Vaters Haupt gemacht hatte, und sprach zu ihr: »Trinke fröhlich mit deinem Vater!« Rosimund empfand tiefen Schmerz, bezwang sich gleichwohl und sann auf Rache. Sie wandte sich aber an Helmichis, des Königs Waffenträger (Schilpor) und Milchbruder, und bat ihn, daß er den Alboin umbringe. Dieser riet ihr, den Peredeo, einen tapfern Helden, ins Verständnis zu ziehen. Peredeo wollte aber mit dieser Untat nichts gemein haben. Da barg sich Rosimund heimlich in ihrer Kammermagd Bett, mit welcher Peredeo vertrauten Umgang hatte; und so geschah's, daß er unwissend dahin kam und bei der Königin schlief. Nach vollbrachter Sünde frug sie ihn: für wen er sie wohl halte? Und als er den Namen seiner Freundin nannte, sagte sie: »Du irrst dich sehr, ich, Rosimund, bin's; und nun du einmal dieses begangen hast, geb ich dir die Wahl, entweder den Alboin zu ermorden oder zu erwarten, daß er dir das Schwert in den Leib stoße.« Da sah Peredeo das unausweichliche Übel ein und bewilligte gezwungen des Königs Mord.

Eines Mittags also, wie Alboin eingeschlafen war, gebot Rosimund Stille im ganzen Schlosse, schaffte alle Waffen beiseite und band Alboins Schwert an die Bettstelle stark fest, daß es nicht weggenommen noch aus der Scheide gezogen werden mochte. Dann führte sie, nach Helmichis' Rat, Peredeo herein. Alboin, aus dem Schlafe erwachend, sah die Gefahr, worin er schwebte, und wollte sein Schwert ergreifen; da er's nicht losbringen konnte, griff er den Fußschemel und wehrte sich eine gute Weile tapfer damit. Endlich aber mußte dieser kühne und gewaltige Mann, der so viele Feinde besiegt hatte, durch die List seiner Frau wehrlos unterliegen. Seinen Leichnam bestatteten die Langobarden weinend und klagend unter den Aufstieg einer Treppe, nah beim königlichen Schloß. Später öffnete Herzog Gisilbert das Grab und nahm das Schwert zusamt anderm Schmuck heraus. Er berühmte sich auch, den Alboin gesehen zu haben.

401. ROSIMUND, HELMICHIS UND PEREDEO

Nach Alboins Tode dachte Helmichis das Reich zu bekommen, allein die Langobarden hinderten das und stellten ihm, vor tiefem Schmerz über ihres Herrschers Ermordung, nach dem Leben. Also entflohen Helmichis und Rosimund, jetzt seine Gemahlin, auf einem Schiffe, das ihnen Longinus, Vorsteher zu Ravenna, gesandt hatte, nachts aus Verona, entwandten Albsuind, Alboins Tochter erster Ehe, und den ganzen langobardischen Schatz. Wie sie zu Ravenna angelangt waren, nahm Rosimundens Schönheit auch den Longinus ein, und er beredete sie, den Helmichis zu töten und sich hernach ihm zu vermählen. Zum Bösen aufgelegt und wünschend, Ravennas Herrin zu werden, reichte sie dem Helmichis, als er aus dem Bad kam, einen Becher Gift; er aber, sobald er merkte, daß er den Tod getrunken, zog das Schwert über sie und zwang sie, was im Becher geblieben war, auszuleeren. So starben diese beiden Mörder durch Gottes Gericht zu einer Stunde. Longinus schickte Albsuind und die lombardischen Schätze nach Konstantinopel zum Kaiser Tiberius. Einige erzählen: Auch Peredeo sei mit Helmichis und Rosimund nach Ravenna gekommen und ebenfalls mit Albsuinden nachher zu Tiberius gesandt worden.

Er soll Konstantinopel Beweise seiner großen Stärke gegeben und einmal im Schauspiel vor dem Kaiser und allem Volk einen ungeheuren Löwen erlegt haben. Aus Furcht, daß er kein Unheil stifte, ließ ihm der Kaiser die Augen ausstechen. Peredeo schaffte sich zwei kleine Messer, barg sie in seinen Ärmeln und ging in den Palast unter dem Vorwand, er habe dem Kaiser etwas Wichtiges zu offenbaren. Dieser sandte zwei seiner vertrauten Diener, daß sie ihn anhörten; alsbald nahte er sich ihnen, als wolle er etwas Heimliches entdecken, und schlug ihnen mit seinen beiden kleinen Schwertern solche Wunden, daß sie zur Stelle hinsanken und ihren Geist aufgaben. So rächte dieser tapfere Mann, dem Samson (Simson) nicht ungleich, seiner beiden Augen Verlust an dem Kaiser durch den Tod zweier wichtiger Hofmänner.

402. SAGE VOM KÖNIG AUTHARI

Authari, König der Lamparten, sandte nach Bayern zu König Garibald und ließ um dessen Tochter Theodelind (Dietlind) freien. Garibald nahm die Boten freundlich auf, und sagte die Braut zu. Auf diese Botschaft hatte Authari Lust, seine Verlobte selbst zu sehn, nahm wenige, aber geprüfte Leute mit, und darunter seinen Getreuesten, der als Ältester den ganzen Zug anführen sollte. So langten sie ohne Verzug in Bayern an und wurden dem König Garibald in der Weise anderer Gesandten vorgestellt; der Älteste sprach den üblichen Gruß, hernach trat Authari selbst, der von keinem Bayer erkannt wurde, vor und sprach: »Authari, mein Herr und König, hat mich deshalb hierhergesandt, daß ich seine bestimmte Braut, die unsere Herrin werden soll, schaue und ihm ihre Gestalt genau berichten könne.« Auf diese Worte hieß der König seine Tochter kommen, und als sie Authari stillschweigend betrachtet hatte, auch gesehen, daß sie schön war und seinen Augen gefiel, redete er wieder: »Weil ich, o König, deine Tochter so gestaltet sehe, daß sie wert ist, unsere Königin zu werden, möge es dir belieben, daß ich aus ihrer Hand den Weinbecher empfange.« Der König gab seinen Willen dazu, Dietlind stand auf, nahm den Becher und reichte zuerst dem zu trinken, der unter ihnen der Älteste zu sein schien; hernach schenkte sie Authari ein, von dem sie nicht wußte, daß er ihr Bräutigam war. Authari trank, und beim Zurückgeben des Bechers rührte er leise mit dem Finger, ohne daß jemand es merkte, Dietlindens Hand an, darauf fuhr er sich selbst mit der Rechten von der Stirn an über die Nase das Antlitz herab. Die Jungfrau, vor Scham errötend, erzählte es ihrer Amme. Die Amme versetzte: »Der dich so anrührte, muß wohl der König und dein Bräutigam selber sein, sonst hätte er's nimmer gewagt; du aber schweige, daß es dein Vater nicht vernehme; auch ist er so beschaffen von Gestalt, daß er wohl wert scheint, König und dein Gemahl zu heißen.«

Authari war schön in blühender Jugend, von gelbem Haar und zierlich von Anblick. Bald darauf empfingen die Gesandten Urlaub beim König und zogen, von den Bayern geleitet, heim. Da sie aber nahe an der Grenze und die Bayern noch in der Gesellschaft waren, richtete sich Authari, soviel er konnte, auf dem Pferde auf und stieß mit aller Kraft ein Beil, das er in der Hand hielt, in einen nahe stehenden Baum. Das Beil haftete fest, und er sprach: »Solche Würfe pflegt König Authari zu tun!« Aus diesen Worten verstanden die Bayern, die ihn geleiteten, daß er selber der König war. –

Als einige Zeit darauf Dietlinde nach Lamparten kam und die Hochzeit festlich gehalten wurde, trug sich folgendes zu: Unter den Gästen war auch Agilulf, ein vornehmer Langobard. Es erhob sich aber ein Unwetter, und der Blitzstrahl fuhr mit heftigem Donner in ein Holz, das innerhalb des Königs Zaungarten lag. Agilulf hatte unter seinem Gesinde einen Knecht, der sich auf die Auslegung der Donnerkeile verstand und, was daraus erfolgen würde, durch seine Teufelskunst wohl wußte. Nun begab sich's, daß Agilulf an einen geheimen Ort ging, sich des natürlichen Bedürfnisses zu erledigen, da trat der Knecht hinzu und sprach: »Das Weib, die heute unserm König vermählt worden ist, wird, nicht über lang, dein Gemahl werden.« Als Agilulf das hörte, bedrohte er ihn hart und sagte: »Du mußt dein Haupt verlieren, wo du ein Wort von dieser Sache fallen lässest.« Der Knabe erwiderte: »Du kannst mich töten, allein das Schicksal ist unwandelbar; denn traun, diese Frau ist darum in dies Land gekommen, damit sie dir anvermählt würde.« Dies geschah auch nach der Zeit.

403. AUTHARIS SÄULE

Von Authari, dem König der Lombarden, wird erzählt: Er sei über Spoleto vorgedrungen bis gen Benevent, habe das Land genommen und sogar Reggio heimgesucht, welches die letzte Stadt des festen Landes an der Meerenge, Sizilien gegenüber, ist. Daselbst soll in den Meereswellen eine Säule gesetzt sein; bis zu der hin sprengte Authari auf seinem Roß und rührte sie mit der Spitze seiner Lanze an, indem er ausrief: »Hier soll der Langobarden Grenze stehen!« Diese Säule heißt bis auf den heutigen Tag Autharis Säule.

404. AGILULF UND THEUDELIND

Nach Autharis (Vetaris) Tode ließen die Langobarden Theudelind, die königliche Witwe, die ihnen allen wohlgefiel, in ihrer Würde bestehen und stellten ihr frei, welchen sie wollte, aus dem Volk zu wählen, den würden sie alle für ihren König erkennen. Sie aber berief Agilulf, Herzog von Taurin, einen tapfern kriegerischen Mann, und reiste ihm selbst bis nach Laumell entgegen. Gleich nach dem ersten Gruß ließ sie Wein schenken, trank selber und reichte das übrige dem Agilulf hin. Als er nun beim Empfang des Bechers eherbietig die Hand der Königin küßte, sprach sie lächelnd und errötend: »Der braucht mir nicht die Hand zu küssen, welcher mir seinen Kuß auf den Mund geben soll.« Hierauf ließ sie ihn zum Kuß und tat ihm den gefaßten Entschluß kund; unter allgemeinem Frohlocken wurde bald die Hochzeit begangen und Agilulf von allem versammelten Volk zum König angenommen.

Unter der weisen und kräftigen Herrschaft dieses Königs stand das Reich der Langobarden in Glück und Frieden; Theudelind, seine Gemahlin, war schön und tugendsam. Es begab sich aber, daß ein Jüngling aus dem königlichen Gesinde eine unüberwindliche Liebe zu der Königin faßte und doch, seiner niedern Abkunft halben, keine Hoffnung nähren durfte, jemals zur Befriedigung seiner Wünsche zu gelangen. Er beschloß endlich, das Äußerste zu wagen, und wenn er sterben müsse. Weil er nun abgemerkt hatte, daß der König nicht jede Nacht zu der Königin ging, sooft er es aber tat, in einen langen Mantel gehüllt, in der einen Hand eine Kerze, in der andern ein Stäblein tragend, vor das Schlafgemach Theudelindens trat und mit dem Stäblein ein- oder zweimal vor die Türe schlug, worauf ihm alsbald geöffnet und ihm die Kerze abgenommen wurde – so verschaffte er sich einen solchen Mantel, wie er denn auch von Gestalt genau dem Könige gleichkam.

Eines Nachts hüllte er sich in den Mantel, nahm Kerze und Stäblein zur Hand und tat zwei Schläge an die Türe des Schlafzimmers; sogleich ward ihm von der Kämmerin aufgetan, die Kerze abgenommen, und der Diener gelangte wirklich in das Bett der Königin, die ihn für keinen andern als ihren Gemahl hielt. Indessen fürchtete er, auf solches Glück möge schnelles Unheil folgen, machte sich daher bald aus den Armen der Königin und gelangte auf dieselbe Weise, wie er gekommen war, unerkannt in seine Schlafstube zurück.

Kaum hatte er sich entfernt, als sich der König selbst vornahm, diese Nacht seine Gemahlin zu besuchen, die ihn froh empfing, aber verwundert fragte, warum er gegen seine Gewohnheit, da er sie eben erst verlassen, schon wieder zu ihr kehre. Agilulf stutzte, bildete sich aber augenblicklich ein, daß sie durch die Ähnlichkeit der Gestalt und Kleidung könne getäuscht worden sein; und da er ihre Unschuld deutlich sah, gab er als verständiger Mann sich nicht bloß, sondern antwortete: »Traut Ihr mir nicht zu, daß, nachdem ich einmal bei Euch gewesen, ich nicht noch einmal zu Euch kommen möge?« Worauf sie versetzte: »Ja, mein Herr und Gemahl, nur ich bitte Euch, daß Ihr auf Eure Gesundheit sehen möget.« – »Wenn Ihr mir so ratet«, sprach Agilulf, »so will ich Euch folgen und diesmal nicht weiter bemühen.« Nach diesen Worten nahm der König seinen Mantel wieder um und verließ voll innerem Zorn und Unwillen, wer ihm diesen Schimpf zugefügt habe, das Gemach der Königin. Weil er aber richtig schloß, daß einer aus dem Hofgesinde der Täter sein müßte und noch nicht aus dem Hause habe gehen können, so beschloß er, auf der Stelle nachzuspüren, und ging mit einer Leuchte in einen langen Saal über dem Marstall, wo die ganze Dienerschaft in verschiedenen Betten schlief. Und indem er weiter bedachte, dem, der es vollbracht, müßte noch das Herz viel stärker schlagen als den andern, so trat der König der Reihe nach zu den Schlafenden, legte ihnen die Hand auf die Brust und fühlte, wie ihre Herzen schlugen. Alle aber lagen in tiefer Ruhe, und die Schläge ihres Blutes waren still und langsam, bis er sich zuletzt dem Lager dessen näherte, der es wirklich verübt hatte. Dieser war noch nicht entschlafen, aber, als er den König in den Saal treten gesehn, in große Furcht geraten und glaubte gewiß, daß er umgebracht werden sollte; doch tröstete ihn, daß er den König ohne Waffen erblickte, schloß daher, wie jener näher trat, fest die Augen und stellte sich schlafend. Als ihm nun der König die Hand auch auf die Brust legte und sein Herz heftig pochen fühlte, merkte er wohl, daß dieser der Täter war, und nahm, weil er bis auf den Tag verschieben wollte, was er mit ihm zu tun willens hatte, eine Schere und schnitt ihm von der Seite über dem Ohr eine Locke von den langen Haaren ab. Darauf ging der

König weg, jener aber, der listig und sinnreich war, stand unverzüglich auf, schnitt jedem seiner Schlafgesellen auf derselben Seite eine Locke mit der Schere und legte sich hernach ganz ruhig nieder in sein Bett und schlief. Morgens in aller Frühe, bevor die Tore der Burg eröffnet wurden, befahl der König sämtlichem Gesinde, in seiner Gegenwart zu erscheinen, und begann sie anzusehen, um denjenigen, den er geschoren hatte, darunter auszufinden. Da er aber erstaunt sahe, daß den meisten unter ihnen auf derselben Stelle die Locke fehlte, sagte er zu sich selbst: »Der, den ich suche, ist von niederer Herkunft, aber gewiß von klugem Sinn.« Und sogleich erkennend, daß er ihn ohne großes öffentliches Ärgernis nicht mehr finden werde, sprach er laut zu ihnen allen: »Wer es getan hat, schweige und tue es nimmermehr!« Bei diesen Worten des Königs sahen sich alle Diener einander verwundert an und wußten nicht, was sie bedeuteten; außer dem einen, der das Stück begangen hatte, welcher klug genug war, sein Lebelang nichts davon laut werden zu lassen und sich an dem Glück zu genügen, das ihm widerfahren war.

405. THEODELIND UND DAS MEERWUNDER

Eines Tages wandelte Theodelind, Agilulfs Gemahlin, in der grünen Au, nahe am Meerufer, sich zu erfrischen und Blumen zu brechen. Da stieg plötzlich ein scheußliches Meerwunder ans Land, rauchbehaart, mit glühenden Augen, faßte die zarte Königin und bewältigte sie. Aber ein Edelmann, der in der Nähe Hirsch und Hind jagte, hörte ihr klägliches Wehgeschrei, ritt eilends hinzu, und sobald ihn das Meerwunder kommen sah, ließ es die Königin und sprang in das Meer zurück. Der Edelmann geleitete Theodelinden heim; seit der Zeit war ihr Herz traurig und betrübt, doch sagte sie niemand, was ihr geschehen war. Hierauf brachte sie ein Kind zur Welt, rauch und schwarz und rotäugig gleich seinem Vater; Agilulf erschrak innig, daß er einen solchen Sohn erzeugt hätte, doch ließ er ihn sorgfältig auferziehen. Das Kind wuchs auf und war bös und tückisch, andern Kindern griff es mit Fingern die Augen aus oder zerbrach ihnen Arm und Beine, daß sich jeder vor ihm hütete wie vor dem leidigen Teufel. Und als es älter wurde, schwächte es Frauen und Jungfrauen und tötete die Männer; da zürnte der edle König und dachte es mit Worten zu strafen, aber es wehrte sich und schlug auf seinen Vater selber los, daß es ihn beinahe umgebracht hätte; seit der Zeit strebte es ihm und des Königs rechtem ehelichem Sohne nach dem Leben. Dieser Teufel kann nimmermehr mein Kind sein, dachte der König, und ermahnte seinen Sohn, daß sie mit dem Ungeheuer streiten und es erlegen wollten, ehe es noch mehr Morde beginge. Viele Helden tötete es in dem Kampfe und schlug seinem Vater und Bruder manche tiefe Wunde; das Blut rann im Saal; da nahm seine Mutter selbst Pfeil und Bogen und half mitfechten, bis es zuletzt von vielen getroffen zu Boden niedersank. Als das Ungeheuer tot lag, sprach der König zu Theodelinde: »Nimmermehr war das mein Sohn, bekenne mir frei, von wem du es empfangen hattest, so soll dir alles vergeben sein.« Die Königin bat um Gnade und sagte, wie sie vor Jahren am Gestade des Meeres gegangen, sei ein scheußliches Meerwunder hervorgesprungen und habe sie mit Gewalt bezwungen; das könne ihr der Edelmann bezeugen, der sie nach Haus geleitet. Dieser wurde herbeigerufen und bestätigte, daß er auf das Geschrei der Königin hinzugeeilt sei und das Meerwunder entspringen gesehen habe. Der König sprach: »Nun möchte ich wissen, ob es noch am Leben ist, damit ich mich an ihm rächen könnte; darum will ich, daß Ihr Euch an dieselbe Stelle wiederum hinleget und seiner wartet.« – »Was Ihr gebietet, tue ich«, versetzte die Königin, »was mir immer darum geschehe.« Da ging die Frau, zierlich gekleidet, hin an des Meeres Flut; der König aber und sein Sohn bargen sich mit Waffen im Gesträuche. Nicht lange lag sie da, als das Meerwunder aus den Wellen sprang und auf sie zulief; in demselben Augenblick wurde es vom König und seinem Sohne überfallen, daß es nicht entrinnen konnte. Die Königin aber ergriff ein Schwert und stach es durch den Leib des Untiers, welches auf diese Weise mit dem Leben büßte; alle lobten Gott und zogen in Freuden heim.

406. ROMHILD UND GRIMOALD DER KNABE

Die Hunnen oder Awaren waren mit Heereskraft in die Lombardei eingebrochen; Gisulf, Herzog von Friaul, stellte sich mannhaft entgegen, unterlag aber mit seinem schwachen Häuflein der großen Menge. Nur wenige Lombarden kamen lebendig davon; sie flüchteten mit Romhild, Gisulfs Gemahlin, und seinen Söhnen in die Festung Friaul. Als nun Cacan, der Hunnenkönig, vor den Mauern der Burg, um sie zu besichtigen, herritt, ersah ihn Romhild und sah, daß er ein blühender Jüngling war. Da ward sie entzündet und sandte ihm heimliche Botschaft: wenn er sie ehelichen würde, wolle sie die Burg mit allen, die darin wären, in seine Hände geben. Cacan ging dieses ein, und Romhild ließ die Tore öffnen. Die Hunnen verheerten die ganze Stadt; was von Männern darin war, töteten sie durchs Schwert, um die Weiber und Kinder aber losten sie. Doch entrannen Taso und Romoald, Gisulfs älteste Söhne, glücklich; und weil sie Grimoald, ihren jüngsten Bruder, noch für zu klein hielten, ein Roß zu besteigen, so dachten sie, es wäre besser, daß er stürbe als in Gefangenschaft fiele, und wollten ihn töten. Und schon war der Speer gegen den Knaben erhoben, da rief Grimoald mit Tränen: »Erschlag mich nicht, denn ich kann mich schon auf dem Pferde halten.« Sein Bruder ergriff ihn beim Arm und setzte ihn auf den bloßen Rücken eines Pferdes; der Knabe faßte die Zügel und folgte seinen Brüdern nach. Die Hunnen rannten hinterher, und einer fing den kleinen Grimoald; doch wollte er ihn, seiner zarten Jugend wegen, nicht töten, sondern zu seiner Bedienung aufheben. Der Knabe war schön von Bildung, glänzend von Augen und gelb von Haaren; als ihn der Hunne ins

Lager zurückführte, zog er unversehens sein Schwert und traf den Feind, daß er vom Pferde zu Boden stürzte. Dann griff er schnell in die Zügel und rannte den Brüdern nach, die er auch, fröhlich seiner Tat, einholte.

Der Hunnenkönig, um sein gegebenes Wort zu erfüllen, vermählte sich zwar mit Romhilden, behielt sie aber nur eine Nacht und gab sie dann zwölf Hunnen preis; darauf ließ er sie zu Tod an einen Pfahl aufspießen. Gisulfs Töchter hingegen waren nicht dem Beispiel ihrer geilen Mutter gefolgt, sondern sie hatten sich, um ihre Keuschheit zu bewahren, rohes Hühnerfleisch unter die Brüste gebunden, damit der Gestank des Fleisches jeden Feind, der sich ihnen näherte, zurücktriebe. Die Hunnen glaubten darauf, daß sie von Natur so röchen, verabscheuten sie und sprachen: »Die Lombardinnen stinken!« Durch diese Tat erhielten die Jungfrauen ihre Reinheit und wurden hernachmals, wie es ihrer edlen Geburt ziemte, vermählt; die eine dem König der Alemannen, die andere dem Herzog der Bayern.

407. LEUPICHIS ENTFLIEHT

Zu dieser Zeit wurde auch Leupichis als ein Kind aus dem Friual in die Gefangenschaft mitgeschleppt, einer von fünf Brüdern, wovon die andern alle umkamen; er aber strebte, den Hunnen zu entfliehen und in seine Heimat wiederzukommen. Eines Tages führte er die vorgehabte Flucht aus, nahm bloß Pfeil und Bogen mit und etwas Speise; er wußte aber nicht, wohinaus. Da gesellte sich ein Wolf zu ihm und wurde sein Wegweiser. Und als er das Tier sich oft nach ihm umblicken und, sooft er stillstand, auch stillstehen sah, dachte er, daß es ihm von Gott gesandt wäre. So wanderten sie, das Tier und der Knabe, einige Tage durch Berge und Täler der Wildnis; endlich ging dem Leupichis das wenige Brot aus, das er hatte. Bald verzehrte ihn der Hunger, und er spannte seinen Bogen auf den Wolf, damit ihm das Tier zur Speise dienen sollte. Der Wolf wich dem Pfeil aus und verschwand. Nun aber wußte er nicht mehr, welchen Weg einzuschlagen, und warf sich ermattet zu Boden; im Schlaf sah er einen Mann, der zu ihm redete: »Stehe auf, der du schläfst, und nimm den Weg nach der Gegend hin, wohin deine Füße gerichtet sind, denn dort liegt Italien.« Alsbald stand Leupichis auf und ging dahinwärts; er gelangte zu den Wohnungen der Slawen, eine alte Frau nahm ihn auf, verbarg ihn in ihrem Haus und gab ihm Lebensmittel. Darauf setzte er den Weg fort und kam nach wenigen Tagen in die Lombardei, an den Ort, wo er herstammte. Das Haus seiner Eltern fand er so verödet, daß es kein Dach mehr hatte und voll Dorn und Disteln stand. Er hieb sie nieder, und zwischen den Wänden war ein großer Ulmbaum gewachsen, an den hing er seinen Bogen auf. Hernach bebaute er die Stätte von neuem, nahm sich ein Weib und wohnte daselbst. Dieser Leupichis wurde des Geschichtsschreibers Urahn. Leupichis zeugte Arichis, Arichis den Warnefried und Warnefried den Paulus.

408. DIE FLIEGE VOR DEM FENSTER

Als der Lombardenkönig Kunibert mit seinem Marpahis (Stallmeister) Rat pflog, wie er Aldo und Grauso umbringen möchte, siehe, da saß an dem Fenster, vor dem sie standen, eine große Schmeißfliege. Kunibert nahm sein Messer und hieb nach ihr; aber er traf nicht recht und schnitt ihr bloß einen Fuß ab. Die Fliege flog fort. Aldo und Grauso, nichts ahnend von dem bösen Ratschlag, der gegen sie geschmiedet worden war, wollten eben in die königliche Burg gehen, und nahe bei der Romanuskirche kam ihnen entgegen ein Hinkender, dem ein Fuß abgehauen war, und sprach: »Gehet nicht zu König Kunibert, sonst werdet ihr umgebracht.« Erschrocken flohen jene in die Kirche und bargen sich hinter dem Altar. Es wurde aber bald dem König hinterbracht, daß sich Aldo und Grauso in die Kirche geflüchtet hätten. Da warf Kunibert Verdacht auf seinen Marpahis, er

möchte den Anschlag verraten haben; der antwortete: »Mein
Herr und König, wie vermag ich das, der ich nicht aus deinen
Augen gewichen bin, seit wir das ratschlagten?« Der König
sandte nach Aldo und Grauso und ließ fragen, aus was Ursache
sie zu dem heiligen Ort geflüchtet wären. Sie versetzten: »Weil
uns gesagt worden ist, der König wolle uns umbringen.« Und
von neuem sandte der König und ließ sagen, wer ihnen das
gesagt hätte? Und nimmermehr würden sie Gnade finden, wo
sie nicht den Verräter offenbaren wollten. Da erzählten jene, wie
es sich zugetragen hatte, nämlich: es sei ihnen ein hinkender
Mann begegnet, dem ein Bein bis ans Knie gefehlt und der an
dessen Stelle ein hölzernes gehabt hätte. Der habe ihnen das
bevorstehende Unheil vorausverkündigt. Da erkannte der
König, daß die Fliege, der er das Bein abgehauen, ein böser Geist
gewesen war und seinen geheimen Anschlag hernach verraten
hatte. Er gab dem Aldo und Grauso darauf sein Wort, daß sie aus
der Kirche gehen könnten und ihre Schuld verziehen sein sollte,
und zählte sie von der Zeit an unter seine getreuen Diener.

409. KÖNIG LIUTPRANDS FÜSSE

Liutprand, König der Langobarden, soll der Sage nach so lange
Füße gehabt haben, daß sie das Maß eines menschlichen Ellen-
bogens erreichten. Nach seinem Fuß, dessen vierzehn auf der
Stange oder dem Seil eine Rute *(tabula)* ausmachen, pflegen
seitdem die Langobarden ihre Äcker zu messen.

410. DER VOGEL AUF DEM SPEER

Als König Liutprand sich daniederlag und die Lombarden an
seinem Aufkommen zweifelten, nahmen sie Hildeprand, seinen
Neffen, führten ihn vor die Stadt zur Liebfrauenkirche und
erhoben ihn zum König. Indem sie ihm nun, wie es bräuchlich

war, den Speer in die Hand gaben, kam ein Kuckuck geflogen und setzte sich oben auf des Speeres Spitze. Da sprachen kluge Männer, dieses Wunder zeige an, daß Hildeprands Herrschaft unnütz sein werde.

411. AISTULFS GEBURT

Von König Aistulf, der mitten des VIII. Jahrhunderts die Langobarden beherrschte, geht folgende Sage: Seine Mutter brachte in einer Stunde und in einem Gebären fünf Kinder zur Welt. Als man diese wunderbare Nachricht dem Könige ankündigte, befahl er, alle fünfe in einem großen Korb vor ihn zu tragen. Er sah die Kinder an, erschrak, wollte sie aber doch nicht geradezu aussetzen lassen. Da hieß er seinen königlichen Spieß holen und sprach zu seinen Leuten: »Dasjenige von den Kindern, welches meinen Spieß mit der Hand greifen wird, soll beim Leben erhalten werden!« Hierauf streckte er den Spieß in den Korb unter die Kinder, und eins von den Brüdern reichte mit dem Ärmelein nach der Stange. Darauf nannte der Vater dieses Kind mit Namen Aistulf.

412. WALTER IM KLOSTER

Nachdem er viele Kriegstaten in der Welt verrichtet hatte und hochbejahrt war, dachte Held Walter seiner Sünden und nahm sich vor, durch ein strenges, geistliches Leben die Verzeihung des Himmels zu erwerben. Sogleich suchte er sich einen Stab aus, ließ oben an die Spitze mehrere Ringe und in jeden Ring eine Schelle heften; darauf zog er ein Pilgrimkleid an und durchwanderte so fast die ganze Welt. Er wollte aber die Weise und Regel aller Mönche genau erforschen und ging in jedes Kloster ein; wenn er aber in die Kirche getreten war, pflegte er zwei- oder dreimal mit seinem Stabe hart auf den Boden zu stoßen, daß alle

Schellen klangen; hierbei prüfte er nämlich den Eifer des Gottes-
dienstes. Als er nun einmal in das Kloster Novalese gekommen
war, stieß er auch hier seiner Gewohnheit nach den Pilgerstab
hart auf den Boden. Einer der Kirchenknaben drehte sich um,
rückwärts, um zu sehen, was so erklänge; alsbald sprang der
Schulmeister zu und gab dem Zögling eine Maulschelle. Da
seufzte Walter und sprach: »Nun bin ich schon lange und viele
Tage durch die Welt gewandert und habe dergleichen nicht
finden können.« Darauf meldete er sich bei dem Abt, bat um
Aufnahme ins Kloster und legte das Kleid dieser Mönche an;
auch wurde er nach seinem Willen zum Gärtner des Klosters
bestellt. Er nahm zwei lange Seile und spannte sie durch den
Garten, eins der Länge und eins der Quere nach; in der Sommerhitze hing er alles Unkraut darauf, die Wurzeln gegen die Sonne, damit sie verdörren und nicht wieder lebendig werden
sollten[1].

Es war aber in dem Kloster ein hölzerner Wagen, überaus schön
gearbeitet, auf den man nichts anders legte als eine große, oben
mit einer hell lautenden Schelle versehene Stange. Diese Stange
wurde zuweilen aufgesteckt, so daß sie jedermann sehen und den
Klang hören konnte. Alle Höfe und Dörfer des Klosters hatten
nun auch ihre Wagen, auf denen die Mönche Dienstleute Korn
und Wein zufuhren; jener Wagen mit der Stange fuhr dann
voraus, und hundert oder fünfzig andere Wagen folgten nach,
und jedermann erkannte daran, daß der Zug dem berühmten
Kloster Novalese gehörte. Und da war kein Herzog, Graf, Herr
oder Bauer, der gewagt hätte, ihn zu beschädigen; ja, die
Kaufleute auf den Jahrmärkten sollen ihren Handel nicht eher
eröffnet haben, als bis sie erst den Schellenwagen heranfahren
sahen. Als diese Wagen einmal beladen zum Kloster zurückkehrten, stießen sie auf des Königs Leute, welche die königlichen Pferde auf einer Wiese weideten. Diese sahen kaum soviel
Güter ins Kloster fahren, als sie übermütig darauf herfielen und
alles wegnahmen. Die Dienstleute widersetzten sich vergeblich,

1 Vergl. Meister Stolle (hinter Tristan), S. 147, No. IX).

ließen aber, was geschehen war, augenblicklich dem Abt und den ganzen Brüdern kundtun. Der Abt versammelte das ganze Kloster und berichtete die Begebenheit. Der Vorsteher der Brüderschaft war damals einer namens Asinarius, von Herkunft ein Franke, ein tugendhafter, verständiger Mann. Dieser, auf Walters Rat, man müsse zu den Räubern kluge Brüder absenden und ihnen die Sache gehörig darstellen lassen, sagte sogleich: »So sollst du, Walter, schnell dahin gehen, denn wir haben keinen klügeren, weiseren Bruder.« Walter aber, der sich wohl bewußt war, er werde den Trotz und Hochmut jener Leute nicht ertragen können, versetzte: »Sie werden mir mein Mönchskleid ausziehen.« – »Wenn sie dir dein Kleid ausziehen«, sprach Asinarius, »so gib ihnen noch die Kutte dazu und sag, also sei dir's von den Brüdern befohlen.« Walter sagte: »Wie soll ich mit dem Pelz und Unterkleid verfahren?« – »Sag«, versetzte der ehrwürdige Vater, »es sei von den Brüdern befohlen worden, sich auch diese Stücken nehmen zu lassen.« Darauf setzte Walter hinzu: »Zürne mir nicht, daß ich weiterfrage, wenn sie auch mit den Hosen tun wollen wie mit dem übrigen?« – »Dann«, antwortete der Abt, »hast du deine Demut schon hinlänglich bewiesen; denn in Ansehung der Hosen kann ich dir nicht befehlen, daß du sie ihnen lassest.«

Hiermit war Walter zufrieden, ging hinaus und fragte die Klosterleute, ob hier ein Pferd wäre, auf dem man im Notfall einen Kampf wagen dürfe. »Es sind hier gute, starke Karrengäule«, antworteten jene. Schnell ließ er sie herbeiführen, bestieg einen und spornte ihn und dann einen zweiten, verwarf sie aber beide und nannte ihre Fehler. Dann erinnerte er sich eines guten Pferdes, das er einst mit ins Kloster gebracht habe, und frug, ob es noch lebendig wäre. »Ja, Herr«, sagten sie, »es lebt noch, ist aber ganz alt und dient bei den Bäckern, denen es täglich Korn in die Mühle trägt und wiederholt.« Walter sprach: »Führt es mir vor, damit ich es selber sehe.« Als es herbeigebracht wurde und er daraufgestiegen war, rief er aus: »Oh, dieses Roß hat die Lehren noch nicht vergessen, die ich ihm in meinen jungen Jahren gab.« Hierauf beurlaubte sich Walter von dem Abt und den Brüdern, nahm nur zwei oder drei Knechte mit und eilte zu den Räubern hin, die er freundlich grüßte und ermahnte, von dem Unrecht abzustehn, das sie den Dienern Gottes zugefügt hätten. Sie aber wurden desto zorniger und aufgeblasener und zwangen Walter, das Kleid auszuziehen, welches er trug. Geduldig litt er alles und sagte, daß ihm so befohlen worden sei. Nachdem sie ihn ausgezogen hatten, fingen sie an, auch seine Schuhe und Schienen aufzulösen; bis sie an die Hosen kamen, sprach Walter: das sei ihm nicht befohlen. Sie aber antworteten, was die Mönche befohlen hätten, daran wäre ihnen gar nichts gelegen. Walter hingegen sagte, ihm stehe das auch nicht länger an; und wie sie Gewalt brauchen wollten, machte er unvermerkt seinen Steigbügel los und traf damit einen Kerl solchergestalt, daß er für tot niedersank, ergriff dessen Waffen und schlug damit rechts und links um sich. Darnach schaute er und sah neben sich ein Kalb auf dem Grase weiden, sprang zu, riß ihm ein Schulterblatt aus und schlug damit auf die Feinde los, welche er durch das ganze Feld hintrieb. Einige erzählen, Walter habe demjenigen, der sich am frechsten erzeigt und gerade gebückt habe, um ihm die Schuhe abzubinden, mit der Faust einen solchen Streich über den Hals versetzt, daß ihm das zerbrochene Halsbein sogleich in den Schlund gefallen sei. Als er nun viele erschlagen hatte, machten sich die übrigen auf die Flucht und ließen alles im Stich. Walter aber bemächtigte sich nicht nur des eigenen, sondern auch des fremden Gutes und kehrte mit reicher Beute beladen ins Kloster zurück.

Der Abt empfing ihn seufzend und schalt ihn heftig aus; Walter aber ließ sich eine Buße auflegen, damit er sich nicht leiblich über eine solche Tat freuen möge, die seiner Seele verderblich war. Er soll indessen, wie einige versichern, dreimal so mit den einbrechenden Heiden gekämpft und sie schimpflich von den Gefilden des Klosters zurückgetrieben haben.

Ein andermal fand er die Pferde Königs Desiderius auf der

Klosterwiese, namens Mollis *(Molard)*, weiden und das Gras verwüsten, verjagte die Hüter und erschlug viele derselben. Auf dem Rückwege, vor Freude über diesen Sieg, schlug er mit geballter Faust zweimal auf eine neben dem Weg stehende steinerne Säule und hieb das größte Stück davon herunter, daß es zu Boden fiel. Daselbst heißt es bis auf heutigen Tag noch Walters Schlag oder Hieb *(percussio vel ferita Waltharii)*.

Dieser berühmte Held Graf Walter starb uralt im Kloster, wo er sich selbst noch sein Grab auf einem Berggipfel sorgfältig gehauen hatten. Nach seinem Ableben wurde er und Rathald, sein Enkel, hineinbestattet. Dieser Rathald war der Sohn Rathers, des Sohnes Walters und Hildgundens. Des Rathalds Haupt hatte einst eine Frau, die Betens halber zu der Grabstätte gekommen war, heimlich mitgenommen und auf ihre Burg gebracht. Als eines Tages Feuer in dieser Burg ausbrach, erinnerte sie sich des Hauptes, zog es heraus und hielt es der Flamme entgegen. Alsobald erlosch die Feuersbrunst. Nach dem letzten Einbruch der Heiden, und bevor der heilige Ort wiedererbaut wurde, wußte niemand von den Einwohnern mehr, wo Walters Grab war. Dazumal lebte in der Stadt Segusium eine sehr alte Witwe namens Petronilla, gebückt am Stabe einhergehend und wenig mehr sehend aus ihren Augen. Dieser hatten die Heiden ihren Sohn Maurinus gefangen weggeführt, und über dreißig Jahre mußte er bei ihnen dienen. Endlich aber erlangte er die Freiheit und wanderte in seine Heimat zurück. Er fand seine Mutter vom Alter beinahe verzehrt. Sie pflegte sich täglich auf einem Felsen bei der Stadt an der Sonne zu wärmen, und die Leute gingen oft zu ihr und fragten nach den Altertümern; sie wußte ihnen mancherlei zu erzählen, zumal vom novalesischen Kloster, viele unerhörte Dinge, die sie teils noch gesehen, teils von ihren Eltern vernommen hatte. Eines Tages ließ sie sich wiederum von einigen Männern herumführen, denen wies sie Walters Grab, das man nicht mehr kannte, so wie sie es von ihren Vorfahren gehört hatte; wiewohl ehemals keine Frau gewagt hätte, diese Stätte zu betreten. Auch verzählte sie, wieviel Brunnen ehemals hier gewesen. Die Nachbarsleute behaupteten, gedachte Frau sei beinahe zweihundert Jahre alt geworden.

413. URSPRUNG DER SACHSEN

Nach einer alten Volkssage sind die Sachen mit Aschanes (Askanius), ihrem ersten König, aus den Harzfelsen mitten im grünen Wald bei einem süßen Springbrünnlein herausgewachsen. Unter den Handwerkern hat sich noch heutzutage der Reim erhalten:

> Darauf so bin ich gegangen nach Sachsen,
> wo die schönen Mägdlein auf den Bäumen wachsen;
> hätt ich daran gedacht,
> so hätt ich mir eins davon mitgebracht.

Und Aventin leitet schon merkwürdig den Namen der Germanen von *germinare*, auswachsen, ab, weil die Deutschen auf den Bäumen gewachsen sein sollen.

414. ABKUNFT DER SACHSEN

Man lieset, daß die Sachsen weiland Männer des wunderlichen Alexanders waren, der die Welt in zwölf Jahren bis an ihr Ende erfuhr. Da er nun zu Babylonia umgekommen war, so teilten sich viere in sein Reich, die alle Könige sein wollten. Die übrigen fuhren in der Irre umher, bis ihrer ein Teil mit vielen Schiffen nieder zur Elbe kam, da die Thüringer saßen. Da erhub sich Krieg zwischen den Thüringern und Sachsen. Die Sachsen trugen große Messer, damit schlugen sie die Thüringer aus Untreuen bei einer Sammensprache, die sie zum Frieden gegenseitig gelobet hatten. Von den scharfen Messern wurden sie Sachsen geheißen. Ihr wankeler Mut tat den Römern Leids

genug; sooft sie Cäsar glaubte überwunden zu haben, standen sie
doch wieder gegen ihn auf.

415. HERKUNFT DER SACHSEN

Die alten Sachsen (welche die Thüringer vertrieben), ehe sie her
zu Land kamen, waren sie in Alexanders Heer gewesen, der auch
mit ihrer Hilfe die Welt bezwang. Da Alexander starb, mochten
sie sich nicht untertun in dem Lande durch des Landes Haß
willen und schifften auch von dannen mit dreihundert Kielen;
die verdarben alle bis auf vierundfünfzig, und derselben kamen
achtzehn gen Preußen und besaßen das Land, zwölfe besaßen
Rugien und vierundzwanzig kamen hierher zu Lande. Und da
ihr so viel nicht waren, daß sie den Acker möchten bauen, und da
sie auch die thüringischen Herrn schlugen und vertrieben, ließen
sie den Bauern sitzen ungeschlagen und bestätigten ihnen den
Acker zu solchem Rechte, als noch die Lassen haben. Und davon
kommen die Lassen, und von den Lassen, die sich verwirkten an
ihrem Recht, sind kommen die Tagwerker.
Die Glosse führt das noch mehr aus und sagt: Da man sie aber
berennen wollte, waren sie bereit und segelten hinweg. Daß die
Kiel verdarben, kam davon, daß sie zu Wasser nicht schiffen
konnten. Und der kamen achtzehn gen Preußen, da war noch
ein Wildnisse. Diese sind da verwandelt in Heiden. Und zwölf
kamen gen Rugien, und von denen sind kommen die Stormere
und Ditmarsen und Holsten und Hadeler. Und vierundzwanzig
kamen her zu Lande, die heißen noch die Steine, denn im
Griechischen so heißt Petra ein Stein und Saxum ein Kiesling-
stein, und daher heißen wir noch Sachsen, denn wir sind geleichet
den Kieslingsteinen in unsern Streitern.
Unter den Thüringern sind aber gemeint, nicht die da bürtig
sind aus der Landgrafschaft von Thüringen, denn diese sind
Sachsen, sondern die Notthüringer, das waren Wenden. Die
heißen die Sachsen fortan Notdöringe, das ist soviel gesprochen

als: Nottörichte oder Törichte. Denn sie waren streittoll und töricht.

416. DIE SACHSEN UND DIE THÜRINGER

Die Sachsen zogen aus und kamen mit ihren Schiffen an den Ort, der Hadolava heißt, da waren ihnen die Landeseinwohner, die Thüringer, zuwider und stritten heftig. Allein die Sachsen behaupteten den Hafen, und es wurde ein Bund geschlossen, die Sachsen sollten kaufen und verkaufen können, was sie beliebten, aber abstehen von Menschenmord und Länderraub. Dieser Friede wurde nun auch viele Tage gehalten. Als aber den Sachsen Geld fehlte, dachten sie, das Bündnis wäre unnütz. Da geschah, daß einer ihrer Jünglinge aus den Schiffen ans Land trat, mit vielem Geld beladen, mit güldenen Ketten und güldenen Spangen. Ein Thüringer begegenete diesem und sprach: »Was trägst du soviel Gold an deinem ausgehungerten Halse?« – »Ich suche Käufer«, antwortete der Sachse, »und trage dies Gold bloß des Hungers halben, den ich leide; wie sollte ich mich an Gold vergnügen?« Der Thüringer fragte, was es gelten solle. Hierauf sagte der andere: »Mir liegt nichts daran, du sollst mir geben, was du selber magst.« Lächelnd erwiderte jener: »So will ich dir dafür deinen Rock mit Erde füllen«; denn es lag an dem Ort gerade viel Erde angehäuft. Der Sachse hielt also seinen Rock auf, empfing die Erde und gab das Gold hin; sie gingen voneinander, ihres Handels beide froh. Die Thüringer lobten den ihrigen, daß er um so schlechten Preis so vieles Gold erlangt; der Sachse aber kam mit der Erde zu den Schiffen und rief, da ihn etliche töricht schalten, die Sachsen ihm zu folgen auf; bald würden sie seine Torheit gutheißen. Wie sie ihm nun nachfolgten, nahm er Erde, streute sie fein dünne auf die Felder aus und bedeckte einen großen Raum. Die Thüringer aber, welche das sahen, schickten Gesandte und klagten über Friedensbruch. Die Sachsen ließen sagen: »Den Bund haben wir jederzeit und heilig gehalten; das Land, das wir mit unserm Gold erworben, wollen wir ruhig behalten oder es mit den Waffen verteidigen.« Hierauf verwünschten die Einwohner das Gold, und den sie kürzlich gepriesen hatten, hielten sie für ihres Unheiles Ursächer. Die Thüringer rannten nun zornig auf die Sachsen ein, die Sachsen aber behaupteten durch das Recht des Krieges das umliegende Land. Nachdem von beiden Teilen lange und heftig gestritten war und die Thüringer unterlagen, so kamen sie überein, an einem bestimmten Ort, jedoch ohne Waffen, des neuen Friedens wegen zusammenzugehen. Bei den Sachsen nun war es hergebrachte Sitte, große Messer zu tragen, wie die Angeln noch tun, und diese nahmen sie unter ihren Kleidern auch mit in die Versammlung. Als die Sachsen ihre Feinde so wehrlos und ihre Fürsten alle gegenwärtig sahen, achteten sie die Gelegenheit für gut, um sich des ganzen Landes zu bemächtigen, überfielen die Thüringer unversehens mit ihren Messern und erlegten sie alle, daß auch nicht einer übrigblieb. Dadurch erlangten die Sachsen großen Ruf, und die benachbarten Völker huben sie zu fürchten an. Und verschiedene leiten den Namen von der Tat ab, weil solche Messer in ihrer Sprache Sachse hießen.

417. ANKUNFT DER ANGELN UND SACHSEN

Als die Briten grausame Hungersnot und schwere Krankheit erfahren hatten und, aus der Art geschlagen, nicht mehr stark genug waren, um die Einbrüche fremder Völker und der wilden Tiere abzuwenden, ratschlagten sie, was zu tun wäre, und beschlossen mit Wyrtgeorn (Vortigern), ihrem König, daß sie der Sachsen Volk über die See sich zur Hilfe rufen wollten. Der Angeln und Sachsen Volk wurde geladen und kam nach Britenland in dreien großen Schiffen. Es bekam im Ostteil des Eilandes Erde angewiesen, die es bauen und des Gebotes des Königs, der sie geladen hatte, gewärtig sein sollte, daß sie Hilfe leisteten und wie für ihr Land zu kämpfen und fechten hätten. Darauf besiegten die Sachsen die Feinde der Briten und sandten Boten in ihre Heimat, daß sie den großen Sieg geschlagen hätten und das Land schön und fruchtbar, das Volk der Briten träg und faul wäre. Da sandten sie aus Sachsenland einen noch strengeren und mächtigeren Haufen. Als die dazugekommen waren, wurde ein unüberwindliches Volk daraus. Die Briten liehen und gaben ihnen Erde neben ihnen, damit sie für das Heil und den Frieden ihres Grundes streiten und gegen ihre Widersacher kämpfen sollten; für das, was sie gewonnen, gaben sie ihnen Sold und Speise. Sie waren aus drei der stärksten deutschen Völker gekommen, den Sachsen, Angeln und Jüten. Von den Jüten stammen in Britannien die Cantwaren und Wichtsaten ab; von den Altsachsen: die Ostsachsen, Südsachsen und Westsachsen; von den Angeln: die Ostangeln, Mittelangeln, Mercier und all Northumbergeschlecht. Das Land der Angeln in Deutschland lag zwischen den Jüten und Sachsen, und es soll, der Sage nach, von der Zeit an, daß sie darausgingen, wüst und unbewohnt geblieben sein. Ihre Führer und Herzogen waren zwei Gebrüder, Hengst und Horsa; sie waren Wichtgisels Söhne, dessen Vater hieß Wicht und Wichts Vater Woden, von dessen Stamm vieler Länder Könige ihren Ursprung herleiten. Das Volk aber begann sich auf der britischen Insel bald zu mehren und wurde der Schrecken der Einwohner.

418. ANKUNFT DER PIKTEN

Da geschah es, daß der Peohten Volk aus Szythienland in Schiffen kam, und langten in Schottland an und fanden da der Schotten Volk. Und sie verlangten Sitz und Erde in ihrem Land zwischen ihnen. Die Schotten antworteten, ihr Land wäre nicht groß genug, daß sie beide Raum darin hätten. »Wir wollen euch aber guten Rat geben, was ihr zu tun habt. Wir wissen nicht fern von hinnen ein ander Eiland, gen Osten hin, das können wir an klaren Tagen von hier aus der Weite sehen. Wollt ihr das besuchen, so werdet ihr da Erde zu wohnen finden; und widersetzt sich jemand, so wollen wir euch Hilfe leisten.« Da fuhren die Peohten nach Britannien und ließen sich in den Nordteilen dieses Eilands nieder. In den Südteilen wohnten die Briten. Da nun die Peohten keine Weiber hatten, baten sie solche von den Schotten. Diese willigten ein und gaben ihnen Weiber unter dem Vertrag, daß sie in streitigen Fällen ihren König mehr aus dem Weibergeschlecht als aus den Männern kiesen möchten. Dies wird noch jetztzutag unter den Peohten so gehalten.

419. DIE SACHSEN ERBAUEN OCHSENBURG

Als die Sachsen in England angekommen waren, baten sie den König, daß er ihnen ein solch Bleck Land gäbe, das sie mit einer Ochsenhaut beziehen könnten. Da er dies bewilligte, schnitten sie die Haut in schmale Riemen, bezogen damit eine raume Stelle, bauten dahin eine Burg namens Ochsenburg.

420. HASS ZWISCHEN DEN SACHSEN
UND SCHWABEN

Dieweil Hengst (Hest, *Hesternus*) ausgezogen war mit seinen Männern nach England, und ihre Weiber daheim belassen hatten, kamen die Schwaben, bezwangen Sachsenland und nahmen der Sachsen Weiber. Da aber die Sachsen wiederkamen und die Schwaben vertrieben, so zogen einige Weiber mit den Schwaben fort. Der Weiber Kinder, die dazumal mit den Schwaben zu Land zogen, die hieß man Schwaben. Darum sind die Weiber auch erblos aus diesem Geschlecht, und es heißt im Gesetz, daß »die Sachsen behielten das schwäbische Recht durch der Weiber Haß«.

421. HERKUNFT DER SCHWABEN

Die Vordern der Schwaben waren weiland über Meer gekommen mit großer Heereskraft und schlugen ihre Zelte auf an dem Berg Suevo, davon hießen sie Sweben oder Schwaben. Sie waren ein gutes und kluges Volk und nahmen sich oft vor, daß sie gute Recken wären, streitfertig und sieghaft. Brenno, ihr Herzog, schlug mit Julius Cäsar eine blutige Schlacht.

422. ABKUNFT DER BAYERN

Das Geschlecht der Bayern soll aus Armenien eingewandert sein, in welchem Noah aus dem Schiffe landete, als ihm die Taube den grünen Zweig gebracht hatte. In ihrem Wappen führen sie noch die Arche auf dem Berg Ararat. Gegen Indien hin sollen noch deutsch redende Völker wohnen.
Die Bayern waren je streitbar und tapfer und schmiedeten solche Schwerter, daß keine anderen besser bissen. »Reginsburg die märe« heißt ihre Hauptstadt. Den Sieg, den Cäsar über Boemund, ihren Herzog, und Ingram, dessen Bruder, gewann, mußt er mit Römerblute gelten.

423. HERKUNFT DER FRANKEN

Das Geschlecht der Franken ist dem der Römer nah verwandt, ihrer beider Vorfahren stammten aus der alten Troja ab. Da nun die Griechen diese Burg nach Gottes Urteil zerstört hatten, entronnen nur wenige Trojaner, fuhren lange in der Welt herum. Franko mit den Seinen kam nieder zu dem Rhein und saß daselbst; da baute er zum Andenken seiner Abstammung ein kleines Troja mit Freuden auf und nannte den vorbeifließenden Bach Santen, nach dem Fluß in ihrem alten Lande. Den Rhein nahmen sie für das Meer. So wuchs das fränkische Volk auf.

424. DIE MEROWINGER

Die Merowinger hießen die Borstigen[1], weil der Sage nach allen Königen aus diesem Geschlecht Borsten, wie den Schweinen, mitten auf dem Rücken wachsen. – Chlodio, Faramunds Sohn, saß eines Tages mit der Königin am Meergestade, sich von der Sommerhitze zu kühlen, da stieg ein Ungeheuer (Meermann), einem Stiere gleich, aus den Wogen, ergriff die badende Königin und überwältigte sie. Sie gebar darauf einen Sohn von seltsamem, wunderbarem Ansehen, weshalb er Merowig, das heißt Merefech geheißen wurde, und von ihm entspringen die Frankenkönige, Merowinger *(Merofingi, Mereiangelingi)* genannt.

425. CHILDERICH UND BASINA

Childerich, Merowigs Sohn, hub an übel zu regieren und die Töchter der Edeln zu mißbrauchen; da warfen ihn die Franken vom Thron herab. Landflüchtig wandte er sich zu Bissinus, König der Thüringer, und fand bei ihm Schutz und ehrenvollen Aufenthalt lange Zeit hindurch. Er hatte aber unter den edelsten Franken einen vertrauten Freund gehabt, Winomadus mit Namen, der ihm, als er noch regierte, in allen Dingen riet und beistand. Dieser war auch zur Zeit, da der König aus dem Reiche vertrieben wurde, der Meinung gewesen, Childerich müsse sich notwendig entfernen und erwarten, daß sich allmählich sein übler Ruf in der Abwesenheit mindere; wogegen er sorgsam die Gemüter der Franken stets erforschen und wieder zu ihm hinlenken wolle. Zugleich nahm Winomad seinen Ring und teilte ihn in zwei Hälften, die eine gab er dem König und sprach: »Wenn ich dir die andere sende und beide Teile ineinanderpassen, so soll es dir ein Zeichen sein, daß dir die Franken wieder versöhnt sind, und dann säume nicht, in dein Vaterland zurückzukehren. «

1 Κριστάται (*cristati*) und τριχοραχάται.

Unterdessen wählten sich die Franken Ägidius, den Römer, zu ihrem König. Winomadus verstellte sein Herz und wurde bald dessen Vertrauter. Darauf beredete er ihn, nicht nur das Volk mit schweren Abgaben zu belasten, sondern selbst einige der Mächtigsten im Lande hinzurichten; dazu wählte aber Winomad klüglich gerade Childerichs Feinde aus. Die Franken wurden durch solche Grausamkeiten bald von Ägidius abgewandt, und es kam dahin, daß sie bereuten, ihren eingeborenen Herrn verwiesen zu haben.

Da sandte Winomad einen Boten mit dem halben Goldring nach Thüringen ab, von woher Childerich schnell wiederkehrte, sich allerwärts Volk sammelte und den Ägidius überwand.

Wie nun der König in Ruhe sein Reich beherrschte, machte sich Basina, des thüringischen Königs Bissinus Weib, auf, verließ ihren Gemahl und zog zu Childerich, mit dem sie, als er sich dort aufhielt, in vertrauter Liebe gelebt hatte. Dem Childerich sagte sie, kein Hindernis und keine Beschwerde habe sie abhalten können, ihn aufzusuchen; denn sie vermöge keinen Würdigern in der ganzen Welt zu finden als ihn. Childerich aber, der Wohltat, die ihm Bissinus erwiesen, vergessen, weil er ein Heide war, nahm Basina bei Lebzeiten ihres ersten Gemahls zur Ehe. In der Hochzeitnacht nun geschah es, daß Basina den König von der ehelichen Umarmung zurückwies, ihn hinaus vor die Türe der Königsburg treten und, was er da sehen werde, ihr hinterbringen hieß. Childerich folgte ihren Worten und sah vor dem Tore große wilde Tiere, Parder, Einhörner und Löwen, wandeln. Erschrocken eilte er zu seiner Gemahlin zurück und verkündigte ihr alles. Sie ermahnte ihn, ohne Sorge zu sein und zum zweitenmal hinauszugehen. Da sah der König Bären und Wölfe wandeln und hinterbrachte es der Königin, die ihn auch zum drittenmal hinaussandte. Dieses drittemal erblickte er Hunde und kleinere Tiere, die sich untereinander zerrissen. Staunend stieg er ins Ehebett zurück, erzählte alles und verlangte von seiner weisen Frau Auslegung, was diese Wunder bedeuteten. Basina hieß den König die Nacht keusch und enthaltsam zubringen, bei anbrechendem Tag solle er alles erfahren. Nach Sonnenaufgang sagte sie ihm: »Dies bezeichnet zukünftige Dinge und unsere Nachkommen. Unser erster Sohn wird mächtig und stark gleich einem Löwen oder Einhorn werden, seine Kinder raubgierig und frech wie Wölfe und Bären; deren Nachkommen und die Letzten aus unserm Geschlecht feig wie die Hunde. Aber das kleine Getier, was du gesehen hast sich untereinander zerreißen, bedeutet das Volk, welches sich nicht mehr vor dem König scheut, sondern untereinander in Haß und Torheit verfolgt. Dies ist nun die Auslegung der Gesichter, die du gehabt hast.« Childerich aber freute sich über die ausgebreitete Nachkommenschaft, die aus ihm erwachsen sollte.

426. DER KIRCHENKRUG

Als Chlodowich mit seinen Franken noch im Heidentum lebte und den Gütern der Christen nachstellte, geschah es, daß sie auch aus der Kirche zu Reims einen großen, schweren und zierlichen Krug raubten. Der heilige Remig sandte aber einen Boten an den König und flehte, daß, wenngleich das übrige Unrecht nicht wiedergutgemacht werden sollte, wenigstens dieser Krug zurückgegeben würde. Der König befahl dem Boten, ihm nach Suession[1] zu folgen, wo die ganze Beute durch Los geteilt werden sollte: »Weist mir dann das Los dieses Gefäß zu, warum du bittest, so magst du es gern zurücknehmen.« Der Bote gehorsamte, ging mit an den bestimmten Ort, wo sie kaum angelangt waren, als auf Befehl des Königs alles gewonnene Gerät herbeigetragen wurde, um es zu verlosen. Weil aber Chlodowich fürchtete, der Krug könnte einem andern als ihm zufallen, berief er seine Dienstmänner und Genossen und bat sich von ihnen zur Gefälligkeit aus, daß sie ihm jenen Krug außer seinem Losteil an der Beute besonders zuweisen möchten. Die Franken versetzen: wem sie ihr Leben widmeten, wollten sie

1 Soissons. Im Parzival, 7785: Sessun.

auch nichts anders absagen. Und alle waren's zufrieden bis auf einen, der sich erhob, mit seinem Schwert den Krug in Scherben schlug und sagte: »Du sollst weiter nichts haben, König, als was dir das gerechte Los zuteilt.« Alle staunten ob des Mannes Kühnheit; der König aber verstellte seinen Zorn und übergab das zerbrochene Gefäß dem Boten des Bischofs. – Ein Jahr darauf befahl der König, das Heer auf dem Märzfeld zu versammeln, und jeder sollte so gewaffnet erscheinen, daß er gegen den Feind streiten könne. Als sich nun jedermann in glänzenden Waffen darstellte und Chlodowich alle musterte, kam er zu dem, der mit dem Schwert den Krug zerschlagen hatte, sah ihn an und sprach: »Im ganzen Heer ist kein Feiger wie du; dein Spieß und Helm, Schild und Schwert sind unnütz und schlecht.« Mit diesen Worten streckte er die Hand nach des Kriegers Schwert und warf es auf den Boden hin. Als sich nun jener bückte, das Schwert aufzuheben, zog der König seines, stieß es ihm heftig in den Nacken und sprach: »So hast du mir zu Suession mit dem Kruge getan!« Auf diese Weise blieb der Krieger tot, der König hieß die übrigen heimziehen und stand seitdem in viel größerer Furcht bei allen Franken, daß ihm keiner zu widerstreben wagte.

427. REMIG UMGEHT SEIN LAND

Chlodowich, der Frankenkönig, schenkte dem heiligen Remigius, Bischof zu Reims, soviel Land, als er umgehen würde, solange der König den Mittagsschlaf hielte. Also machte sich der heilige Mann auf und steckte die Grenzen ab durch Zeichen, die man noch heutigestages sieht. Da er nun vor einer Mühle vorüberkam und sie in seinen Bezirk schließen wollte, trat der Müller hervor, wies ihn ab und sprach ein dagegen, daß er ihn in seine Grenzen mitbegriffe. Sanft redete der Mann Gottes ihm zu: »Freund, laß dich's nicht verdrießen, wir wollen die Mühle zusammen haben.« Der Müller beharrte bei seiner Weigerung;

alsbald fing das Mühlrad an sich verkehrt umzudrehen. Da rief er dem Heiligen nach: »Komm, Gottesdiener, und laß uns die Mühle zusammen haben!« Remig antwortete: »Weder ich noch du sollen sie haben.« Von der Zeit an wich daselbst der Erdboden, und es entstand eine solche Untiefe, daß an dem Ort niemand mehr eine Mühle haben konnte. Remig schritt weiter fort und gelangte an einen kleinen Wald; da waren wieder die Leute und wollten nicht, daß er ihn einschlösse in seine Begrenzung. Der Heilige sprach: »So soll nimmermehr ein Blatt von eurem Wald über meine Grenze fliegen (die ganz hart daran herlief) und kein Ast auf meine Grenze fallen!« Alles das traf hernach ein und blieb, solange der Wald dauerte. Endlich kam Remig einem Dorf vorüber, Caviniac *(Chavignon)* mit Namen, und wollte es in seinen Strich eingrenzen. Die Einwohner wiesen ihn gleichfalls zurück, wie er bald näher kam, bald wieder ferner ging und die noch jetzt sichtbaren Zeichen einsteckte; zuletzt rief er ihnen zu: »Ihr werdet harte Arbeit zu tun haben und in Dürftigkeit leben!« welches alles in der Folge der Zeit so erfüllt wurde. – Wie aber der König aus dem Mittagsschlaf erstand, gewährte er durch königliche Schenkung dem heiligen Bischof für seine Kirche alles Land, das er in den Kreis seines Umgangs eingeschlossen hatte.

428. REMIG VERJAGT DIE FEUERSBRUNST

Als in der Stadt Reims ein wütendes Feuer ausgebrochen und schon der dritte Teil der Wohnungen verzehrt worden war, erfuhr der Heilige die Botschaft in der Nikasienkirche, warf sich nieder und flehte Gott um Hilfe. Darauf eilte er mit schnellen Schritten in die Stadt; auf den Stufen der Kirchentreppe drückten sich seine Fußstapfen in den harten Stein, als wär es weicher Ton, ein und werden noch heutigestags zum Beweis des göttlichen Wunders da gesehen. Darauf wandte er sich der Flamme entgegen, und kaum hatte er mit seiner Rechten das Kreuz gemacht, als sie wich und vor des Heiligen Gegenwart gleichsam zu fliehen anfing. Er verfolgte sie, trieb sie von allen noch unverletzten Örtern ab und zuletzt dem offenen Tor hinaus. Darauf schloß er die Türe und gebot, unter ausgesprochener Drohung gegen jeden Frevler, daß sie nimmermehr geöffnet werden sollte. Als nach einigen Jahren ein daneben wohnender Bürger, namens Fercinctus, das Mauerwerk, womit dieses Tor verschlossen war, durchbrach, kam die Seuche in sein Haus, daß darin weder Mensch noch Vieh lebendig blieb.

429. DES REMIGS TEIL VOM WASICHENWALD

Es hatte der heilige Remig für seine Kirche ein großes Stück des Wasichenwaldes erkauft, woselbst er einige Weiler, namens Kosla und Gleni, gebaut haben soll. In diese setzte er Einwohner aus der nahegelegenen Stadt Berna, die der Kirche jährlich ein Gewisses an Pech liefern mußten. Die Grenzen dieses Besitztums hatte er ringsherum so genau abgesteckt, daß sie jedermann bekannt sind, unter andern mit seiner eignen Hand einen Stein auf ein hohles Baumloch hingeworfen. Mit diesem Stein hat es die wunderbare Bewandtnis, daß man ihn zwar aufheben und mit der Hand in die Höhle reichen, niemals aber den Stein ganz von der Stelle wegbringen kann. Als dies ein Abgünstiger einmal vergeblich versucht hatte, wollte er mit einem Beile das Loch größer hauen; kaum aber schwang er's gegen den Baum, so dorrte seine rechte Hand, und seine Augen erblindeten.
Zu Kaiser Ludwigs Zeiten waren zwei Brüder zu Förstern des königlichen Waldes gesetzt. Diese behaupteten, daß jenes Stück dem Könige höre, und stritten darüber mit den Leuten der Kirche. Es geschah, daß einer dieser Brüder seine Schweine, die er in den Wald geschickt hatte, sehen wollte und einen Wolf unter ihnen traf. Indem er das Raubtier verfolgte, scheute sein Roß, und er zerschellte sich sein Haupt an einem Baum, daß er augenblicklich verschied. Als hernach der andere Bruder einmal

zu einem Felsen im Wald kam und ausrief: »Jedermann sei kund und zu wissen, alles, was bis zu diesem Felsstein gehet, ist Kaiserswald!« auch bei diesen Worten mit einer Axt an den Stein schlug, so sprangen Stücke daraus in seine Augen, daß er blind wurde.

430. KROTHILDS VERLOBUNG

Dem Könige Chlodowich hatten seine Botschafter von der Schönheit Krothildens, die am burgundischen Königshofe lebte, vieles erzählt. Er sandte also Aurelian, seinen Busenfreund, mit Gaben und Geschenken ab an die Jungfrau, daß er ihre Gestalt genauer erkundigte, ihr des Königs Willen offenbare und ihre Neigung erforsche. Aurelian gehorchte, machte sich auf nach Burgund, und wie er bald an die königliche Burg gelangt war, hieß er seine Gesellen, sich in einen nahen Wald bergen. Er selbst aber nahm das Kleid eines Bettlers an, begab sich nach dem Hof und forschte, wie er mit seiner künftigen Herrin ein Gespräch halten könnte. Dazumal war Burgund schon christlich, Franken aber noch nicht. Krothild ging nun, weil es eben Sonntag war, in die Messe, ihr Gebet zu verrichten; und Aurelian stellte sich zu den übrigen Bettlern vor die Türe hin und wartete, bis sie herauskäme. Wie also die Messe vorüber war, trat die Jungfrau aus der Kirche und gab, der Sitte nach, den Armen Almosen. Aurelian näherte sich und bettelte. Als ihm nun Krothild einen Goldgulden reichte, erfaßte er ihre bloße Hand unter dem Mantel hervor und drückte sie an seinen Mund zum Kuß. Mit jungfräulicher Schamröte übergossen, ging sie in ihre Wohnung, sandte aber bald eine ihrer Frauen, daß sie ihr den vermeintlichen Bettler zuführte. Bei seiner Ankunft frug sie: »Was fiel dir ein, Mann, daß du beim Empfahen des Almosens meine Hand vom Mantel entblößtest und küßtest?« Aurelian, mit Überlegung der Frage, sagte folgendes: »Mein Herr, der Frankenkönig, hat von deiner Herrlichkeit gehört und begehrt dich zur Gemahlin; hier ist sein Ring samt anderm Schmuck der Verlöbnis.« Wie er sich aber wandte, den Sack zu langen, den er neben die Türe gelegt hatte und aus dem er die Brautgaben nehmen wollte, war der Sack heimlich gestohlen. Auf angestellte Untersuchung wurde er dennoch wiederentdeckt und dem Gast zugestellt, der nun, der geschehenen Verlobung sicher und gewiß, die Gaben der Jungfrau zustellte. Sie aber sprach dieses: »Nicht ziemt's einer Christenfrau, einen Heidenmann zu nehmen; fügt es jedoch der Schöpfer, daß er durch mich bekehret werde, so weigere ich mich nicht seinem Gesuch, sondern des Herrn Wille ergehe.« Die Jungfrau bat aber, alles, was sie gesagt, geheimzuhalten, und hinterlegte den Ring, den ihr Chlodowich gesandt hatte, in ihres Oheims Schatzkammer.

431. DIE SCHERE UND DAS SCHWERT

Als Krothild, die alte Königin, sich der verwaisten Kinder Chlodomers, ihres Sohnes, annahm und sie zärtlich liebte, sah das, mit Neid und Furcht, König Childebert, ihr andrer Sohn; und er wollte nicht, daß sie mit der Gunst seiner Mutter einmal nach dem Reich streben möchten. Also sandte er insgeheim an König Chlotar, seinen dritten Bruder: »Unsre Mutter hält die Kinder unsers Bruders bei sich und denkt ihnen das Reich zu; komm schnell nach Paris, auf daß wir überlegen, was ratsamer zu tun sei: entweder ihnen das Haupthaar zu scheren, daß sie für gemeines Volk angesehn werden, oder sie zu töten und unsers Bruders hinterlassenes Reich unter uns zu teilen.« Chlotar freute sich der Botschaft, ging in die Stadt Paris und ratschlagte. Darauf beschickten sie vereint ihre Mutter und ließen ihr sagen: »Sende uns die beiden Kleinen, damit sie eingesetzt werden in ihre Würde.« Denn es hatte auch Childebert öffentlich geprahlt, als wenn er mit Chlotar darum zusammenkomme, um die Knaben im Reich zu bestätigen. Krothild, erfreut und nichts

Arges ahnend, gab den Kindern zu essen und zu trinken und sprach: »Den Tod meines Sohnes will ich verschmerzen, wenn ich euch an seine Stelle erhoben sehen werde.« Die Knaben gingen also hin, wurden sogleich ergriffen, von ihren Spieldienern und Erziehern abgesondert und gefangengehalten.

Darauf sandten Childebert und Chlotar einen Boten zur alten Königin mit einer Schere und mit einem entblößten Schwert. Der Bote kam und zeigte ihr beiderlei mit den Worten: »Durchlauchtigste Königin! Deine Söhne, meine Herren, verlangen deine Meinung zu wissen, was mit den beiden Kindern zu tun sei, ob sie mit abgeschnittenen Haaren leben, oder vom Leben zum Tod zu bringen seien?« Da erschrak die unglückliche Großmutter und zürnte, und das bloße Schwert und die Schere ansehend: »Lieber will ich«, sprach sie, »wenn ihnen ihr Reich doch nicht werden soll, sie tot sehen als geschoren.« – Bald darauf wurden die Kinder ertötet.

432. SAGE VON ATTALUS, DEM PFERDEKNECHT, UND LEO, DEM KÜCHENJUNGEN

Zur Zeit, als Theoderich und Childebert, die Frankenkönige, in Hader und Zwietracht lebten, und viele edele Söhne zu Geiseln gegeben oder in Knechtschaft gebracht wurden, trug sich auch folgende Begebenheit zu:

Attalus, von guter Abkunft und ein naher Verwandter des heiligen Gregor, geriet in die Dienstschaft eines Franken im trierischen Gebiet und wurde zum Pferdewärter bestellt. Der Bischof Gregor, um sein Schicksal besorgt, sandte Boten aus, die ihn aufsuchen sollten, endlich auch fanden und seinem Herrn Gaben anboten, um Attalus freizukaufen. Der Mann verwarf sie aber und sprach: »Einer von solcher Geburt muß losgekauft werden mit zehn Pfunden Goldes.« Also kehrten die Abgesandten unverrichteterdinge wieder heim zu Gregor; aber Leo, einer seiner Küchendiener, sprach: »Wofern Ihr mir erlauben wollet, ihn aufzusuchen, könnte ich ihn vielleicht aus der Gefangenschaft erledigen.« Der Bischof war froh und gestattete es ihm; da kam auch Leo an jenen Ort und suchte den Knaben heimlich fortzuschaffen, allein er konnte nicht. Darauf verabredete er sich mit einem andern Manne und sprach: »Komm mit mir dahin und verkaufe mich in dem Hause des Franken; der Preis, den du empfängst, soll dein Gewinn sein.« Der Mann tat's und schlug ihn um zwölf Goldgulden los; der Käufer aber fragte den Knecht, welchen Dienst er verstünde? »In Zubereitung aller Dinge, die auf der Herren Tische gegessen werden, bin ich gar geschickt und befürchte nicht, daß einer mich darin übertreffe; denn selbst königliche Gerichte kann ich bereiten, wenn du dem König ein Gastmahl geben wolltest!« Jener antwortete: »Nächsten Sonntag werden meine Nachbarn und Freunde zu mir eingeladen werden; da sollst du ein Mahl zurichten, daß alle sagen, in des Königs Hause hätten sie Besseres nicht gefunden.« Leo sagte: »Mein Herr, lasse mir nur eine Menge junger Hähne bringen, so will ich dein Gebot schon erfüllen.« Als nun das geschehen war, stellte er auf den Sonntag ein solches und dermaßen köstliches Essen zu, daß alle Gäste nicht genug loben konnten. Die Freunde des Herrn kehrten nach Hause zurück, der Herr aber schenkte dem Küchenknecht seine Gunst und gab ihm Gewalt und Aufsicht über alle seine Vorräte. So verlief ein Jahr, und der Herr liebte ihn immer mehr und setzte alles Vertrauen auf ihn. Einmal nun ging Leo auf die Wiese nahe beim Haus, wo Attalus der Pferde wartete, und fing an mit ihm zu reden; und sie legten sich weit voneinander auf die Erde, mit sich zugedrehten Rücken, damit niemand mutmaßen möchte, daß sie zusammen sprächen. »Zeit ist es«, sagte Leo, »daß wir an unser Vaterland denken; ich mahne dich, wenn du heut nacht die Pferde in den Stall gebracht hast, so laß dich nicht vom Schlaf bewältigen, sondern sei munter, wann ich dich rufe, daß wir uns alsobald fortmachen können.« Der Franke hatte aber wieder viele Verwandten und Freunde zu Gast geladen, unter andern den Schwiegersohn, der mit seiner Tochter verheiratet war. Als sie nun um Mitternacht aufstiegen und schlafen gehen wollten, reichte Leo seines Herrn Schwiegersohn einen Becher zu trinken. Der scherzte und sprach: »Wie, Leo? Möchtest du wohl mit deines Herrn Pferden durchgehen und wieder in deine Heimat?« Er antwortete gleichsam scherzweise die Wahrheit und sagte: »Ja, heut nacht, wenn's Gottes Willen ist.« – »Wenn mich nur«, erwiderte der Schwiegersohn, »meine Leute gut bewachen, daß du mir nichts von meinen Sachen mit entführest.« So im Lachen schieden sie voneinander. Wie aber alle entschlafen waren, rief Leo den Attalus aus dem Bett. »Hast du ein Schwert?« – »Nein, bloß einen kurzen Spieß.« – Da ging Leo in seines Herrn Gemach und nahm Schild und Lanze. Der Herr aber fragte hellwach: »Wer bist du und was willst du?« – »Leo bin ich, dein Deiner; und ich wecke den Attalus, daß er früh aufstehe und die Pferde zur Weide führe. Denn er verschläft sich und ist noch trunken.« Der Herr sprach: »Tu, wie du meinst.« Und nach diesen Worten schlief er von neuem ein. Leo aber ging zur Tür hinaus, wappnete den Jüngling; und die Stalltüre, die er noch abends zur Sicherung der Pferde mit Hammerschlägen vernagelt hatte, stand jetzt offen, gleichsam durch göttliche Schickung. Da dankte er Gott seines Beistandes, und sie nahmen die Pferde mit aus dem Stall und entwichen; auch einen Falken nahmen sie nebst den Decken. Beim Übergang der Mosel wurden sie aufgehalten und mußten Pferde und Decken im Stich lassen; und auf ihre Schilde gelegt, schwammen sie den Strom hinüber. Als die Nacht kam und es dunkel wurde, gingen sie in einen Wald und bargen sich. Und schon war die dritte Nacht gekommen, und noch keinen Bissen Speise hatten sie in ihren Mund gebracht und wanderten in einem fort. Da fanden sie auf Gottes Wink einen Baum voll Obst, dem, das man Zwetschen zu nennen pflegt, und erlabten sich daran. Darauf langten sie in Campanien *(Champagne)* an; bald hörten sie hinter sich Roßtritte und sprachen: »Es kommen Männer geritten, werfen wir uns zur Erde, daß sie uns nicht erspähen!« Und siehe, ein großer Dornenstrauch stand daneben; dahinter traten sie, warfen sich nieder zu Boden mit aus der Scheide gezogenen Schwertern, damit, wenn sie entdeckt würden, sie sich alsbald wehren könnten. Die Reiter aber, als sie zu der Stelle gelangt waren, hielten gerade vor dem Dornenbusch still; ihre Pferde ließen den Harn, und einer unter ihnen sprach: »Übel geht es mir mit diesen beiden Flüchtlingen, daß wir sie nimmer finden können; das weiß ich aber, so wahr ich lebe, würden sie ertappt, so ließ ich den einen an den Galgen hängen, den andern in tausend Stücken zerhauen mit Schwertschlägen.« Der die Worte sprach, war ihr Herr, der Franke, welcher aus Reims herkam, sie zu suchen, und sie unfehlbar gefunden hätte, wo nicht die Nacht dazwischenge-kommen wäre. Nach diesem ritten die Männer wieder weiter, jene aber erreichten noch selbe Nacht glücklich die Stadt, gingen hinein und suchten einen Bürger auf, den sie fragten, wo Paullulus, des Priesters, Haus wäre. Der Bürger zeigte ihnen das Haus. Als sie aber durch die Gasse gingen, läutete das Zeichen zur Frühmette; denn es war Sonntag. Sie aber klopften an des Priesters Türe, und sie ward aufgetan. Der Knabe fing an zu erzählen von seinem Herrn. Da sprach der Priester: »So wird wahr mein Traum! Denn es träumte mir heut von zwei Tauben, die flogen her und setzten sich auf meine Hand. Und eine von ihnen war weiß, die andere schwarz.« Die Knaben sagten dem Priester: »Weil ein heiliger Tag heute ist, bitten wir, daß du uns etwas Speise gebest; denn heute leuchtet der vierte Tag, daß wir kein Brot noch Mus genossen haben.« Er barg aber die Knaben bei sich, gab ihnen Brot mit Wein begossen und ging in seine Metten. Der Franke war auch an diesen Ort gegangen und hatte die Knaben gesucht; als ihm aber der Priester eine Täuschung vorgesagt, kehrte er zurück. Denn der Priester stand in alter Freundschaft mit dem heiligen Gregor. Als sich nun die Knaben mit Speisen zu neuen Kräften gestärkt hatten und zwei Tage in diesem Hause geblieben waren, schieden sie und kamen glück-lich bei Bischof Gregorius an, der sich über ihren Anblick freute und an dem Halse seines Neffen (Enkels) Attalus weinte. Den Leo aber mit all seinem Geschlechte machte er frei von der

Knechtschaft und gab ihm ein eigen Land, wo er mit Frau und Kindern als ein Freier das Leben beschloß.

433. DER SCHLAFENDE KÖNIG

Der fränkische König Guntram war eines gar guten, friedliebenden Herzens. Einmal war er auf die Jagd gegangen, und seine Diener hatten sich hierhin und dahin zerstreut; bloß ein einziger, sein liebster und getreuster, blieb noch bei ihm. Da befiel den König große Müdigkeit; er setzte sich unter einen Baum, neigte das Haupt in des Freundes Schoß und schloß die Augenlider zum Schlummer. Als er nun entschlafen war, schlich aus Guntrams Munde ein Tierlein hervor in Schlangenweise, lief fort bis zu einem nahe fließenden Bach, an dessen Rand stand es still und wollte gern hinüber. Das hatte alles des Königs Gesell, in dessen Schoß er ruhte, mit angesehen, zog sein Schwert aus der Scheide und legte es über den Bach hin. Auf dem Schwert schritt nun das Tierlein hinüber und ging hin zum Loch eines Berges, da hinein schloff es. Nach einigen Stunden kehrte es zurück und lief über die nämliche Schwertbrücke wieder in den Mund des Königs. Der König erwachte und sagte zu seinem Gesellen: »Ich muß dir meinen Traum erzählen und das wunderbare Gesicht, das ich gehabt. Ich erblickte einen großen, großen Fluß, darüber war eine eiserne Brücke gebaut; auf der Brücke gelangte ich hinüber und ging in die Höhle eines hohen Berges; in der Höhle lag ein unsäglicher Schatz und Hort der alten Vorfahren.« Da erzählte ihm der Gesell alles, was er unter der Zeit des Schlafes gesehen hatte und wie der Traum mit der wirklichen Erscheinung übereinstimmte. Darauf ward an jenem Ort nachgegraben und in dem Berg eine große Menge Goldes und Silbers gefunden, das vorzeiten dahin verborgen war.

Als Childebert mit großer Heeresmacht in Guntrams und
Fredegundens Reich einbrach, ermahnte die Königin ihre Franken zu tapferem Streit und ließ Guntrams hinterlassenes Söhnlein in der Wiege voraustragen; dem Säugling an der Mutterbrust folgten die gewaffneten Scharen. Fredegund ersann eine
List. In finsterer Mitternacht, angeführt von Landerich, des
jungen Chlotars Vormund, erhob sich das Heer und zog in einen
Wald. Landerich griff ein Beil und hieb sich einen Baumast;
drauf nahm er Schellen und hing sie an des Pferdes Hals, auf dem
er ritt. Dasselbe zu tun, ermahnte er alle seine Krieger; jeder mit
Baumzweigen in der Hand und klingenden Schellen auf ihren
Pferden, rückten sie in früher Morgenstunde dem feindlichen
Lager näher. Die Königin, den jungen Chlotar in den Armen
haltend, ging voraus, damit Erbarmen über das Kind die Krieger
entzünden möchte, welches gefangengenommen werden
mußte, wo sie unterlägen. Als nun einer der feindlichen Wächter
in der Dämmerung ausschaute, rief er seinem Gesellen: »Was ist
das für ein Wald, den ich dort stehen sehe, wo gestern abend
nicht einmal kleines Gebüsch war?« – »Du bist noch weintrunken und hast alles vergessen«, sprach der andere Wächter;
»unsere Leute haben im nahen Wald Futter und Weide für ihre
Pferde gefunden. Hörst du nicht, wie die Schellen klingen am
Halse der weidenden Rosse?« (Denn es war von alten Zeiten her
Sitte der Franken, und zumal der östlichen, daß sie ihren
grasenden Pferden Schellen anhingen, damit, wenn sie sich
verirrten, das Läuten sie wiederfinden ließe.) Währenddessen
die Wächter solche Reden untereinander führten, ließen die
Franken die Laubzweige fallen, und der Wald stand da leer an
Blättern, aber dicht von den Stämmen schimmernder Spieße.
Da überfiel Verwirrung die Feinde und jäher Schrecken; aus
dem Schlaf erweckt würden sie zur blutigen Schlacht, und
die nicht entrinnen konnten, fielen erschlagen; kaum mochten

sich die Heerführer auf schnellen Rossen vor dem Tode zu retten.

435. CHLOTARS SIEG ÜBER DIE SACHSEN

Chlotar hatte seinen Sohn Dagobert über die austrasischen Franken zum König gesetzt. Dieser brach mit Heereskraft über den Rhein auf, um die sich empörenden Sachsen zu züchtigen. Der sächsische Herzog Bertoald lieferte ihm aber eine schwere Schlacht; Dagobert empfing einen Schwertstreich in sein Haupt und sandte die mit dem Stück vom Helm zugleich abgeschnittenen Haare alsbald seinem Vater, zum Zeichen, daß er ihm schleunig zur Hilfe eile, ehe ihm das übrige Heer zerrinne. Chlotar bekam die Botschaft, wie er gerade auf der Jagd war; bestürzt machte er sich sogleich mit dem gringen Gefolg, das ihn begleitete, auf den weiten Weg, reiste Tag und Nacht und langte endlich an der Weser an, wo der Franken Lager stand. Frühmorgens erhuben die Franken ein Freudengeschrei über ihres Königs Ankunft; Bertoald am andern Ufer hörte den Jubel und fragte, was er bedeute: »Die Franken« feiern Chlotars Ankunft«, antwortete man ihm. »Das ist ein falscher Wahn«, versetzte Bertoald, »denn ich habe gewisse Kundschaft, daß er nicht mehr am Leben sei.« Da stand Chlotar am Ufer, sprach keinen Laut, sondern hob schnell seinen Helm vom Haupte, daß das schöne, mit weißen Locken gemischte Haupthaar herunterwallte. An diesem königlichen Schmucke erkannten ihn gleich die Feinde; Bertoald rief: »Bist du also da, du stummes Tier!« Glühend von Zorn setzte der König den Helm aufs Haupt und spornte sein Roß durch den Fluß, daß er sich an den Feinden räche; alle Franken sprengten ihm nach; Chlotars Waffen waren schwer, beim Durchschwimmen hatte ihm Wasser den Brustharnisch und die Schuhe gefüllt; dennoch folgte er dem fliehenden Sachsenherzog unermüdlich nach. Bertoald rief zurück: ein so berühmter König und Herr solle doch seinen Knecht nicht

ungerecht verfolgen. Chlotar aber wußte wohl, daß er aus
Hinterlist so redete, kümmerte sich nicht um die Worte, sondern
holte ihn mit seinem schnellen Rosse ein und brachte ihn um.
Darauf schlug er ihm das Haupt ab und trug es den nachkom-
menden Franken entgegen. Da verwandelte sich ihre Trauer in
Freude; sie überzogen ganz Sachsenland, und der König Chlotar
hieß alle Einwohner männlichen Geschlechts, die länger waren
als das Schlachtschwert, das er damals gerade trug, hinrichten,
auf daß die jüngeren und kleineren durch das lebendige Andenken hieran abgeschreckt würden. Und so verfuhr Chlotar.

436. DAS GRAB DER HEILIGEN

Dagobert, als er noch Jüngling war, ritt eines Tages auf die Jagd
und verfolgte einen Hirsch, der ihm durch Berg und Tal
entrann.
Endlich floh das Tier in ein Häuslein, worin die Gebeine des
heiligen Dionysius und seiner Gefährten begraben lagen; die
Hunde fanden die Spur, aber sie vermochten, ungeachtet die
Türen des Hauses offenstanden, nicht hineinzudringen, sondern
standen außen und bollen. Dagobert kam dazu und betrachtete
staunend das Wunder. Von der Zeit an wandte sich Dagobert zu
den Heiligen. Es geschah aber, daß Dagobert, durch den Stolz
eines Herzogs Sadregisel beleidigt, ihn mit Schlägen und Bart-
scherung beschimpfen ließ. Dieser verwegenen Tat halber
flüchtete Dagobert in den Wald und barg sich in demselben
Schlupfwinkel, wohin damals der Hirsch geflohen war vor dem
Zorn seines Vaters. Der König Chlotar, sobald er die Beschimp-
fung des Dieners hörte, befahl, seinen Sohn augenblicklich
aufzusuchen und zu bestrafen. Während dies geschah, hatte sich
Dagobert vor den heiligen Leichnamen demütigen Herzens
niedergeworfen und versank in Schlaf. Da erschien ihm ein
ehrwürdiger Greis mit freundlichem Antlitz und hieß ihn ohne
Furcht sein: wenn er verheiße, die Heiligen in steter Ehre zu

halten, solle er nicht allein aus dieser, sondern auch der ewigen Not gezogen und mit dem Königsthrone begabt werden. Die Boten, die ihn aus dem heiligen Haus abführen sollten, konnten sich ihm nicht auf eine Stunde weit nähern. Betroffen kehrten sie heim und hinterbrachten das. Der König schalt sie und sandte andere aus, aber diese erfuhren das nämliche. Da machte sich Chlotar selbst auf, und siehe, auch ihn verließ seine Stärke, als er sich dem heiligen Orte nähern wollte; nunmehr erkannte er Gottes Macht, verzieh seinem Sohne und söhnte sich mit ihm aus. Dieser Ort war dem Dagobert lieb und angenehm vor allen andern.

437. SANKT ARBOGAST

St. Arbogast, Bischof zu Straßburg, kam in große Huld und Heimlichkeit mit Dagobert, König zu Frankreich; und nichts gehrte der König lieber, als oft mit ihm zu sprechen und seinen weisen Rat zu haben. Einmal geschah, daß des Königs Jäger und Siegebert, sein Sohn, in den Büschen und Wäldern jagten an der Ill, wo nachher Ebersheim, das Münster, aufkam, und fanden einen großen Eber; dem rannten sie nach mit den Hunden, einer hin, der andre her. Und da kam's, daß Siegebert der Knabe ganz allein ritt und ungewarnt auf den Eber stieß. Das Roß scheute vor dem Wild, daß der Knabe abfiel und im Stegreif hangenblieb; da trat ihn das Pferd, daß er für tot dalag. Als ihn nun des Königs Diener ertreten fanden, hoben sie ihn auf mit großem Leide, führten ihn heim, und er starb am andern Tag. Da wurde Dagoberten geraten, zu St. Arbogast zu schicken; der kam alsbald, und nach viel Rede und Klage kniete er vor die Leiche und rief Unsre Frauen an: seit sie das Leben aller Welt geboren hätte, daß sie dem Knaben sein Leben wieder erwürbe. Da ward der Knabe wieder lebend und stund auf in den Totenkleidern, die zog man ihm aus und tät ihm an königliche Kleider. Da fielen König und Königin und alles ihr Gefolg dem Heiligen zu Füßen und dankten seiner Gnaden; weder Gold noch Silber wollte er nehmen, aber nach seinem Rate gab der König an Unser Frauen Münster zu Straßburg Rufach mit Äckern, Wäldern, Wonn und Weide.

Als nun nach vielen Jahren Arbogast an das Alter kam und krank wurde, sprach er zu seinen Untertanen: Gleichwie unser Herr Jesu begraben worden wäre auswendig Jerusalem an der Statt, da man böse Leute verderbet, also wollte er dem Heiland nachfolgen; und wann er verführe, sollte man ihn auswendig Straßburg begraben bei dem Galgen an die Stätte, wo man über böse Leute richtet. Das mußten sie ihm geloben zu tun. Also ward er nach seinem Tode begraben auf St. Michelsbühel, das war der Henkebühel, und stund damals der Galgen da. Da baute man über sein Grab eine Kapelle in St. Michaels Ehren, in dieser lag er viel Jahre leibhaftig.

438. DAGOBERT UND SANKT FLORENTIUS

St. Florentius fing jung an, Gott zu dienen. Und er ging aus Schottland, wo er geboren war, in Pilgrimweise mit vier Gesellen: Arbogast, Fidelis, Theodatus und Hildolf, und kamen zujüngst im Elsaß an die Brüsche (das Flüßchen Breusch), da, wo jetzt Haselo liegt. Sprach Florentius, er wollte dableiben. Also gingen seine Gesellen fürbaß gen Straßburg; er aber baute ein Häuslein bei der Brüsche, dalp (grub) die Bäume und Hürste aus und machte ein neues Feld; dahin säete er Korn und das Kraut nach seiner Notdurft. Da aßen ihm die wilden Tiere das Korn und das Kraut ab. Da steckete St. Florentius vier Gerten um das Feld und gebot allen wilden Tieren, daß sie auf seinen neuen Acker nicht mehr kämen, so fern, als die Gerten gesteckt wären; und dies Ziel überschritten sie seitdem nimmer. In diesen Zeiten hatte König Dagobert eine Tochter, die war blind geboren, dazu stumm; und als er sagen hörte von Florentius' Heiligkeit, sandte er ehrbare Boten und ein Roß mit vergüldetem Gedecke, daß er zu ihm ritte. Der Heilige war aber demütig, wollte das Roß nicht und saß auf einen Esel und ritt zu dem Könige. Noch war er nicht ganz an der Burg, so ward des Königs Tochter sehend und redend und rief mit lauter Stimme, und das erste Wort, das sie sprach, sprach sie also: »Sehet! Dort reitet Florentius her, durch dessen Gnade mich Gott sehend und redend gemacht hat.« Da erschraken der König und die Königin von Wunder und von Freuden, und alles Volk lief aus gegen dem heiligen Manne und empfingen ihn gar ehrwürdiglich und fielen zu seinen Füßen um des Zeichens willen, das Gott durch ihn gewirkt hatte. Der König aber gab die Gebreite (Ebene) und Stätte, wo Florentius wohnte und nun Haselo liegt, ihm zu eigen und auch sein selbes Besitztum zu Kirchheim. Da bat der Heilige noch König Dagobert, daß er ihm sein Ländlein unterschiede (abgrenzte), daß er desto besser möchte wissen, wie weit und breit er hätte. Da sprach der König: »Was du mit deinem Eselein magst umfahren, bis ich aus dem Bade gehe und meine Kleider antue, das soll alles zu dir und deiner Wohnung hören.« Da wußte Florentius wohl, wie lange der König hätte Gewohnheit, im Bade zu sitzen, eilte weg mit seinem Eselein und fuhr über Berg und Tal, viel mehr und weiter, denn einer möchte getan haben auf schnellen Pferde in zweimal so langer Zeit. Und fuhr wieder zum König und kam zeitig genug, wie es beredet worden war. Und nach Arbogasts Tode ward Florentius einhelliglich von allem Volke, Laien und Pfaffen, zum Bischof von Straßburg gewählt.

439. DAGOBERTS SEELE IM SCHIFF

Als der gute König Dagobert aus dieser Welt geschieden war, ließ es Gott der Herr geschehn, weil er sich nicht von allen Sünden gereinigt hatte, daß die Teufel seine Seele faßten, auf ein Schiff setzten und mit sich fortzuführen dachten. Aber der heilige Dionysius vergaß seines guten Freundes nicht, sondern bat unsern Herrn um die Erlaubnis, der Seele zu Hilfe zu kommen, welches ihm auch verstattet wurde. St. Dionysius nahm aber mit sich St. Mauritius und andere Freunde, die König Dagobert in seinen Lebzeiten vorzüglich geehrt und gefeiert hatte; auch folgten ihnen Engel nach und geleiteten sie bis ins Meer. Da sie nun an die Teufel kamen, huben sie an mit ihnen zu fechten, die Teufel hatten wenig Gewalt gegen den Heiligen, wurden besiegt und hie und da aus dem Schiffe ins Meer gestoßen. Die Engel nahmen darauf Dagoberts Seele in Empfang, und der Heilige nebst seinem Gefolge kehrte ins Paradies zurück.

440. DAGOBERT UND SEINE HUNDE

Noch heutzutage kennt das Volk in Frankreich zwei Sprichwörter vom König Dagobert, deren Ursprung man vergessen hat: »Wann König Dagobert gegessen hatte, so ließ er auch seine Hunde essen«, und: »König Dagobert auf seinem Sterbebette redete seine Hunde an und sprach: ›Keine Gesellschaft ist so gut, aus der man nicht scheiden muß.‹«

441. DIE ZWEI GLEICHEN SÖHNE

König Pippin von Frankreich vermählte sich mit einer schönen Jungfrau, die ihm einen Sohn zur Welt brachte, aber über dessen Geburt starb. Bald darauf nahm er eine neue Gemahlin, die gebar ihm ebenfalls einen Sohn. Diese beiden Söhne sandte er in weite Länder und ließ sie auswärtig erziehen; sie wurden sich aber in allen Stücken ähnlich, daß man sie kaum unterscheiden konnte. Nach einiger Zeit lag die Königin ihrem Gemahle an, daß er sie doch ihr Kind sehen ließe; er aber befahl, die beiden Söhne an Hof zu bringen. Da war der jüngste dem ältesten, ungeachtet des einen Jahres Unterschied, in Gestalt und Größe vollkommen gleich, und einer wie der andere glich dem Vater, daß die Mutter nicht wissen konnte, welches ihr Kind darunter wäre. Da hub sie an zu weinen, weil es Pippin nicht offenbaren wollte; endlich sprach er: »Laß ab zu weinen, dieser ist dein Sohn«, und wies ihr den von der ersten Gemahlin. Die Königin freute sich und pflegte und besorgte dieses Kind auf alle Weise; während sie das andere, welches ihr rechter Sohn war, nicht im geringsten achtete.

442. HILDEGARD

Kaiser Karl war im Heereszug und hatte die schöne Hildegard, seine Gemahlin, zu Hause gelassen. Während der Zeit mutete ihr Taland, Karls Stiefbruder, an, daß sie zu seinem Willen sein möchte. Aber die tugendhafte Frau wollte lieber den Tod leiden als ihrem Herrn Treue brechen; doch verstellte sie sich und gelobte dem Bösewicht, in sein Begehren zu willigen, sobald er ihr dazu eine schöne Brautkammer würde haben bauen lassen. Alsbald baute Taland ein kostbares Frauengemach, ließ es mit drei Türen verwahren und bat die Königin, hineinzukommen und ihn zu besuchen. Hildegard tat, als ob sie ihm nachfolgte, und bat ihn vorauszugehen; als er fröhlich durch die dritte Türe gesprungen war, warf sie schnell zu und legte einen schweren Riegel vor. In diesem Gefängnis blieb Taland eine Zeitlang eingeschlossen, bis Karl siegreich aus Sachsen heimkehrte; da ließ sie ihn aus Mitleiden und auf vielfältiges erheucheltes Flehen und Bitten los und dachte, er wäre genug gestraft. Karl aber, als er ihn zuerst erblickte, fragte, warum er so bleich und mager aussähe. »Daran ist Eure gottlose, unzüchtige Hausfrau schuld«, antwortete Taland; die habe bald gemerkt, wie er sie sorgsam gehütet, daß sie keine Sünde begehen dürfen, und darum einen neuen Turm gebaut und ihn darin gefangengehalten. Der König betrübte sich heftig über diese Nachricht und befahl im Zorn seinen Dienern, Hildegard zu ertränken. Sie floh und barg sich heimlich bei einer ihrer Freundinnen; aber sobald der König ihren Aufenthalt erfuhr, verordnete er aufs neue, sie in einen Wald zu führen, da zu blenden und so, beider Augen beraubt, Landes zu verweisen. Was geschah? Als sie die Diener ausführten, begegnete ihnen ein Edelmann des Geschlechts von Freudenberg, den hatte gerade Gräfin Adelgund, ihre Schwester, mit einer Botschaft zu Hildegarden abgesandt. Als dieser die Gefahr und Not der Königin sah, entriß er sie den Henkersknechten und gab ihnen seinen mitlaufenden Hund. Dem Hunde stachen sie die Augen aus und hinterbrachten sie dem König zum Zeichen, daß sein Befehl geschehen wäre. Hildegard aber, als sie mit Gottes Hilfe gerettet war, zog in Begleitung einer Edelfrau, namens Rosina von Bodmer, nach Rom und übte die Heilkunst, die sie ihr Lebtag gelernt und getrieben hatte, so glücklich aus, daß sie bald in großen Ruhm kam. Mittlerweile strafte Gott den gottlosen Taland mit Blindheit und Aussatz. Niemand vermochte ihn zu heilen, und endlich hörte er, zu Rom lebte eine berühmte Heilfrau, die diesem Siechtum abhelfen könne. Als Karl nun nach Rom zog, war Taland auch im Gefolg, erkundigte der Frauen Wohnung, nannte ihr seinen Namen und begehrte Arznei und Hilfe für seine Krankheit; er wußte aber nicht, daß sie die Königin wäre. Hildegard gab ihm auf, daß er seine Sünden dem Priester beichten und Buße und Besserung geloben müsse; dann wollte sie ihre Kunst erweisen. Taland tat es und beichtete; darauf kam er wieder zur Frauen hin, die ihn frisch und gesund machte. Über diese Heilung wunderten sich Papst und König aus der Maßen und wünschten die Ärztin zu sehen und besandten sie. Allein sie erbot sich, daß sie tags darauf in das Münster St. Petri gehen wollte. Da kam sie hin und berichtete dem König, ihrem Herrn, alsbald die ganze Geschichte, wie man sie verraten hatte. Karl erkannte sie mit Freuden und nahm sie wieder zu seiner Gemahlin; aber seinen Stiefbruder verurteilte er Todes. Doch bat die Königin sich sein Leben aus, und er wurde bloß in das Elend verwiesen.

Zu einer Zeit kam Karl der Große auf sein Schloß bei Kempten
zu seiner Gemahlin Hildegard. Als sie nun eines Tages über
Tische saßen und mancherlei von der Vorfahren Regierung
redeten, während ihre Söhne Pippin, Karl und Ludwig darneben
standen, hub Pippin an und sprach: »Mutter, wenn einmal der
Vater im Himmel ist, werde ich dann König?« Karl aber wandte
sich zum Vater und sagte: »Nicht Pippin, sondern ich folge dir
nach im Reich.« Ludwig aber, der jüngste, bat beide Eltern, daß
sie ihn doch möchten lassen König werden. Als die Kinder so
stritten, sprach die Königin: »Eure Zwist wollen wir bald
ausmachen; geht hinab ins Dorf und laßt euch jeder sich einen
Hahn von den Bauern geben.« Die Knaben stiegen die Burg
hinab mit ihrem Lehrmeister und den übrigen Schülern und
holten die Hähne. Hierauf sagte Hildegard: »Nun laßt die Hähne
aufeinander los! Wessen Hahn im Kampfe siegt, der soll König
werden.« Die Vögel stritten, und Ludwigs Hahn überwand die
beiden andern. Dieser Ludwig erlangte auch wirklich nach
seines Vaters Tode die Herrschaft.

444. KARLS HEIMKEHR AUS UNGERLAND

König Karl, als er nach Ungarn und Walachei fahren wollte, die
Heiden zu bekehren, gelobte er seiner Frauen, in zehn Jahren
heimzukehren; wäre er nach Verlauf derselben ausgeblieben, so
solle sie seinen Tod für gewiß halten. Würde er ihr aber durch
einen Boten sein golden Fingerlein zusenden, dann möge sie auf
alles vertrauen, was er ihr durch denselben entbieten lasse. Nun
geschah es, daß der König schon über neun Jahre ausgewesen
war, da hob sich zu Aachen an dem Rhein Raub und Brand über
alle Länder. Da gingen die Herren zu der Königin und baten, daß
sie sich einen andern Gemahl auswählte, der das Reich behüten
könnte. Die Frau antwortete: »Wie möcht ich so wider König

Karl sündigen und meine Treue brechen! So hat er mir auch das Wahrzeichen nicht gesandt, das er mir kundtät, als er von hinnen schied.« Die Herren aber redeten ihr so lange zu, weil das Land in dem Krieg zugrund gehen müsse, daß sie ihrem Willen endlich zu folgen versprach. Darauf wurde eine große Hochzeit angestellt, und sie sollte über den dritten Tag mit einem reichen König vermählt werden.

Gott der Herr aber, welcher dies hindern wollte, sandte einen Engel als Boten nach Ungerland, wo der König lag und schon manchen Tag gelegen hatte. Als König Karl die Kundschaft vernommen, sprach er: »Wie soll ich in dreien Tagen heimkehren, einen Weg, der hundert Raste lang ist und fünfzehn Raste dazu, bis ich in mein Land komme?« Der Engel versetzte: »Weißt du nicht, Gott kann tun, was er will, denn er hat viel Gewalt. Geh zu deinem Schreiber, der hat ein gutes, starkes Pferd, das du ihm abgewinnen mußt; das soll dich in einem Tage tragen über Moos und Heide bis in die Stadt zu Raab, das sei deine erste Tagweide. Den andern Morgen sollst du früh ausreiten, die Donau hinauf bis gen Passau; das sei deine andere Tagweide. Zu Passau sollst du dein Pferd lassen; der Wirt, bei dem du einkehrest, hat ein schön Füllen; das kauf ihm ab, es wird dich den dritten Tag bis in dein Land tragen.«

Der Kaiser tat, wie ihm geboten war, handelte dem Schreiber das Pferd ab und ritt in einem Tag aus der Bulgarei bis nach Raab, ruhte über Nacht und kam den zweiten Tag bei Sonnenschein nach Passau, wo ihm der Wirt gutes Gemach schuf. Abends, als die Viehherde einging, sah er das Füllen, griff's bei der Mähne und sprach: »Herr Wirt, gebt mir das Roß, ich will es morgen über Feld reiten.« – »Nein«, sagte dieser; »das Füllen ist noch zu jung, Ihr seid ihm zu schwer, als daß es Euch tragen könnte.« Der König bat ihn von neuem; der Wirt sagte: ja, wenn es gezäumt oder geritten wäre. Der König bat ihn zum drittenmal, und da der Wirt sah, daß es Karl so lieb wäre, so wollte er das Roß ablassen; und der König verkaufte ihm dagegen sein

Pferd, das er die zwei Tage geritten hatte und von dem es ein Wunder war, daß es ihm nicht erlag.

Also machte sich der König des dritten Tages auf und ritt schnell und unaufhaltsam bis gen Aachen vor das Burgtor, da kehrte er bei einem Wirt ein. Überall in der ganzen Stadt hörte er großen Schall von Singen und Tanzen. Da fragte er, was das wäre. Der Wirt sprach: »Eine große Hochzeit soll heute ergehen, denn meine Frau wird einem reichen König anvermählt; da wird große Kost gemacht und Jungen und Alten, Armen und Reichen Brot und Wein gereicht und ungemessen Futter vor die Rosse getragen.« Der König sprach: »Hier will ich mein Gemach haben und mich wenig um die Speise bekümmern, die sie in der Stadt austeilen; kauft mir für meine Guldenpfennige, was ich bedarf, schafft mir viel und genug.« Als der Wirt das Gold sah, sagte er bei sich selbst: Das ist ein rechter Edelmann, desgleichen meine Augen nie erblickten! Nachdem die Speise köstlich und reichlich zugerichtet und Karl zu Tisch gesessen war, forderte er einen Wächter vom Wirt, der sein des Nachts über pflege, und legte sich zu Bette. In dem Bette aber liegend, rief er den Wächter und mahnte ihn teuer: »Wann man den Singos im Dom läuten wird, sollst du mich wecken, daß ich das Läuten höre; dies gülden Fingerlein will ich dir zu Miete geben.« Als nun der Wächter die Glocke vernahm, trat er ans Bette vor den schlafenden König: »Wohlan, Herr, gebt mir meine Miete, eben läuten sie den Singos im Dom.« Schnell stand er auf, legte ein reiches Gewand an und bat den Wirt, ihn zu geleiten. Dann nahm er ihn bei der Hand und ging mit ihm vor das Burgtor, aber es lagen starke Riegel davor. »Herr«, sprach der Wirt, »Ihr müßt unten durchschliefen, aber dann wird Euer Gewand kotig werden.« – »Daraus mach ich mir wenig, und würde es ganz zerrissen.« Nun schloffen sie dem Tor hinein; der König, voll weisen Sinnes, hieß den Wirt um den Dom gehen, während er selber in den Dom ging. Nun war das Recht in Franken: Wer auf dem Stuhl im Dom saß, der mußte König sein. Das deuchte ihm gut; er setzte sich auf den Stuhl, zog sein Schwert und legte es bar

über seine Knie. Da trat er Mesner in den Dom und wollte die Bücher vortragen; als er aber den König sitzen sah mit barem Schwert und stillschweigend, begann er zu zagen und verkündete eilends dem Priester: »Da ich zum Altar ging, sah ich einen greisen Mann mit bloßem Schwert über die Knie auf dem gesegneten Stuhl sitzen.« Die Domherren wollten dem Mesner nicht glauben; einer von ihnen griff ein Licht und ging unverzagt zu dem Stuhle. Als er die Wahrheit sah, wie der greise Mann auf dem Stuhle saß, warf er das Licht aus der Hand und floh erschrocken zum Bischof. Der Bischof ließ sich zwei Kerzen von Knechten tragen, die mußten ihm zu dem Dom leuchten; da sah er den Mann auf dem Stuhle sitzen und sprach furchtsam: »Ihr sollt mir sagen, was Mannes Ihr seid, geheuer oder ungeheuer, und wer Euch ein Leids getan, daß Ihr an dieser Stätte sitzet?« Da hob der König an: »Ich war Euch wohlbekannt, als ich König Karl hieß, an Gewalt war keiner über mich!« Mit diesen Worten trat er dem Bischof näher, daß er ihn recht ansehen könnte. Da rief der Bischof: »Willkommen, liebster Herr! Eurer Kunft will ich froh sein«, umfing ihn mit seinen Armen und leitete ihn in sein reiches Haus. Da wurden alle Glocken geläutet, und die Hochzeitgäste frugen, was der Schall bedeute. Als sie aber hörten, daß König Karl zurückgekehrt wäre, stoben sie auseinander, und jeder suchte sein Heil in der Flucht. Doch der Bischof bat, daß ihnen der König Friede gäbe und der Königin wieder hold würde, es sei ohne ihre Schuld geschehen. Den gewährte Karl der Bitte und gab der Königin seine Huld.

445.   DER HIRSCH ZU MAGDEBURG

Zu Magdeburg, gegen dem Roland, stand vor diesem auf einer steinernen Säule ein Hirsch mit guldenem Halsband, den Kaiser Karl gefangen haben soll. Andere sagen, er habe ihn wieder laufen lassen und ihm ein gulden Halsband umgehängt, worauf ein Kreuz mit den Worten:

> »Lieber Jäger, laß mich leben,
> ich will dir mein Halsband geben.«

Und dieser Hirsch ist hernach zu Zeiten Friedrich Rotbarts allererst wiedergefangen worden.

Als Karl vorhatte, den König Desiderius mit Krieg zu überziehen, kam ein lombardischer Spielmann zu den Franken und sang ein Lied folgenden Inhalts: »Welchen Lohn wird der empfangen, der Karl in das Land Italien führt? Auf Wegen, wo kein Spieß gegen ihn aufgehoben, kein Schild zurückgestoßen und keiner seiner Leute verletzt werden soll?« Als das Karl zu Ohren kam, berief er den Mann zu sich und versprach ihm, alles, was er fordern würde, nach erlangtem Sieg zu gewähren.

Das Heer wurde zusammenberufen, und der Spielmann mußte vorausgehen. Er wich aber aus allen Straßen und Wegen und leitete den König über den Rand eines Berges, wo es bis auf heutigen Tag noch heißt: der Frankenweg. Wie sie von diesem Berg niederstiegen in die gavenische Ebene, sammelten sie sich schnell und fielen den Langobarden unerwarteterweise in den Rücken; Desiderius floh nach Pavia, und die Franken überströmten das ganze Land. Der Spielmann aber kam vor den König Karl und ermahnte ihn seines Versprechens. Der König sprach: »Fordre, was du willst!« Darauf antwortete er: »Ich will auf einen dieser Berge steigen und stark in mein Horn blasen; soweit der Schall gehört werden mag, das Land verleihe mir zum Lohn meiner Verdienste mit Männern und Weibern, die darin sind.« Karl sprach: »Es geschehe, wie du gesagt hast.« Der Spielmann neigte sich, stieg sogleich auf den Berg und blies; stieg sodann herab, ging durch Dörfer und Felder, und wen er fand, fragte er: »Hast du Horn blasen hören?« Und wer nun antwortete: »Ja, ich hab's gehört«, dem versetzte er eine Maulschelle mit den Worten: »Du bist mein Eigen.«

So verlieh ihm Karl das Land, soweit man sein Blasen hatte hören können; der Spielmann, solange er lebte, und seine Nachkommen besaßen es ruhig, und bis auf den heutigen Tag heißen die Einwohner dieses Landes die Zusammengeblasenen (*transcornati*).

Zur Zeit, als König Karl den Lombardenkönig Desiderius befeindete, lebte an des letztern Hofe Ogger (Odger, Autchar), ein edler Franke, der vor Karls Ungnade das Land hatte räumen müssen. Wie nun die Nachricht erscholl, Karl rücke mit Heeresmacht heran, standen Desiderius und Ogger auf einem hohen Turm, von dessen Gipfel man weit und breit in das Reich schauen konnte. Das Gepäck rückte in Haufen an. »Ist Karl unter diesem großen Heer?« frug König Desiderius. »Noch nicht!« versetzte Ogger. Nun kam der Landsturm des ganzen fränkischen Reichs. »Hierunter befindet sich Karl aber gewiß«, sagte Desiderius bestimmt. Ogger antwortete: »Noch nicht, noch nicht.« Da tobte der König und sagte: »Was sollen wir anfangen, wenn noch mehrere mit ihm kommen?« – »Wie er kommen wird«, antwortete jener, »sollst du gewahr werden; was mit uns geschehe, weiß ich nicht.« Unter diesen Reden zeigte sich ein neuer Troß. Erstaunt sagte Desiderius: »Darunter ist doch Karl?« – »Immer noch nicht«, sprach Ogger. Nächstdem erblickte man Bischöfe, Äbte, Kapellane mit ihrer Geistlichkeit. Außer sich stöhnte Desiderius: »O laß uns niedersteigen und uns bergen in der Erde vor dem Angesichte dieses grausamen Feindes.« Da erinnerte sich Ogger der herrlichen, unvergleichlichen Macht des Königs Karl aus bessern Zeiten her und brach in die Worte aus: »Wenn du die Saat auf den Feldern wirst starren sehen, den eisernen Po und Tissimo mit dunkeln, eisenschwarzen Meereswellen die Stadtmauern überschwemmen, dann gewarte, daß Karl kommt.« Kaum war dies ausgeredet, als sich im Westen wie eine finstere Wolke zeigte, die den hellen Tag beschattete. Dann sah man den eisernen Karl in einem Eisenhelm, in eisernen Schienen, eisernem Panzer um die breite Brust, eine Eisenstange in der Linken hoch aufreckend. In der Rechten hielt er den Stahl, der Schild war ganz aus Eisen, und auch sein Roß schien eisern an Mut und Farbe. Alle, die ihm vorausgingen, zur Seite waren und ihm nachfolgten, ja, das ganze Heer schien auf gleiche Weise ausgerüstet. Einen schnellen Blick darauf werfend, rief Ogger: »Hier hast du den, nach dem du soviel frugest«, und stürzte halb entseelt zu Boden.

448. KARL BELAGERTE PAVIA

Desiderius floh mit Adelgis, seinem Sohn, und einer Tochter in die Mauern von Pavia, worin ihn Karl lange belagerte. Desiderius war gut und demütig; stets soll er, der Sage nach, um Mitternacht aufgestanden und in die Kirchen zum Gebet gegangen sein; die Tore der Kirchen öffneten sich ihm von selbst vor seinem bloßen Anblick. Während jener Belagerung schrieb nun die Königstochter einen Brief an König Karl und schoß ihn auf einer Armbrust über den Fluß Tessimo; in dem Brief stand, wenn sie der König zum Ehegemahl nehmen wolle, werde sie ihm die Stadt und den Schatz ihres Vaters überliefern. Karl antwortete ihr so, daß die Liebe der Jungfrau nur noch stärker entzündet wurde. Sie stahl unter dem Haupt ihres schlafenden Vaters die Schlüssel der Stadt und meldete dem Frankenkönig, daß er sich diese Nacht bereite, in die Stadt zu rücken. Als sich das Heer den Toren nahte und einzog, sprang ihm die Jungfrau fröhlich entgegen, geriet aber im Gedränge unter die Hufe der Rosse und wurde, weil es finstre Nacht war, von diesen zertreten. Über dem Gewieher der Rosse erwachte Adelgis, zog sein Schwert und tötete viele Franken. Aber sein Vater verbot ihm, sich zu wehren, weil es Gottes Wille sei, die Stadt dem Feinde zu geben. Adelgis entfloh hierauf, und Karl nahm die Stadt und die königliche Burg in seinen Besitz.

449. ADELGIS

Adelgis (Algis, Adelger), Desiderius' Sohn, war von Jugend auf stark und heldenmütig. In Kriegszeiten pflegte er mit einer

Eisenstange zu reiten und viele Feinde zu erschlagen; so tötete er auch viele der Franken, die in Lombarden gezogen kamen. Dennoch mußte er der Übermacht weichen, und Karl hatte selbst Ticinum unterworfen. In dieser Stadt aber beschloß ihn der kühne Jüngling auszukundschaften. Er fuhr auf einem Schiff dahin, nicht wie ein Königssohn, sondern umgeben von wenigen Leuten, wie einer aus geringem Stande. Keiner der Krieger erkannte ihn, außer einem der ehemaligen treuesten Diener seines Vaters; diesen bat er flehentlich, daß er ihn nicht verraten möchte. »Bei meiner Treue«, antwortete jener, »ich will dich niemanden offenbaren, solange ich dich verhehlen kann.« – »Ich bitte dich«, sagte Adelgis, »heute, wann du beim König zu Mittag speisest, so setze mich ans Ende eines der Tische und schaffe, daß alle Knochen, die man von der Tafel aufhebt, vor mich gelegt werden.« Der andere versprach es, denn er war's, der die königlichen Speisen auftragen mußte. Als nun das Mahl gehalten wurde, so tat er allerdings so und legte die Knochen vor Adelgis, der sie zerbrach und gleich einem hungrigen Löwen das Mark daraus aß. Die Splitter warf er unter den Tisch und machte einen tüchtigen Haufen zusammen. Dann stand er früher als die andern auf und ging fort. Der König, wie er die Tafel aufgehoben hatte und die Menge Knochen unter dem Tisch erblickte, fragte: »Welcher Gast hat so viele Knochen zerbrochen?« Alle antworteten, sie wüßten es nicht; einer aber fügte hinzu: »Es saß hier ein starker Degen, der brach alle Hirsch-, Bären- und Ochsenknochen auf, als wären es Hanfstengel.« Der König ließ den Speisaufträger rufen und sprach: »Wer oder woher war der Mann, der hier die vielen Knochen zerbrach?« Er antwortete: »Ich weiß es nicht, Herr.« Karl erwiderte: »Bei meines Hauptes Krone, du weißt es.« Da er sich betreten sah, fürchtete er und schwieg. Der König aber merkte leicht, daß es Adelgis gewesen, und es tat ihm leid, daß man ihn ungestraft von dannen gehen lassen; er sagte: »Wohinaus ist er gegangen?« Einer versetzte: »Er kam zu Schiff und wird vermutlich so weggehen.« – »Willst du«, sprach ein andrer, »daß ich ihm nachsetze und ihn töte?« –

»Auf welche Weise?« antwortete Karl. »Gib mir deine goldenen Armspangen, und ich will ihn berücken.« Der König gab sie ihm alsbald, und jener eilte ihm schnell zu Lande nach, bis er ihn einholte. Und aus der Ferne rief er zu Adelgis, der im Schiffe fuhr: »Halt an! Der König sendet dir seine Goldspangen zur Gabe; warum bist du so heimlich fortgegangen?« Adelgis wandte sein Schiff ans Ufer, und als er näher kam und die Gabe auf der Speerspitze ihm dargereicht erblickte, ahndete er Verrat, warf seinen Panzer über die Schulter und rief: »Was du mir mit dem Speere reichst, will ich mit dem Speere empfangen[1]; sendet dein Herr betrüglich diese Gabe, damit du mich töten sollest, so werde ich nicht nachstehen und ihm meine Gabe senden.« Darauf nahm er seine Armspangen und reichte sie jenem auf dem Speer, der in seiner Erwartung getäuscht heimkehrte und dem König Karl Adelgis' Spangen brachte. Karl legte sie sogleich an, da fielen sie ihm bis auf die Schultern nieder. Karl aber rief aus: »Es ist nicht zu wundern, daß dieser Mann Riesenstärke hat.«

König Karl fürchtete diesen Adelgis allzeit, weil er ihn und seinen Vater des Reiches beraubt hatte. Adelgis floh zu seiner Mutter, der Königin Ansa, nach Brixen, wo sie ein reiches Münster gestiftet hatte.

450. VON KÖNIG KARL UND DEN FRIESEN

Als König Karl aus Franken und König Radbot aus Dänemark in Friesenland widereinander stießen, besetzte jeder seinen Ort und sein End im Franekergau mit einem Heerschild und jedweder sagte: das Land wäre sein. Das wollten weise Leute sühnen, aber die Herren wollten es ausfechten. Da suchte man die Sühne so lange, bis man sie endlich in die Hand der beiden Könige selber legte: wer von ihnen den andern an Stillstehen überträfe, der sollte gewonnen haben. Da brachte man die Herren zusammen.

1 Vergl. Hildebrandslied, Z. 36.

Da standen sie ein Etmal (Zeit von Tag und Nacht) in der Runde. Da ließ König Karl seinen Handschuh entfallen. Da hub ihn König Radbot auf und reichte ihn König Karl. Da sprach Karl: »Haha, das Land ist mein«, und lachte; darum hieß sein Ort Hachense. »Warum?« sprach Radbot. Da sprach Karl: »Ihr seid mein Mann worden.« Da sprach Radbot: »O wach (o weh)«; darum hieß sein Ort Wachense. Da fuhr König Radbot aus dem Lande, und der König wollte ein Ding (Gericht) halten; das vermocht er nicht, denn soviel lediges Landes war nicht da, darauf er dingen konnte. Da sandte er in die sieben Seelande und hieß ihnen, daß sie ihm eine freie Stelle gewönnen, darauf er möchte dingen. Da kauften sie mit Schatz und mit Schilling Deldemanes. Dahin dingte er und lud die Friesen, dahin zu ihm zu fahren und sich ihr Recht erkören, das sie halten wollten. Da baten sie Frist zu ihrer Vorsprechung. Da gab er ihnen Urlaub. Des andern Tages hieß er sie, daß sie vor das Recht führen. Da kamen sie und erwählten Vorsprecher, zwölf von den sieben Seelanden. Da hieß er sie, daß sie das Recht erkörten. Da begehrten sie Frist. Des dritten Tages hieß er sie wiederkommen. Da zogen sie Notschein (beriefen sich auf gesetzliche Hindernis), des vierten Tages ebenso, des fünften auch so. Dies sind die zwei Fristen und die drei Notscheine, die die freien Friesen mit Recht haben sollen. Des sechsten Tages hieß er sie Recht kören. Da sprachen sie, sie könnten nicht. Da sprach der König: »Nun leg ich euch vor drei Kören, was euch lieber ist: daß man euch töte oder daß ihr alle eigen (leibeigen) werdet oder daß man euch ein Schiff gebe, so fest und so stark, daß es eine Ebbe und eine Flut mag ausstehen, und das sonder Riem und Ruder und sonder Tau?« Da erkoren sie das Schiff und fuhren aus mit der Ebbe so fern weg, daß sie kein Land mehr sehen mochten. Da war ihnen leid zumut. Da sprach einer, der aus Wittekinds Geschlecht war, des ersten Asegen (Richters): »Ich habe gehört, daß unser Herr Gott, da er auf Erden war, zwölf Jünger hatte und er selbst der dreizehnte war, und kam zu jedem bei verschlossenen Türen, tröstete und lehrete sie; warum bitten wir nicht, daß er uns einen dreizehnten sende, der uns Recht lehre und zu Lande weise?« Da fielen sie alle auf ihre Knie und beteten inniglich. Da sie die Betung getan hatten, sahen sie einen dreizehnten am Seuer sitzen und eine Achse auf seiner Achsel, da er mit ans Land steuerte, gegen Strom und Wind. Da sie zu Land kamen, da warf er mit der Achse auf das Land und warf einen Erdwasen auf. Da entsprang da ein Born, davon heißt die Stelle: zu Achsenhof. Und zu Eschweg kamen sie zu Land und saßen um den Born herum; und was ihnen der dreizehnte lehrte, das nahmen sie zu Recht an. Doch wußte niemand, wer der dreizehnte war; so gleich war er jedem unter ihnen. Da er ihnen das Recht gewiesen hatte, waren ihrer nur zwölf. Darum sollen in dem Land allzeit dreizehn Asegen sein, und ihr Urteil sollen sie fällen zu Achsenhof und zu Eschwege, und wenn sie entzwei sprechen (verschiedener Meinung sind), so haben die sieben die sechs einzuhalten. So ist das Landrecht aller Friesen.

451. RADBOT LÄSST SICH NICHT TAUFEN

Als der heilige Wolfram den Friesen das Christentum predigte, brachte er endlich Radbot, ihren Herzog, dazu, daß er sich taufen lassen wollte. Radbot hatte schon einen Fuß in das Taufbecken gestellt, da fiel ihm ein, vorher zu fragen, wohin denn seine Vorfahren gekommen wären. Ob sie bei den Scharen der Seligen oder in der Hölle seien? St. Wolfram antwortete: »Sie waren Heiden, und ihre Seelen sind verloren.« Da zog Radbot schnell den Fuß zurück und sprach: »Ihrer Gesellschaft mag ich mich nicht begeben; lieber will ich elend bei ihnen in der Hölle wohnen als herrlich ohne sie im Himmelreich.« So verhinderte der Teufel, das radbot nicht getauft wurde; denn er starb den dritten Tag darauf und fuhr dahin, wo seine Magen waren.

Andere erzählen so: Radbot habe auf Wolframs Antwort, daß seine Vorfahren zur Hölle wären, weitergefragt, ob da der meiste Haufe sei. Wolfram sprach: »Ja, es steht zu befürchten, daß in der Hölle der meiste Haufen ist.« Da zog der Heide den Fuß aus der Taufe und sagte: »Wo der meiste Haufen ist, da will ich auch bleiben.«

452. DES TEUFELS GOLDNES HAUS

St. Wolfram hatte im Schlafe ein Gesicht, das ihm gebot, den Friesen das Evangelium zu predigen. Er kam mit einigen Gefährten nach Friesland. Es war aber Sitte bei den Friesen, daß, wen das Los traf, den Göttern geopfert wurde. Diesmal fiel das Los auf einen Knaben, Occo genannt. Als St. Wolfram ihn sich vom Fürsten Radbot ausbat, antwortete dieser: »Er sei dein, wenn dein Christus ihn vom Tode errettet.« Als sie ihn aber zum Galgen schleppten, betete Wolfram; und sogleich riß der Strick, der Knabe fiel zur Erde, stand unverletzt und wurde getauft. Die Weise aber, wie Radbot vom Teufel betrogen wurde, erzählt der genannte Occo: Der Teufel erschien ihm in Engelsgestalt, um das Haupt eine Goldbinde mit Gestein besetzt und in einem Kleide aus Gold gewirkt. Als Radbot auf ihn hinsah, sprach der Teufel zu ihm: »Tapferster unter den Männern, was hat dich also verführt, daß du abweichen willst von dem Fürsten der Götter? Wolle das nicht tun, sondern beharre bei dem, was du gelernt, und du sollst in goldne Häuser kommen, die ich dir in alle Ewigkeit zum Eigentum geben will. Gehe morgen zu Wolfram, dem Lehrer der Christen, und befrage ihn, welches jene Wohnung der ewigen Klarheit sei, die er dir verspricht. Kann er sie dir nicht augenscheinlich dartun, dann mögen beide Teile Abgeordnete wählen, und ich will ihr Führer sein auf der Reise und will ihnen das goldene Haus zeigen und die schöne Wohnung, die ich dir bereitet.« Wie Radbot erwachte, erzählte er alles dem heiligen Wolfram. Dieser sagte, der Betrüger Satanas wolle ihm ein Gaukelspiel vormachen. Der Fürst antwortete, er wolle Christ werden, wenn sein Gott ihm jene Wohnung nicht zeige. Sogleich ward ein Friese von seiner Seite und ein Diakonus von seiten Wolframs ausgesandt, die, als sie etwas aus der Stadt sich entfernt, einen Reisegefährten fanden, der ihnen sagte: »Eilt schnell, denn ich zeige euch die schöne, dem Herzog Radbot bereitete Wohnung.« Sie gingen auf breitem Wege durch unbewohnte Örter und sahen einen Weg, mit verschiedenen Arten glatten Marmors aufs schönste geziert. Von ferne sahen sie ein Haus glänzen wie Gold und kamen zu einer Straße, die zum Hause führte, mit Gold und edlem Gestein gepflastert. Als sie das Haus betraten, sahen sie es von wunderbarer Schönheit und unglaublichem Glanze und in ihm einen Thron von wunderbarer Größe. Da sprach der Führer: »Das ist die dem Herzog Radbot bereitete Wohnung!« Darauf sprach der Diakonus staunend: »Wenn das von Gott gemacht ward, wird es ewig bestehen; wenn vom Teufel, muß es schnell verschwinden.« Somit bezeichnete er sich mit dem Zeichen des Kreuzes, da verwandelte sich der Führer in den Teufel, das goldne Haus in Kot, und der Diakon befand sich mit dem Friesen inmitten von Sümpfen, die voll Wassers waren, mit langen Binsen und Geröhren. Sie mußten in drei Tagen einen unermeßlichen Weg zurücklegen, bis sie zur Stadt kamen, und fanden dort den Herzog tot und erzählten, was sie gesehen, St. Wolfram. Der Friese wurde getauft und hieß Sugomar.

453. WITTEKINDS TAUFE

König Karl hatte eine Gewohnheit: alle große Feste folgten ihm viele Bettler nach, denen er ließ geben einem jeglichen einen Silberpfennig. So war es in der Stillen Woche, daß Wittekind von Engern Bettlerskleider anlegte und ging in Karls Lager unter die Bettler sitzen und wollte die Franken auskundschaften. Auf Ostern aber ließ der König in seinem Zelt Messe lesen; da geschah ein göttliches Wunder, daß Wittekind, als der Priester das Heiligtum emporhob, darin ein lebendiges Kind erblickte; das deuchte ihm ein so schönes Kind, als er sein Lebtag je gesehen, und kein Auge sah es außer ihm. Nach der Messe wurden die Silberpfennige den armen Leuten ausgeteilt; da erkannte man Wittekind unter dem Bettelrock, griff und führte ihn vor den König. Da sagte er, was er gesehen hätte, und ward unterrichtet aller Dinge, daß sein Herz bewegt wurde, und empfing die Taufe und sandte nach den andern Fürsten in seinem Lager, daß sie den Krieg einstellten und sich taufen ließen. Karl aber machte ihn zum Herzogen und wandelte das schwarze Pferd in seinem Schilde in ein weißes.

454. WITTEKINDS FLUCHT

Wittekind wurde, wie noch jetzt ein jeder in der dortigen Gegend weiß, zu Engter von den Franken geschlagen (783), und viele blieben dort auf dem Wittenfeld tot liegen. Flüchtend zog er gegen Ellerbruch; als nun alles mit Weib und Kind an den Furt kam und sich drängte, mochte eine alte Frau nicht weitergehen. Weil sie aber dem Feinde nicht in die Hände fallen sollte, so wurde sie von den Sachsen lebendig in einen Sandhügel bei Bellmanns Kamp begraben; dabei sprachen sie: »Krup under, krup under, de Welt is di gramm[1], du kannst den Rappel[2] nicht mehr folgen.« Spuk hat mancher hier gesehen, mancher auch nicht; aber über das weiße Feld geht doch niemand gern bei Nacht. Die meisten wissen aus alter Zeit her, daß in lärmendem Zuge die Heere mit blanken Spießen dort ziehen. Als daher vor einigen Jahren Völker wirklich darüberzogen, geriet die ganze Gegend in Schrecken und glaubte fliehen zu müssen.

1 Im Holsteinischen geht die Sage, daß die Zigeuner die sehr alten, welche sie nicht mehr mit fortschleppen können, lebendig ins Wasser tauchen und ersäufen; dabei sprechen sie: »Duuk ünner, duuk ünner! De Weld is di gramm!« S. Schütze: Holstein. Idiot., I, 267. Daselbst II, 357 wird der oben bemerkte Spruch als ein Sprichwort angeführt; daß es auch am Harz üblich ist, sieht man aus Otmars Volkssagen, S. 44; es heißt: Niemand bekümmert sich mehr um dich, du bist der Welt abgestorben.
2 Lärm.

455. ERBAUUNG FRANKFURTS

Als König Karl, von den Sachsen geschlagen, floh und zum Main kam, wußten die Franken das Furt nicht zu finden, wo sie über den Fluß gehen und sich vor ihren Feinden retten könnten. Da soll plötzlich eine Hirschkuh erschienen, ihnen vorangegangen und eine Wegweiserin geworden sein. Daher gelangten die Franken über den Main, und seitdem heißt der Ort Frankenfurt.

456. WARUM DIE SCHWABEN DEM REICH VORFECHTEN

Die Schwaben haben von alten Zeiten her unter allen Völkern des deutschen Reiches das Recht, dem Heer vorzustreiten. Und dies verlieh Karl der Große ihrem Herzoge Gerold (Hildegardens Bruder), der in der blutigen Schlacht von Runzefal vor dem Kaiser auf das Knie fiel und diesen Vorzug als der älteste im Heer verlangte. Seitdem darf ihnen niemand vorfechten. Andere erzählen es von der Einnahme von Rom, wozu die Schwaben Karl dem Großen tapfer halfen. Noch andere von der Einnahme Mailands, wo der schwäbische Herzog das kaiserliche Banner getragen und dadurch das Vorrecht erworben.

457. EGINHART UND EMMA[1]

Eginhart, Karls des Großen Erzkapellan und Schreiber, der in dem königlichen Hofe löblich diente[2], wurde von allen Leuten wert gehalten, aber von Imma, des Kaisers Tochter, heftig geliebt. Sie war dem griechischen König als Braut verlobt, und

---

1 Vincent. bellov. versetzt die Sage unter Kaiser Heinrich III., dessen Schwester einem Klerikus denselben Dienst erwiesen.
2 Nach einigen zu Aachen, nach andern zu Ingelheim.

je mehr Zeit verstrich, desto mehr wuchs die heimliche Liebe zwischen Eginhart und Imma. Beide hielt die Furcht zurück, daß der König ihre Leidenschaft entdecken und darüber erzürnen möchte. Endlich aber mochte der Jüngling sich nicht länger zu bergen, faßte sich, weil er den Ohren der Jungfrau nichts durch einen fremden Boten offenbaren wollte, ein Herz und ging bei stiller Nacht zu ihrer Wohnung. Er klopfte leise an der Kammer Türe, als wäre er auf des Königs Geheiß hergesandt, und wurde eingelassen. Da gestanden sie sich ihre Liebe und genossen der ersehnten Umarmung. Als inzwischen der Jüngling bei Tagesanbruch zurückgehen wollte, woher er gekommen war, sah er, daß ein dicker Schnee über Nacht gefallen war, und scheute sich, über die Schwelle zu treten, weil ihn die Spuren von Mannsfüßen bald verraten würden. In dieser Angst und Not überlegten die Liebenden, was zu tun wäre, und die Jungfrau erdachte sich eine kühne Tat: sie wollte den Eginhart auf sich nehmen und ihn, eh es licht wurde, bis nah zu seiner Herberg tragen, daselbst absetzen und dann vorsichtig in ihren eigenen Fußspuren wieder zurückkehren. Diese Nacht hatte gerade durch Gottes Schickung der Kaiser keinen Schlaf, erhub sich bei der frühen Morgendämmerung und schaute von weitem in den Hof seiner Burg. Da erblickte er seine Tochter unter ihrer schweren Last vorüberwanken und nach abgelegter Bürde schnell zurückspringen. Genau sah der Kaiser zu und fühlte Bewunderung und Schmerz zu gleicher Zeit; doch hielt er Stillschweigen. Eginhart aber, welcher sich wohl bewußt war, diese Tat würde in die Länge nicht verborgen bleiben, ratschlagte mit sich, trat vor seinen Herrn, kniete nieder und bat um Abschied, weil ihm doch sein treuer Dienst nicht vergolten werde. Der König schwieg lange und verhehlte sein Gemüt; endlich versprach er dem Jüngling, baldigen Bescheid zu sagen. Unterdessen setzte er ein Gericht an, berief seine ersten und vertrautesten Räte und offenbarte ihnen, daß das königliche Ansehen durch den Liebeshandel seiner Tochter Imma mit seinem Schreiber verletzt worden sei. Und während alle erstaunten über die Nachricht des neuen und großen Vergehens, sagte er ihnen weiter, wie sich alles zugetragen und er es mit seinen eigenen Augen angesehen hätte und er jetzo ihren Rat und ihr Urteil heische. Die meisten aber, weise und darum mild von Gesinnung, waren der Meinung, daß der König selbst in dieser Sache entscheiden solle. Karl, nachdem er alle Seiten geprüft hatte und den Finger der Vorsehung in dieser Begebenheit wohl erkannte, beschloß, Gnade für Recht ergehen zu lassen und die Liebenden miteinander zu verehelichen. Alle lobten mit Freuden des Königs Sanftmut, der den Schreiber vor sich forderte und also anredete: »Schon lange hätte ich deine Dienste besser vergolten, wo du mir dein Mißvergnügen früher entdeckt hättest; jetzo will ich dir zum Lohn meine Tochter Imma, die ich hochgegürtet willig getragen, zur ehelichen Frau geben.« Sogleich befahl er, nach der Tochter zu senden, welche mit errötendem Gesicht in des Hofes Gegenwart ihrem Geliebten angetraut wurde. Auch gab er ihr reiche Mitgift an Grundstücken, Gold und Silber; und nach des Kaisers Absterben schenkte ihnen Ludwig der Fromme durch eine besondere Urkunde in dem Maingau Michlinstadt und Mühlenheim, welches jetzo Seligenstadt heißt. In der Kirche zu Seligenstadt liegen beide Liebende nach ihrem Tode begraben. Die mündliche Sage erhält dort ihr Andenken, und selbst dem nah liegenden Walde soll, ihr zufolge, Imma, als sie ihn einmal »O du Wald!« angeredet, den Namen Odenwald verliehen haben.

Auch Seligenstadt soll einer Sage nach daher den Namen haben: Karl habe Emma verstoßen und, auf der Jagd verirrt, wieder an diesem Ort gefunden; nämlich als sie ihm in einer Fischerhütte sein Lieblingsgericht vorgesetzt, erkannte er die Tochter und rief:

> *Selig sei die Stadt genannt,*
> *Wo ich Emma wiederfand!«*

Petrarcha, auf seiner Reise nach Deutschland, hörte von den Priestern zu Aachen eine Geschichte erzählen, die sie für wahrhaft ausgaben und die sich von Mund zu Munde fortgepflanzt haben sollte. Vorzeiten verliebte sich Karl der Große in eine gemeine Frau so heftig, daß er alle seine Taten vergaß, seine Geschäfte liegenließ und selbst seinen eigenen Leib darüber vernachlässigte. Sein ganzer Hof war verlegen und mißmutig über diese Leidenschaft, die gar nicht nachließ; endlich verfiel die geliebte Frau in eine Krankheit und starb. Vergeblich hoffte man aber, daß der Kaiser nunmehr seine Liebe aufgeben würde; sondern er saß bei dem Leichnam, küßte und umarmte ihn und redete zu ihm, als ob er noch lebendig wäre. Die Tote hub an zu riechen und in Fäulnis überzugehen; nichtsdestoweniger ließ der Kaiser nicht von ihr ab. Da ahnte Turpin, der Erzbischof, es müsse darunter eine Zauberei walten; daher, als Karl eines Tages das Zimmer verlassen hatte, befühlte er den Leib der toten Frau allerseits, ob er nichts entdecken könnte; endlich fand er im Munde unter der Zunge einen Ring, den nahm er weg. Als nun der Kaiser in das Zimmer wiederkehrte, tat er erstaunt wie ein Aufwachender aus tiefem Schlafe und fragte: »Wer hat diesen stinkenden Leichnam hereingetragen?« und befahl zur Stunde, daß man ihn bestatten solle. Dies geschah, allein nunmehr wandte sich die Zuneigung des Kaisers auf den Erzbischof, dem er allenthalben folgte, wohin er ging. Als der weise, fromme Mann dieses merkte und die Kraft des Ringes erkannte, fürchtete er, daß er einmal in unrechte Hände fiele, nahm und warf ihn in einen See nah bei der Stadt. Seit der Zeit, sagt man, gewann der Kaiser den Ort lieb, daß er nicht mehr aus der Stadt Aachen weichen wollte, ein kaiserliches Schloß und ein Münster da bauen ließ und in jenem seine übrige Lebenszeit zubrachte, in diesem aber nach seinem Tode begraben sein wollte. Auch verordnete er, daß alle seine Nachfolger in dieser Stadt sich zuerst sollten salben und weihen lassen.

Als Kaiser Karl zu Zürich in dem Hause, genannt zum Loch, wohnte, ließ er eine Säule mit einer Glocke oben und einem Seil daran errichten: damit es jeder ziehen könnte, der Handhabung des Rechts fordere, sooft der Kaiser am Mittagsmahl sitze. Eines Tages nun geschah es, daß die Glocke erklang, die hinzugehenden Diener aber niemanden beim Seile fanden. Es schellte aber von neuem in einem weg. Der Kaiser befahl ihnen, nochmals hinzugehen und auf die Ursache achtzuhaben. Da sahen sie nun, daß eine große Schlange sich dem Seil näherte und die Glocke zog. Bestürzt hinterbrachten sie das dem Kaiser, der alsbald aufstand und dem Tiere, nicht weniger als den Menschen, Recht sprechen wollte. Nachdem sich der Wurm ehrerbietig vor dem Fürsten geneigt, führte er ihn an das Ufer eines Wassers, wo auf seinem Nest und auf seinen Eiern eine übergroße Kröte saß. Karl untersuchte und entschied der beiden Tiere Streit dergestalt, daß er die Kröte zum Feuer verdammte und der Schlange recht gab. Dieses Urteil wurde gesprochen und vollstreckt. Einige Tage darauf kam die Schlange wieder an Hof, neigte sich, wand sich auf den Tisch und hob den Deckel von einem darauf stehenden Becher an. In den Becher legte sie aus ihrem Munde einen kostbaren Edelstein, verneigte sich wiederum und ging weg. An dem Ort, wo der Schlangen Nest gestanden, ließ Karl eine Kirche bauen, die nannte man Wasserkilch; den Stein aber schenkte er, aus besonderer Liebe, seiner Gemahlin. Dieser Stein hatte die geheime Kraft in sich, daß er den Kaiser beständig zu seinem Gemahl hinzog und daß er abwesend Trauern und Sehnen nach ihr empfand. Daher barg sie ihn in ihrer Todesstunde unter der Zunge, wohl wissend, daß, wenn er in andere Hände komme, der Kaiser ihrer bald vergessen würde. Also wurde die Kaiserin samt dem Stein begraben; da vermochte Karl sich gar nicht zu trennen von ihrem Leichnam, so daß er ihn wieder aus der Erde graben ließ und achtzehn Jahr mit sich herumführte, wohin er sich auch begab. Inzwischen durchsuchte ein Höfling, dem von der verborgenen Tugend des Steines zu Ohren gekommen war, den Leichnam und fand endlich den Stein unter der Zunge liegen, nahm ihn weg und steckte ihn zu sich. Alsbald kehrte sich des Kaisers Liebe ab von seiner toten Gemahlin und auf den Höfling, den er nun gar nicht von sich lassen wollte. Aus Unwillen warf einmal der Höfling auf einer Reise nach Köln den Stein in eine heiße Quelle; seitdem konnte ihn niemand wiedererlangen. Die Neigung des Kaisers zu dem Ritter hörte zwar auf, allein er fühlte sich nun wunderbar hingezogen zu dem Orte, wo der Stein verborgen lag, und an dieser Stelle gründete er Aachen, seinen nachherigen Lieblingsaufenthalt.

460. KÖNIG KARL

Das Reich stund leer, da nahmen die Römer die Krone, setzten sie auf St. Peters Altar nieder und schwuren vor all dem Volke, daß sie aus ihrem Geschlechte nimmermehr Könige erwählen wollten, sondern aus fremden Landen.

Damals war Sitte, daß die Römer Jünglinge aus andern Reichen an ihrem Hofe fleißig und löblich auferzogen. Kamen sie zu den Jahren, daß sie das Schwert führen mochten, so sandten die Römer sie wieder fröhlich heim in ihr Land, und darum dienten ihnen alle Reiche in großer Furcht.

Da geschah, daß Pippin, ein reicher König zu Kerlingen, zwei Söhne hatte; der eine hieß Leo, der wurde zu Rom erzogen und saß auf St. Peters Stuhl. Der zweite hieß Karl und war noch daheim. Eines Nachts, da Karl entschlief, sprach eine Stimme dreimal zu ihm: »Wohlauf, Karl, Lieber! Fahr gen Rom, dich fordert Leo, dein Bruder.«

Schier bereitete er sich zu der Fahrt, offenbarte aber niemand, was er vorhatte, bis er den König, seinen Vater, um Urlaub bat; er sprach: »Ich will gerne den Papst sehen und zu Rom in der Hauptstadt beten.«

Mit reicher Gabe ausgerüstet, hob sich Karl auf den Weg und betete mit nassen Augen zu Gott, still, daß es niemand innenwurde. Zu Rom ward er von Alten und Jungen wohl empfangen; der Papst sang eine heilige Messe; alle Römer sprachen, daß Karl ihr rechter Vogt und Richter sein sollte.

Karl achtete ihrer Rede nicht, denn er war, um zu beten, dahin gekommen und ließ sich durch nichts irren. Mit bloßen Füßen besuchte er die Kirchen, flehte inniglich zu Gott und dingte um seine Seele. So diente er Gott vier Wochen lang; da warfen sich der Papst, sein Bruder, und all das Volk vor ihm nieder, er empfing die teure Krone, und alle riefen Amen.

König Karl saß zu Gericht; der Papst klagte ihm, daß die Zehenden, Wittümer und Pfründen von den Fürsten genommen wären. »Das ist ja der Welt Brauch«, sagte Karl, »was einer um Gottes willen gibt, nimmt der andere hin. Wer diesen offenen Raub begeht, ist kein guter Christ. Ich kann jetzt diese Klage noch nicht richten; erlebe ich aber den Tag, daß ich es tun darf, so fordre es mir St. Peter ab.«

Da schieden sich die Herren mit großem Neid; Karl wollte nicht länger in diesem Lande bleiben, sondern fuhr nach Riflanden[1]. Die Römer hatten wohl erkannt, daß er ihr rechter Richter wäre; aber die Bösen unter ihnen bereuten die Unterwerfung. Sie drangen in St. Peters Münster, fingen den Papst und brachen ihm beide Augen aus. Darauf sandten sie ihn blind nach Riflanden dem Könige zum Hohn. Der Papst saß auf einen Esel, nahm zwei Kapellane und zwei Knechte, die ihm den Weg weisen sollten; auf der Reise stand er Kummer und Not aus. Als er zu Ingelnheim in des Königs Hof ritt, wußte noch niemand, was ihm geschehen war; still hielt er auf dem Esel und hieß einen seiner Kapellane heimlich zu dem König gehen: »Schone deiner Worte und eile nicht zu sehr; sage dem König nur, ein armer Pilgrim wollte ihn gerne sprechen.«

Der Priester ging und weinte, daß ihm das Blut über den Bart

1 Ripuaria.

rann. Als ihn der König kommen sah, sagte er: »Diesem Mann ist großes Leid getan; wir sollen ihm richten, wo wir können.« Nieder kniete der Priester, kaum vermochte er zu sprechen: »Wohlan, reicher König! Komm und rede mit einem deiner Kapellane, dem große Not geschehen ist.« Karl folgte dem Priester eilends über den Hof und hieß die Leute vor sich weichen. »Ihr guten Pilgrime«, sprach er, »wollt ihr hier bei mir bleiben, ich beherberge euch gerne; klaget mir euer Leid, so will ich's büßen, wo ich kann.«

Da wollte der arme Papst zu dem König sich kehren, sein Haupt stand zwerch, sein Gesicht scheel; er sprach: »Daß mir Gott deiner Hilfe gönne! Es ist erst kurze Zeit, daß ich dir zu Rom die Messe sang; damals sah ich noch mit meinen Augen.« An diesen Worten erkannte König Karl seinen Bruder, erschrak so heftig, daß er zu Boden fallen wollte, und raufte die Haare aus. Die Leute sprangen herzu und hielten ihren Herrn. »Zu deinen Gnaden«, klagte Leo, »bin ich hierhergekommen, um deinetwillen hab ich die Augen verloren; weine nicht mehr, lieber Bruder, sondern loben wir Gott seiner großen Barmherzigkeit!« Da war großer Jammer unter dem Volke, und niemand mochte das Weinen verhalten.

Als nun der König alles von dem Papst erfahren hatte, sagte er: »Deine Augen will ich rächen oder nimmermehr das Schwert länger führen.« Er sandte Boten zu Pippin, seinem Vater, und den Fürsten in Kerlingen. Alle waren ihm willig, die Boten eilten von Lande zu Lande, von Herren zu Mannen; Bauleute und Kaufmänner, die niemand entbieten konnte, ließen freiwillig Hab und Gut und folgten dem Heere. Sie zogen sich zusammen wie die Wolken. Der Zug ging über die Alpen durch Triental, eine unzählige Schar und die größte Heerfahrt, die je nach Rom geschah.

Als das Heer so weit gekommen war, daß sie Rom von ferne erblickten, auf dem Mendelberg[1], da betete der werte König drei Tag und drei Nacht, daß es den Fürsten leid tat, und sie sprachen:

1 Mons gaudii, mont joie, wovon der Heerruf Karls des Großen.

wie er so lange ihre Not ansehen möchte, nun sie so weit gekommen wären? Der König antwortete: »Erst müssen wir zu Gott flehen und seinen Urlaub haben, dann können wir sanft streiten; auch bedarf ich eines Dienstmannes in dieser Not, den sende mir Gott gnädiglich.«

Früh am vierten Morgen scholl die Stimme vom Himmel, nicht länger zu warten, sondern auf Rom loszuziehn; »die Rache soll ergehen, und Gottes Urteil sei erfolgt.«

Da bereitete man des Königs Fahne. Als das Volk den Berg herabzog, ritt Gerold dem König entgegen. Herrlich redete ihn der König an: »Lange warte ich dein, liebster unter meinen Mannen!« Karl rückte den Helm auf und küßte ihn. Alle verwunderte es, wer der Einschilde[1] wäre, den der König so vertraut grüßte. Es war der kühne Gerold, dem das schwäbische Volk folgte in drei wonnesamen Scharen. Da verlieh ihnen Karl, daß die Schwaben dem Reich immer vorfechten sollten.

Sieben Tage und sieben Nächte belagerte das Heer Rom und den Lateran, an denen niemand wagte, mit ihnen zu streiten. Den achten Tag schlossen die Römer das Tor auf und ließen den König ein. Karl saß zu Gerichte, die Briefe wurden gelesen, die Schuldigen genannt. Als man sie verforderte, so leugneten sie. Da verlangte der Kaiser Kampf, daß die Wahrheit davon erscheine. Die Römer sprachen: das wäre ihr Recht nicht, und kein König hätte sie noch dazu gezwungen; ihre Finger wollten sie recken und schwören. Da sagte er: »Von eurem Rechte will ich keinen treiben, aber schwören sollt ihr mir auf Pankratius, dem heiligen Kinde.«

Sie zogen in Pankratius' Stift und sollten die Finger auf das Heiligtum legen. Der erste, welcher schwören wollte, sank zu Boden. Da verzweifelten die andern, wichen zurück und begannen zu fliehen. Zornig ritt ihnen der König nach, drei Tage ließ er sie erschlagen, die Toten aus St. Peters Dome tragen, den Estrich reinigen und den Papst wieder einführen. Darauf fiel Karl vor dem Altar nieder und bat um ein Wunder, damit das

1 Der nur ein Schild führt. Vgl. Titurel, 68, 74.

böse Volk der Römer zum Glauben gebracht würde. Auch forderte er St. Peter, den Türhüter des Himmels, daß er seinen Papst schauen sollte: »Gesund ließ ich ihn in deinem Hause; blind hab ich ihn gefunden; und machst du ihn nicht wieder sehend heut am Tage, so zerstöre ich deinen Dom, zerbreche deine Stiftung und fahre heim nach Riflanden.«

Da bereitete sich Papst Leo, und als er die Beichte ausgesprochen, sah er ein himmlisches Licht, kehrte sich um zu dem Volk und hatte seine beiden Augen wieder. Der König samt allem dem Heer fielen in Kreuzesstellung und lobten Gott. Der Papst weihete ihn zum Kaiser und sprach allen seinen Gefährten Ablaß. Da war große Freude zu Rom.

Karl setzte sein Recht und Gesetz mit der Hilfe des himmlischen Boten, und alle Herren schwuren, es zu halten. Zuerst richtete er Kirchen und Bischöfe und stiftete ihnen Zehenden und Wittümer. Alsdann verordnete er über die Bauleute (Bauern): Schwarz oder Grau sollten sie tragen und nicht anders, einen Spieß daneben, rinderne Schuhe, sieben Ellen zu Hemd und Bruch rauhes Tuches; sechs Tage bei dem Pfluge und der Arbeit, an dem Sonntag zur Kirche gehen mit der Gerte in der Hand. Wird ein Schwert bei dem Bauern gefunden, so soll er an den Kirchzaun gebunden und ihm Haut und Haar abgeschlagen werden; trägt er Feindschaft, so wehre er sich mit der Gabel. Dieses Recht setzte König Karl.

Da wuchs die Ehre und der Name des Königs, seine Feinde besiegte er; Adelhart, Fürsten von Apulia, ließ er das Haupt abschlagen, und Desiderius, Fürst von Sosinnia, mußte auf seine Gnade dingen; dessen Tochter Aba nahm sich Karl zur Frauen und führte sie an den Rhein. Die Westfalen ergaben ihm ihr Land, die Friesen bezwang er, aber die Sachsen wollten ihn nicht empfangen. Sie pflogen ihre alte Sitte und fochten mit dem Kaiser, daß er sieglos wurde. Doch Wittekind genoß es nicht, denn Gerold schlug ihn mit Listen; es geschah noch mancher Streit, eh die Sachsen unterworfen wurden.

Darauf kehrte Karl nach Spanien und Navarra, focht zwei lange

Tage und behauptete die Walstatt. Er mußte nun eine Burg, geheißen Arl, belagern, länger als sieben Jahre, weil ihnen Wein und Wasser unter der Erde zufuhr: bis endlich der König ihre List gewahrte und die Gänge abschnitt. Da vermochten sie nicht länger zu streiten, kamen vor das Burgtor und fochten mit festem Mut. Keiner bot dem andern Friede, und Christen und Heiden wurden so viel untereinander erschlagen, daß es niemand sagen kann. Doch überwand Karl mit Gott und ließ die Christen in wohlgezierten Särgen bestatten.

Hierauf[1] nahm er die Burg Gerundo[2] ein, zwang sie mit Hunger und taufte alle Leute darin. Aber in Gallacia tat ihm der Heidenkönig großes Leid, die Christen wurden erschlagen, Karl allein entrann kaum. Noch heute ist der Stein naß[3], worauf heißweinend der König saß und Gott seine Sünden klagte: »Gnade, o Herr, meiner Seele, und scheide meinen Leib von dieser Welt! Nimmer kann ich wieder froh werden.« Da kam ein Engel, der tröstete ihn: »Karl, du bist Gott lieb, und deine Freude kehret schier wieder; sende deine Boten eilends heim und mahne Frauen und Jungfrauen, daß sie dir deine Ehre wiedergewinnen helfen.«

Die Boten eilten in alle seine Länder und sammelten die Mägde und Jungfrauen, fünfzigtausend und drei und sechsundsechzig in allem. An einem Ort, geheißen Karles Tal, bereiteten die Mägde männlich sich zur Schlacht. Der Heiden Wartleute nahm es wunder, woher diese Menge Volkes gekommen war. »Herr«, sprachen sie zu ihrem Könige, »die Alten haben wir erschlagen, die Jungen sind hergekommen, sie zu rächen; sie sind stark um die Brüste, ihr Haar ist ihnen lang, schön ist ihr Gang; es ist ein vermessenes Volk, gegen das unser Fechten nicht taugen wird; und was auf diesem Erdboden zusammenkommen könnte, würde sie nicht bestehen, so vreisam sind ihre Gebärden.«

---

1 Den hier folgenden Teil der Sage von dem nassen Stein und dem Schäftenwald kennt auch Pomarius in seiner Chronik, S. 54.
2 Girona.
3 Karl, 116 b. Er muß von dem Stein mit Gewalt weggetragen werden.

Da erschrak der Heide, seine Weisen rieten, daß er dem Kaiser Geisel gab, sich und sein Volk taufen ließ. So machte Gott die Christen sieghaft ohne Stich und Schlag, und die Mägde erkannten, daß der Himmel mit ihnen war.

Karl und die Seinen zogen heim. Die heermüden Heldinnen kamen zu einer grünen Wiese, steckten ihre Schäfte auf und fielen in Kreuzesstellung, um Gott zu loben. Da blieben sie über Nacht; am andern Morgen grünten, laubten und blühten ihre Schäfte. Davon heißet die Stelle der Schäftenwald[1], wie man noch heutigestages sehen mag. Der König aber ließ, Christus und der heiligen Marien zu Ehren, daselbst eine reiche Kirche bauen.

Karl hatte eine Sünde getan, keinem Menschen auf Erden wollt er sie beichten und darin ersterben. In die Länge aber wurde ihm die Bürde zu schwer, und da er von Egidius, dem heiligen Manne gehört hatte, so legte er ihm Beichte ab aller Dinge, die er bis dahin getan. »Außerdem«, sprach er, »habe ich noch eine Sünde auf mir, die mag ich dir nicht eröffnen und bin doch in großen Ängsten.« Egidius riet ihm, dazubleiben bis den andern Morgen; beide waren über Nacht zusammen, und keiner pflog Schlafes. Am andern Tage früh bat der König den heiligen Mann, daß er ihn dannen fertigte. Da bat Egidius Gott von Herzen und eröffnete ihm des Königs heimliche Not; als er die Messe endete und den Segen sprach, sah er einen Brief geschrieben ohne Menschenhand, vom Himmel gesandt. Den wies er dem Könige, und Karl las daran: »Wer seine Schuld inniglich bereut und Gott vertraut, die fordert er nimmermehr.«

Sollte man alle Wunder des Königs erzählen, so wäre lange Zeit nötig. Karl war kühn, schön, gnädig, selig, demütig, stet, löblich und furchtlich. Zu Aachen liegt er begraben.

---

1 Auch Schächtewald und Gluvinkwald, von Glevin, Schaft.

Als Heinrich, Erzbischof zu Reims, des König Ludwigs Bruder, auf eine Zeit im Sommer über Land reiste und um Mittag von der Hitz wegen ein Schläflein tat, ruhten sich auch einige seiner Landsknechte und schliefen. Die übrigen aber, welche Wacht hielten, sahen aus dem offenen Mund eines der schlafenden Landsknechte ein klein weiß Tierlein, gleich einem Wiesel, herauskriechen und gegen dem nächsten Bächlein zulaufen. Am Gestad des Bächlein lief es aber hin und wider und konnte nicht überkommen. Da fuhr einer von denen, die dabeistanden, zu und legte sein entblößtes Schwert wie eine Brücke hin; darüber lief das Tierlein und verschwand. Über eine kleine Weil kam es jenseits wieder und suchte emsig die vorige Brücke, die mittlerweile der Kriegsknecht weggetan hatte. Also brückte er nun wieder über das Bächlein, das Tierlein ging darauf, näherte sich dem noch aufgetanen Mund des schlafenden Landsknechtes und kehrte in seine alte Herberg ein. Von Stund an erwachte der Landsknecht. Seine Spießgesellen fragten, was ihm im Schlafe begegnet sei. Er antwortete: »Mir träumte, ich wäre gar müd und hellig von wegen eines gar fernen, weiten Wegs, den ich zog, und auf dem Weg mußt ich zweimal über eine eiserne Brücke gehen.« Die Landsknechte konnten daraus abnehmen, daß, was sie mit Augen gesehen, ihm wirklich im Traum vorgeschwebt hatte.

462. KAISER LUDWIG BAUET HILDESHEIM

Kaiser Ludwig führte allzeit ein Marienbild an seinem Halse; nun begab sich's, daß er ritt durch einen Wald, stieg ab, seine Füße zu decken, und setzte dieweil das Bild auf einen Stein (oder auf einen Stamm). Als er's darauf wieder zu sich nehmen wollte, vermochte er es nicht von der Stätte zu bringen. Da fiel der König auf die Knie und betete zu Gott, daß er ihm kundtäte, ob er einer Missetat schuldig wäre, derentwegen das Bild nicht von dem Steine weichen wollte. Da hörte er eine Stimme rufen, die sprach: »So ferne und weit ein Schnee fallen wird, so groß und weit sollt du einen Tumb bauen zu Marien Ehre!« Und alsbald hub es an vom Himmel zu schneien auf die Stätte; da sprach Ludwig: »Dies ist Hilde Schnee (dit is tomalen hilde Snee), und es soll auch Hildeschnee heißen.« So weit nun der Schnee gefallen war, stiftete er einen Kirchenbau, unserer Lieben Frauen zu Ehren, und Günther war der erste Bischof, den er darin bestätigte. Also kriegte der Tumb und die Stadt den Namen nach dem Schnee, der »do hilde« fiel; das ward genennet Hildeschnee und folgends Hildesheim.

463. DER ROSENSTRAUCH ZU HILDESHEIM

Als Ludwig der Fromme winters in der Gegend von Hildesheim jagte, verlor er sein mit Heiligtum gefülltes Kreuz, das ihm vor allem lieb war. Er sandte seine Diener aus, um es zu suchen, und gelobte, an dem Orte, wo sie es finden würden, eine Kapelle zu bauen. Die Diener verfolgten die Spur der gestrigen Jagd auf dem Schnee und sahen bald aus der Ferne mitten im Wald einen grünen Rasen und darauf einen grünenden wilden Rosenstrauch. Als sie ihm näher kamen, hing das verlorene Kreuz daran; sie nahmen es und berichteten dem Kaiser, wo sie es gefunden. Alsobald befahl Ludwig, auf der Stätte eine Kapelle zu erbauen und den Altar da hinzusetzen, wo der Rosenstock stand. Dieses geschah, und bis auf diese Zeiten grünt und blüht der Strauch und wird von einem eigens dazu bestellten Manne gepflegt. Er hat mit seinen Ästen und Zweigen die Ründung des Doms bis zum Dache umzogen[1].

---

1 In dem mir vorliegenden Handexemplar ist hier ein weißes Blatt eingeklebt und ein getrockneter Rosenzweig daraufgenäht. Am Rande die Bemerkung (von der Hand Jacobs): »Beiliegendes Rosenzweiglein ist davon.« (Herman Grimm)

464. KÖNIG LUDWIGS RIPPE KLAPPT

Von König Ludwigs in Deutschland Härte und Stärke wird erzählet wie folgt: Es geschah auf einem Heerzug, daß eine Laube oder Kammer unter ihm einging, er hinunterstürzte und eine Rippe ausfiel. Allein er verbarg den Schaden vor jedermann, vollbrachte seine Reise, und es heißt, die, welche dieselbige Zeit ihn begleiteten, haben seine Rippe im Zug klappern hören. Wie alles ausgerichtet war, zog er gen Ach und lag zwei Monat im Bett nieder, ließ sich erst da recht verbinden.

Ludwig der Deutsche hinterließ drei Söhne: Karl, Ludwig und Karlmann. Unter diesen nahm sich König Karl eine schöne und tugendsame Gemahlin, deren reines Leben ihr bald Neider am Hofe erweckte. Als der König eines Morgens früh in die Mette ging, folgte ihm Siegerat, sein Dienstmann, der sprach: »Herr, was meine Frau begeht, ziemt nicht Euren Ehren, mehr darf ich nicht sagen.« Der König blickte ihn an und sagte traurig: »Sage mir schnell die Wahrheit, wo du irgend etwas gesehen hast, was wider des Reiches Ehren stößt.« Der listige Alte versetzte: »Leider, ich werde nimmermehr froh, seit ich gesehen habe, daß meine Frau andere Männer minnet; lüge ich, so heißt mich an einen Baum hängen.«

Der König eilte schnell in seine Schlafkammer zurück und legte sich stillschweigend an der Königin Seite. Da sprach die Frau: »Des bin ich ungewohnt, warum seid Ihr schon wiedergekommen?« Er schlug ihr einen Faustschlag und sagte: »Weh mir, daß dich meine Augen je gesehen und ich meine Ehre durch dich verloren habe; das soll dir ans Leben gehen.« Die Königin erschrak und erweinte: »Schonet Eure Worte und haltet auf Eure Ehre! Ich sehe, daß ich verlogen worden bin; ist es aber durch meine Schuld, so will ich den Leib verloren haben.« Karl zwang seinen Zorn und antwortete: »Du pflegst unrechter Minne, wie möchtest du länger dem Reiche zur Königin taugen!« Sie sprach: »Ich will auf Gottes Urteil dingen, daß ich es nimmermehr getan habe, und vertraue, seine Gnade wird mir beistehen.«

Die Frau sandte nach vier Bischöfen, die mußten ihre Beichte hören und immer bei ihr sein; sie betete und fastete, bis der Gerichtstag kam. Bischöfe, Herzöge und eine große Volksmenge hatten sich versammelt, die Königin bereitete sich zu der schweren Arbeit. Als die edeln Herren sich dazwischenlegen wollten, sprach sie: »Das wolle Gott nicht, daß man solche Reden von mir höre und ich länger die Krone trage.« Da jammerte es allen Fürsten. Die Fraue, mit auferhobenen Augen und unter manchem guten Segen, schloff in ein Hemde, das darzu gemacht war. Gebete wurden gesungen und gelesen, und an vier Ecken zu Füßen und Händen zündete man ihr Hemde an. In kurzer Stunde brann es von ihr ab, das Wachs floß auf das Steinpflaster nieder; unversehrt, ohne Arg stand die Königin. Alle sprachen: »Gott Lob!« Der König ließ die Lügner an einen Galgen hängen. Die Königin aber schied fröhlich von dannen, tat sich des Reiches ab und diente Gott ihr übriges Leben.

466. KÖNIGIN ADELHEID

Als die Königin Adelheid, Lothars Gemahlin, von König Berengar hart in der Burg Canusium belagert wurde und schon auf Mittel und Wege dachte zu entfliehen, fragte Arduin: »Wieviel Scheffel Weizen habt Ihr noch auf der Burg?« – »Nicht mehr«, sagte Atto, »als fünf Scheffel Roggen und drei Sechter Weizen.« – »So folgt meinem Rate, nehmt ein Wildschwein, füttert es mit dem Weizen und laßt es zum Tore hinauslaufen.« Dieses geschah. Als nun das Schwein unten im Heer gefangen und getötet wurde, fand man in dessen Magen die viele Frucht. Man schloß daraus, daß es vergebens sein würde, diese Festung auszuhungern, und hob die Belagerung auf.

467. KÖNIG KARL SIEHT SEINE VORFAHREN IN DER HÖLLE UND IM PARADIES

König Karl (der Dicke), als er auf Weihnachten nach der Mette frühmorgens ruhen wollte und fast schlummerte, vernahm eine schreckliche Stimme, die zu ihm sprach: »Karl, jetzt soll dein Geist aus deinem Leibe gehen, das Gericht des Herrn zu schauen, und dann wieder zurückkehren!« Und alsbald wurde sein Geist entzückt, und der ihn wegzuckte, war ein ganz weißes Wesen, welches einen leuchtenden Faden, ähnlich dem fallender Sterne, hielt und sagte: »Fasse das Ende dieses Fadens, binde ihn fest an den Daumen deiner rechten Hand, ich will dich daran führen zu dem Ort der höllischen Pein.« Nach diesen Worten schritt es vor ihm her, indem es den Faden von dem leuchtenden Knäuel abwickelte, und leitete ihn durch tiefe Täler voll feuriger Brunnen; in diesen Brunnen war Schwefel, Pech, Blei und Wachs. Er erblickte darin die Bischöfe und Geistlichen aus der Zeit seines Vaters und seiner Ahnen; Karl fragte furchtsam, warum sie also leiden müßten. »Weil wir«, sprachen sie, »Krieg und Zwietracht unter die Fürsten streuten, statt sie zum Frieden zu mahnen.« Während sie noch redeten, flogen schwarze Teufel auf glühenden Haken heran, die sich sehr mühten, den Faden, woran sich der König hielt, zu ihnen zu ziehen; allein sie vermochten nicht, seiner großen Klarheit wegen, und fuhren davor zurück. Darauf kamen sie von hinten und wollten Karl mit langen Haken ziehen und fallen machen; allein der, welcher ihn führte, warf ihm den Faden doppelt um die Schulter und hielt ihn stark zurück.

Hierauf bestiegen sie hohe Berge, zu deren Füßen glühende Flüsse und Seen lagen. In diese fand er die Seelen der Leute seines Vaters, seiner Vorfahren und Brüder bis zu den Haupthaaren, einige bis zum Kinn, andere bis zum Nabel getaucht. Sie huben an, ihm entgegenzuschreien, und heulten: »Karl, Karl, weil wir Mordtaten begingen, Krieg und Raub, müssen wir in diesen Qualen bleiben!« Und hinter ihm jammerten andre; da wandte er sich um und sah an den Ufern des Flusses Eisenöfen voll Drachen und Schlangen, in denen er andere bekannte Fürsten leiden sah. Einer der Drachen flog herzu und wollte ihn schlingen: aber sein Führer wand ihm den dritten Schleif des Fadens um die Schulter.

Nächstdem gelangten sie in ein ungeheuer großes Tal, welches auf der einen Seite licht, auf der andern dunkel war. In der dunkeln lagen einige Könige, seine Vorfahren, in schrecklichen Peinen; und am Lichte, das der Faden warf, erkannte Karl in

einem Faß mit siedendem Wasser seinen eigenen Vater, König
Ludwig, der ihn kläglich ermahnte und ihm links zwei gleiche
Kufen zeigte, die ihm selber zubereitet wären, wenn er nicht
Buße für seine Sünden tun würde. Da erschrak er heftig, der
Führer aber brachte ihn auf die lichte Seite des Tals; da sah Karl
seinen Oheim Lothar sitzen auf einem großen Edelstein, andere
Könige um ihn her, gekrönt und in Wonnen; die ermahnten ihn
und verkündigten, daß sein Reich nicht mehr lange dauern
werde; aber es solle fallen an Ludwig, Lothars Tochtersohn.
Und indem sah Karl dieses Kind, Ludwig, da stehen. Lothar,
sein Ahnherr, sprach: »Hier ist Ludwig, das unschuldige Kind,
dem übergib jetzo deines Reiches Gewalt durch den Faden, den
du in deiner Hand hältst.« Da wand Karl den Faden vom
Daumen und übergab dem Kind das Reich; augenblicklich
knäuelte sich der Faden, glänzend wie ein Strahl der Sonne, in
des Kindes Hand.
Hierauf kehrte Karls Geist in den Leib zurück, ganz müde und
abgearbeitet.

468.   ADALBERT VON BABENBERG

Im Jahre 905, zu König Ludwig des Kindes Zeiten, trug sich eine
Begebenheit zu, die man lange auf Kreuzwegen und Malstätten
vor dem Volke singen hörte und deren die geschriebenen Bücher
von den Taten der Könige nicht geschweigen. Adalbert, ein
edler fränkischer Graf, hatte Konraden, König Ludwigs Bruder,
erlegt und wurde in seiner Burg Babenberg darum belagert. Da
man aber diese Helden mit Gewalt nicht bezwingen konnte, so
sann des jungen Königs Ratgeber, Erzbischof Hatto von Mainz,
auf eine List. Mit frommer Gleisnerei ging er hinauf zu einem
Gespräch in das Schloß und redete dem Adalbert zu, die Gnade
des Königs zu suchen. Adalbert, fromm und demütig, fügte sich
gerne, bedang sich aber aus, daß ihn Hatto sicher und ohne
Gefahr seines Lebens wieder in die Burg zurückbringe. Hatto

gab ihm sein Wort darauf, und beide machten sich auf den Weg. Als sie sich dem nächsten Dorfe, namens Teurstadt[1], näherten, sprach der Bischof: »Es wird uns das Fasten schwer halten, bis wir zum Könige kommen, sollten wir nicht vorher frühstücken, wenn es dir gefiele?« Adalbert, einfältig und gläubig nach Art der Alten, ohne Böses zu ahnden, lud den Bischof alsbald nach diesen Worten bei sich zum Essen ein, und sie kehrten wieder in die Burg zurück, die sie soeben verlassen hatten. Nach eingenommenem Mahl begaben sie sich sodann ins Lager, wo die Sache des Fürsten vorgenommen und er der Klage des Hochverrats schuldig gesprochen und zur Enthauptung verdammt wurde. Als man dieses Urteil zu vollziehen Anstalt machte, mahnte Adalbert den Bischof an die ihm gegebene Treue. Hatto antwortete verräterisch: »Die hab ich dir wohl gehalten, als ich dich ungefährdet wieder in deine Burg zum Frühstücken zurückführte.« Adalbert von Babenberg wurde hierauf enthauptet und sein Land eingezogen.

Andere erzählen mit der Abweichung: Adalbert habe gleich anfangs dem Hatto eine Mahlzeit angeboten, dieser aber sie ausgeschlagen und nachher unterwegens gesagt: »Fürwahr, oft begehrt man, was man erst abgelehnt, ich bin wegmüd und nüchtern.« Da neigte sich der Babenberger auf die Knie und lud ihn ein, mit zurückzugehn und etwas zu essen. Der Erzbischof aber meinte sich seines Schwurs ledig, sobald er ihn zur Burg zurückgebracht hatte. Die Verurteilung Adalberts geschah zu Tribur.

469. HERZOG HEINRICH UND DIE GOLDNE HALSKETTE

Heinrich, Ottos Sohn, folgte in sein väterliches Erbe sowie in die meisten Güter, die auch Otto vom Reiche getragen hatte; doch

1 Bei Ditm. Tereti, bei Regino Terassa, heute Detes, Benediktinerkloster im Würzburgischen.

nicht in alle, weil König Konrad fürchtete, Heinrich möchte übermächtig werden. Dieses schmerzte auch Heinrichen, und die Feindschaft, wie Unkraut unter dem Weizen, wuchs zwischen beiden. Die Sachsen murrten; aber der König stellte sich freundlich in Worten gegen Heinrich und suchte ihn durch List zu berücken. Des Verrates Anstifter wurde aber Bischof Hatto von Mainz, der auch Grafen Adalbert, Heinrichs Vater, trüglich ums Leben gebracht hatte. Dieser Hatto ging zu einem Schmied und bestellte eine goldne Halskette, in welcher Heinrich erwürgt werden sollte. Eines Tages kam nun einer von des Königs Leuten in die Werkstätte, die Arbeit zu besehen, und als er sie betrachtete, seufzte er. Der Goldschmied fragte: »Warum seufzet Ihr so?« – »Ach«, antwortete jener, »weil sie bald rot werden soll vom Blute des besten Mannes, Herzogs Heinrich.« Der Schmied aber schwieg still als um eine Kleinigkeit. Sobald er hernach das Werk mit großer Kunst vollendet hatte, entfernte er sich insgeheim und ging dem Herzog Heinrich, der schon unterwegens war, entgegen. Er traf ihn bei dem Orte Cassala[1] und fragte, wo er hin gedächte. Heinrich antwortete: »Zu einem Gastmahl und großen Ehren, wozu ich geladen worden bin.« Da entdeckte ihm der Schmied die ganze Beschaffenheit der Sache; Heinrich rief den Gesandten, der ihn eingeladen hatte, hieß ihn allein ziehen und den Herren danken und absagen. Für Hatto soll er ihm folgenden Bescheid mitgegeben haben: »Geh hin und sage Hatto, daß Heinrich keinen härteren Hals trägt als Adalbert; und lieber will er zu Haus bleiben, als ihn mit seinem vielen Gefolg belästigen.« Hierauf überzog Heinrich des Bischofs Besitzungen in Sachsen und Thüringen und befeindete des Königs Freunde. Hatto starb bald darnach aus Verdruß, einige sagen, daß er drei Tage später vom Blitzstrahl getötet worden sei[2]. Das Glück verließ den König und wandte sich überall zu Herzog Heinrich (hernachmals Heinrich der Vogler genannt).

1 Kassel in Hessen.
2 Andere, daß seine Seele von Teufeln in den Ätna geführt wurde.

470. KAISER HEINRICH DER VOGELER

Als die Fürsten den Heinrich suchten, daß sie ihn zum deutschen Kaiser erklären wollten, da fanden sie ihn mit einem Garnnetze und Kloben bei seinen lieben Kindern, wie er mit ihnen vogelte. Darum nannte man ihn scherzweise Heinrich den Vogeler oder Finkler *(auceps)*.

471. DER KÜHNE KURZBOLD[1]

König Heinrich der Finkler hatte einen getreuen Helden namens Kuno, aus königlichem Geschlecht, klein von Gestalt, aber groß an Herz und Mut. Seines winzigen Aussehens wegen gab man ihm den Beinamen Kurzbold. Gisilbert von Lothringen und Eberhard von Franken hatten sich gegen den König empört und waren gerade im Begriffe, bei Breisach das Heer überzuschiffen; aber während sie am Rheinufer Schach spielten, überfiel sie der Kurzbold bloß mit vierundzwanzig Männern[2]. Gisilbert sprang in den Nachen, Kuno stieß seine Lanze mit solcher Gewalt hinein, daß er den Herzog mit allen, die im Schiff waren, versenkte. Den Eberhard durchbohrte er am Ufer mit dem Schwert. – Zu einer andern Zeit stand Kurzbold allein bei dem Könige, als ein Löwe aus dem Käfig losbrach. Der König wollte dem Kuno das Schwert, welches er nach damaliger Sitte trug, entreißen; aber jener sprang ihm zuvor auf den Löwen los und tötete ihn. Diese Tat erscholl weit und breit. – Kuno hatte einen natürlichen Abscheu vor Weibern und Äpfeln, und wo er auf eins von beiden stieß, war seines Bleibens nicht. Es gibt von ihm viele Sagen und Lieder[3]. Einsmals hatte er auch einen Heiden

---

1 Churziboldt, pugillus, Däumling (Gloss. zwetl.). Kurzbolt, eine Art Kleid (Rother, 4576), altfranz. cortibaut, courtibaut, lat. cortibaldus.
2 Vgl. Schlosser, II, 2, 186.
3 Zu Ekkehards Zeit (zweite Hälfte des XI. Jahrh.), der, weil die Lieder zu allgemein bekannt, die Erzählung der Begebenheiten ausläßt.

(Slawen) von riesenhafter Gestalt, auf dessen Ausforderung er aus des Königs Lager erschien, überwunden.

472. OTTO MIT DEM BART[1]

Kaiser Otto der Große wurde in allen Landen gefürchtet, er war strenge und ohne Milde, trug einen schönen roten Bart; was er bei diesem Barte schwur, machte er wahr und unabwendlich. Nun geschah es, daß er zu Babenberg (Bamberg) eine prächtige Hofhaltung hielt, zu welcher geistliche und weltliche Fürsten des Reiches kommen mußten. Ostermorgens zog der Kaiser mit allen diesen Fürsten in das Münster, um die feierliche Messe zu hören, unterdessen in der Burg zu dem Gastmahl die Tische bereitet wurden; man legte Brot und setzte schöne Trinkgefäße darauf. An des Kaisers Hofe diente aber dazumal auch ein edler und wonnesamer Knabe, sein Vater war Herzog in Schwaben und hatte nur diesen einzigen Erben. Dieser schöne Jüngling kam von ungefähr vor die Tische gegangen, griff nach einem linden Brot mit seinen zarten, weißen Händen, nahm es auf und wollte essen, wie alle Kinder sind, die gerne in hübsche Sachen beißen, wonach ihnen der Wille steht. Wie er nun ein Teil des weißen Brotes abbrach, ging da mit seinem Stabe des Kaisers Truchseß, welcher die Aufsicht über die Tafel haben sollte; der schlug zornig den Knaben aufs Haupt, so hart und ungefüge, daß ihm Haar und Haupt blutig ward. Das Kind fiel nieder und weinte heiße Tränen, daß es der Truchseß gewagt hätte, es zu schlagen. Das ersah ein auserwählter Held, genannt Heinrich von Kempten, der war mit dem Kinde aus Schwaben gekommen und dessen Zuchtmeister; heftig verdroß es ihn, daß man das zarte Kind so unbarmherzig geschlagen hatte, und fuhr den Truchsessen seiner Unzucht wegen mit harten Worten an. Der

1 Otto Rotbart ist vermutlich Otto II., nicht Otto I. Vergl. Lohengrin, Str. 741, und Leibniz: Access., I. p. 184. Indessen schwankt die Sage überhaupt bei gleichen aufeinanderfolgenden Namen.

Truchseß sagte, daß der kraft seines Amtes allen ungefügen Schälken am Hofe mit seinem Stabe wehren dürfe. Da nahm Herr Heinrich einen großen Knüttel und spaltete des Truchsessen Schädel, daß er wie ein Ei zerbrach und der Mann tot zu Boden sank. Unterdessen hatten die Herren Gotte gedient und gesungen und kehrten zurück; da sah der Kaiser den blutigen Estrich, fragte und vernahm, was sich zugetragen hatte. Heinrich von Kempten wurde auf der Stelle vorgefordert, und Otto, von tobendem Zorn entbrannt, rief: »Daß mein Truchseß hier erschlagen liegt, schwöre ich an Euch zu rächen! Sam mir mein Bart!« Als Heinrich von Kempten diesen teuren Eid ausgesprochen hörte und sah, daß es sein Leben galt, faßte er sich, sprang schnell auf den Kaiser los und begriff ihn bei dem langen roten Barte. Damit schwang er ihn plötzlich auf die Tafel, daß die kaiserliche Krone von Ottos Haupte in den Saal fiel, und zuckte – als die Fürsten, den Kaiser von diesem wütenden Menschen zu befreien, herzusprangen – sein Messer, indem er laut ausrief: »Keiner rühre mich an, oder der Kaiser liegt tot hier!« Alle traten hinter sich, Otto, mit großer Not, winkte es ihnen zu; der unverzagte Heinrich aber sprach: »Kaiser, wollt Ihr das Leben haben, so tut mir Sicherheit, daß ich genese.« Der Kaiser, der das Messer an seiner Kehle stehen sah, bot alsbald die Finger in die Höhe und gelobte dem edlen Ritter bei kaiserlichen Ehren, daß ihm das Leben geschenkt sein solle. Heinrich, sobald er diese Gewißheit hatte, ließ er den roten Bart aus seiner Hand und den Kaiser aufstehen. Dieser setzte sich aber ungezögert auf den königlichen Stuhl, strich sich den Bart und redete mit diesen Worten: »Ritter, Leib und Leben hab ich Euch zugesagt; damit fahrt Eurer Wege, hütet Euch aber vor meinen Augen, daß sie Euch nimmer wiedersehn, und räumet mir Hof und Land! Ihr seid mir zu schwer zum Hofgesind, und mein Bart müsse immerdar Euer Schermesser meiden!« Da nahm Heinrich von allen Rittern und Bekannten Urlaub und zog gen Schwaben auf sein Land und Feld, das er vom Stifte zu Lehen trug; lebte einsam und in Ehren.

Danach über zehn Jahre begab es sich, daß Kaiser Otto einen schweren Krieg führte, jenseits des Gebirges, und vor einer festen Stadt lag. Da wurde er nothaft an Leuten und Mannen und sandte heraus nach deutschen Landen: wer ein Lehn von dem Reiche trage, solle ihm schnell zu Hilfe eilen, bei Verlust des Lehens und seines Dienstes. Nun kam auch ein Bote zu dem Abt nach Kempten, ihn auf die Fahrt zu mahnen. Der Abt besandte wiederum seine Dienstleute und forderte Herrn Heinrich, als dessen er vor allen bedürftig war. »Ach, edler Herr, was wollt Ihr tun«, antwortete der Ritter, »Ihr wißt doch, daß ich des Kaisers Huld verwirkt habe; lieber geb ich Euch meine zwei Söhne hin und lasse sie mit Euch ziehen.« – »Ihr aber seid mir nötiger als sie beide zusammen«, sprach der Abt, »ich darf Euch nicht von diesem Zug entbinden oder ich leihe Euer Land andern, die es besser zu verdienen wissen.« – »Traun«, antwortete der edle Ritter, »ist dem so, daß Land und Ehre auf dem Spiel stehen, so will ich Euer Gebot leisten, es komme, was da wolle, und des Kaisers Drohung möge über mich ergehen.«

Hiermit rüstete sich Heinrich zu dem Heerzug und kam bald nach Welschland zu der Stadt, wo die Deutschen lagen; jedoch barg er sich vor des Kaisers Antlitz und floh ihn. Sein Zelt ließ er ein wenig seitwärts vom Heere schlagen. Eines Tages lag er da und badete in einem Zuber und konnte aus dem Bad in die Gegend schauen. Da sah er einen Haufen Bürger aus der belagerten Stadt kommen und den Kaiser dagegenreiten zu einem Gespräch, das zwischen beiden Teilen verabredet worden war. Die treulosen Bürger hatten aber diese List ersonnen; denn als der Kaiser ohne Waffen und arglos zu ihnen ritt, hielten sie gerüstete Mannschaft im Hinterhalte und überfielen den Herrn mit frechen Händen, daß sie ihn fingen und schlügen. Als Herr Heinrich diesen Treubruch und Mord geschehen sah, ließ er Baden und Waschen, sprang aus dem Zuber, nahm den Schild mit der einen und sein Schwert mit der andern Hand und lief bloß und nackend nach dem Gemenge zu. Kühn schlug er unter die Feinde, tötete und verwundete eine große Menge und machte sie alle flüchtig. Darauf löste er den Kaiser seiner Bande und lief schnell zurück, legte sich in den Zuber und badete nach wie vor. Otto, als er zu seinem Heer wieder gelangte, wollte erkundigen, wer sein unbekannter Retter gewesen wäre; zornig saß er im Zelt auf seinem Stuhl und sprach: »Ich war verraten, wo mir nicht zwei ritterliche Hände geholfen hätten; wer aber den nackten Mann erkennt, führe ihn vor mich her, daß er reichen Lohn und meine Huld empfange; kein kühnerer Held lebt hier noch anderswo. «

Nun wußten wohl einige, daß es Heinrich von Kempten gewesen war; doch fürchteten sie den Namen dessen auszusprechen, dem der Kaiser den Tod geschworen hatte. »Mit dem Ritter«, antworteten sie, »stehet es so, daß schwere Ungnade auf ihm lastet; möchte er deine Huld wiedergewinnen, so ließen wir ihn vor dir stehen. « Da nun der Kaiser sprach, und wenn er ihm gleich seinen Vater erschlagen hätte, solle ihm vergeben sein, nannten sie ihm Heinrich von Kempten. Otto befahl, daß er alsobald hergebracht würde; er wollte ihn aber erschrecken und übel empfahen.

Als Heinrich vom Kempten hereingeführt war, gebärdete der Kaiser sich zornig und sprach: »Wie getrauet Ihr, mir unter die Augen zu treten? Ihr wißt doch wohl, warum ich Euer Feind bin, der Ihr meinen Bart gerauft und ohne Schermesser geschoren habt, daß er noch ohne Locke steht. Welch hochfärtiger Übermut hat Euch jetzt dahergeführt?« – »Gnade, Herr«, sprach der kühne Degen, »ich kam gezwungen hierher, und mein Fürst, der hier steht, gebot es bei seinen Hulden. Gott sei mein Zeuge, wie ungern ich diese Fahrt getan; aber meinen Deinsteid mußte ich lösen; wer mir das übelnimmt, dem lohne ich so, daß er sein letztes Wort gesprochen hat. « Da begann Otto zu lachen: »Seid mir tausendmal willkommen, Ihr auserwählter Held! Mein Leben habt Ihr gerettet, das mußte ich ohne Eure Hilfe verloren haben, seliger Mann. « So sprang er auf, küßte ihm Augen und Wangen. Ihr zweier Feindschaft war dahin und eine lautere Sühne gemachet; der hochgeborene Kaiser lieh und gab ihm großen Reichtum und brachte ihn zu Ehren, deren man noch gedenket.

473. DER SCHUSTER ZU LAUINGEN

Auf dem Hofturm der Stadt Lauingen findet sich folgende Sage abgemalt[1]: Zur Zeit, als die Heiden oder Hunnen bis nach Schwaben vorgedrungen waren, rückte ihnen der Kaiser mit seinem Heere entgegen und lagerte sich unweit der Donau zwischen Lauingen und dem Schloß Faimingen. Nach mehreren vergeblichen Anfällen von beiden Seiten kamen endlich Christen und Heiden überein, den Streit durch einen Zweikampf entscheiden zu lassen. Der Kaiser wählte den Marschall von Calatin (Pappenheim) zu seinem Kämpfer, der den Auftrag freudig übernahm und nachsann, wie er den Sieg gewiß erringen möchte. Indem trat ein unbekannter Mann zu ihm und sprach: »Was sinnst du? Ich sage dir, daß du nicht für den Kaiser fechten sollst, sondern ein Schuster aus Henfwil (später Lauingen) ist dazu ausersehen.« Der Calatin versetzte: »Wer bist du? Wie dürfte ich die Ehre dieses Kampfes von mir ablehnen?« – »Ich bin Georg, Christi Held«, sprach der Unbekannte, »und zum Wahrzeichen nimm meinen Däumling.« Mit diesen Worten zog er den Däumling von der Hand und gab ihn dem Marschall, welcher ungesäumt damit zum Kaiser ging und den ganzen Vorfall erzählte. Hierauf wurde beschlossen, daß der Schuster gegen den Heiden streiten sollte. Der Schuster übernahm es und besiegte glücklich den Feind. Da gab ihm der Kaiser die Wahl von drei Gnaden sich auszubitten. Der Schuster bat erstens um eine Wiese in der Nähe von Lauingen, daß diese der Stadt als Gemeingut gegeben würde. Zweitens, daß die Stadt mit rotem Wachs siegeln dürfte (welches sonst keinem mittelbaren Ort

1 Auf diesem Turm steht auch ein anderes Gemälde von einem Pferd, das fünfzehn Schuh lang gewesen, zwei Herzen gehabt haben und um 1260 zu Lauingen geboren worden sein soll.

verstattet war). Drittens, daß die Herrn von Calatin eine Mohrin
als Helmkleinod führen dürften. Alles wurde ihm bewilligt und
der Daumen St. Georgs sorgfältig von den Pappenheimern
aufbewahrt, die eine Hälfte in Gold gefaßt zu Kaisheim, die
andre zu Pappenheim.

474. DAS RAD IM MAINZER WAPPEN

Im Jahre 1009 wurde Willegis, ein frommer und gelehrter Mann,
zum Bischof von Mainz gewählt; er war aber von geringer,
armer Herkunft und sein Vater ein Wagnersmann gewesen. Des
haßten ihn die adligen Tumherren und Stiftsgenossen, nahmen
Kreide und maleten ihm verdrießweise Räder an die Wände und
Türen seines Schlosses; gedachten ihm damit eine Schmach zu
tun. Als der fromme Bischof ihren Spott vernahm, da hieß er
einen Maler rufen; dem befahl er, mit guter Farbe in alle seine

Gemächer weiße Räder in rote Felder zu malen, und ließ dazusetzen einen Reim, der sagte: »Willegis, Willegis, denk, woher du kommen sis.« Daher rührt, daß seit der Zeit alle Bischöfe zu Mainz weiße Räder im roten Schild führen. Andere fügen hinzu, Willegis habe, von Demütigkeit wegen, ein hölzernes Pflugrad stets an seiner Bettstätte hangen gehabt.

475. DER RAMMELSBERG

Zur Zeit, als Kaiser Otto I. auf der Harzburg hauste, hielt er auch an dem Harzgebirge große Jagden. Da geschah es, daß Ramm (nach andern Remme), seiner besten Jäger einer, an den Vorbergen jagte, der Burg gegen Niedergang, und ein Wild verfolgte. Bald aber wurde der Berg zu steil, darum stand der Jäger ab vom Roß, band es an einen Baum und eilte dem Wild zu Fuße nach. Sein zurückbleibendes Pferd stampfte ungeduldig und kratzte mit den Vorderhufen auf dem Grund. Als sein Herr, der Jäger Ramm, von der Verfolgung des Wildes zurückkehrte, sah er verwundert, wie sein Pferd gearbeitet und mit den Füßen einen schönen Erzgang aufgescharrt hatte. Da hub er einige Stufen auf und trug sie dem Kaiser hin, der alsbald das entblößte Bergwerk angreifen und mit Schürfen versuchen ließ. Man fand eine reichliche Menge Erz, und der Berg wurde dem Jäger zu Ehren Rammelsberg[1] geheißen. Des Jägers Frau nannte sich Gosa, und von ihr empfing die Stadt Goslar, die nahe bei dem Berg gebaut wurde, ihren Namen. Das Flüßchen, das durch die Stadt rinnt, heißt ebenfalls Gose, desgleichen das daraus gebraute Weißbier. Der Jäger wurde in der Augustinerkapelle begraben und auf dem Leichenstein mit seiner Frau in Lebensgröße ausgehauen; Rammel trägt in der Rechten ein Schwert über sich und Gosa eine Krone auf dem Haupt.

1 In den Rammelsberg soll mehr Holz verbaut sein als in die Städte Braunschweig und Goslar. Man hatte ein altes Lied, das so anfängt: De Ramelsburgk hefft enen gulden Foet, drumb tragen wi en stolten Moet.

Nach andern hat nicht der Jäger, sondern eines Jungherrn Pferd Rammel geheißen, das man einmal an dem Berge anband, wo es so rammelte und stampfte, daß seine wohlgeschärften Hufeisennägel eine Goldader bloßmachten.

Noch sieht man auf dem Rammelsberge einen Brunnen, der Kinderbrunnen genannt, worauf zwei steingehauene Kinder stehen; daher, weil unter Heinrich II, eine schwangere Frau bei diesem Brunnen zweier Söhnlein entbunden wurde. Kaiser Otto soll auf dem Berg oben an dem Platz namens Werl ein Schloß oder einen Saal gehabt haben, vor dem er einst einem gefangenen König das Haupt abschlagen ließ. Späterhin schlug das Bergwerk einmal ein und verdarb so viel Arbeiter, daß vierthalbhundert Witwen vor dem Berge standen und ihre Männer klagten; darauf lagen die Gruben hundert Jahre still, und Goslar wurde so einsam, daß in allen Straßen hohes Gras wuchs.

476. DIE GRAFEN VON EBERSTEIN

Als Kaiser Otto seine Feinde geschlagen und die Stadt Straßburg bezwungen hatte, lagerte er vor der Burg der Grafen Eberstein, die es mit seinen Feinden hielten. Das Schloß stand auf einem hohen Fels am Wald (unweit Baden in Schwaben), und dritthalb Jahr lang konnte es das kaiserliche Heer immer nicht bezwingen, sowohl der natürlichen Festigkeit als der tapfern Verteidigung der Grafen wegen. Endlich riet ein kluger Mann dem Kaiser folgende List: er solle einen Hoftag nach Speyer ausschreiben, zu welchem jedermann ins Turnier sicher kommen dürfte; die Grafen von Eberstein würden nicht säumen, sich dazu einzufinden, um ihre Tapferkeit zu beweisen; mittlerweile möge der Kaiser durch geschickte und kühne Leute ihre Burg bewältigen lassen. Der Festtag zu Speyer wurde hierauf verkündigt; der König, viele Fürsten und Herren, unter diesen auch die drei Ebersteiner, waren zugegen; manche Lanze wurde gebrochen.

Des Abends begannen die Reihen, wobei der jüngste Graf von Eberstein, ein schöner, anmutiger Mann mit krausem Haar, vortanzen mußte. Als der Tanz zu Ende ging, nahte sich heimlich eine schöne Jungfrau den dreien Grafen und raunte: »Hütet euch, denn der Kaiser will eure Burg ersteigen lassen, während ihr hier seid, eilt noch heute nacht zurück!« Die drei Brüder berieten sich und beschlossen, der Warnung zu gehorchen. Darauf kehrten sie zum Tanz, forderten die Edeln und Ritter zum Kampf auf morgen und hinterlegten hundert Goldgülden zum Pfand in die Hände der Frauen. Um Mitternacht aber schifften sie über den Rhein und gelangten glücklich in ihre Burg heim. Kaiser und Ritterschaft warteten am andern Tage vergebens auf ihre Erscheinung beim Lanzenspiel; endlich befand man, daß die Ebersteiner gewarnt worden wären. Otto befahl, aufs schleunigste die Burg zu stürmen; aber die Grafen waren zurückgekehrt und schlugen den Angriff mutig ab. Als mit Gewalt gar nichts auszurichten war, sandte der Kaiser drei Ritter auf die Burg, mit den Grafen zu unterhandeln. Sie wurden eingelassen und in Weinkeller und Speicher geführt; man holte weißen und roten Wein, Korn und Mehl lagen in großen Haufen. Die Abgesandten verwunderten sich über solche Vorräte. Allein die Fässer hatten doppelten Boden oder waren voll Wasser; unter dem Getreide lag Spreu, Kehricht und alte Lumpen. Die Gesandten hinterbrachten dem Kaiser, es sei vergeblich, die Burg länger zu belagern; denn Wein und Korn reiche denen inwendig noch auf dritthalb Jahr aus. Da wurde Otton geraten, seine Tochter mit dem jüngsten Grafen Eberhard von Eberstein zu vermählen und dadurch dieses tapfre Geschlecht auf seine Seite zu bringen. Die Hochzeit ward in Sachsen gefeiert, und der Sage nach soll es die Braut selber gewesen sein, welche an jenem Abend die Grafen gewarnt hatte. Otto sandte seinen Schwiegersohn hernachmals zum Papst in Geschäften; der Papst schenkte ihm eine Rose in weißem Korb, weil es gerade der Rosensonntag war. Diese nahm Eberhard mit nach Braunschweig, und der Kaiser verordnete, daß die Rosen

in weißem Felde künftig das ebersteinische Wappen bilden
sollte.

477. OTTO LÄSST SICH NICHT SCHLAGEN

Otto III.[1] war noch klein, als man ihn zu Aachen weihte, und
stand unter seines Oheims, Bischof Brunos, Vormundschaft.
Eines Tages geschah, daß das Kind im Bad unziemlich geschlagen wurde; da ließ es ein totes Kind in sein Bett tragen und
verbarg sich heimlich. Bruno, als er vor das Bett trat, erschrak
heftig und glaubte den König tot; doch bald darauf wurde er
wiedergefunden. Da fragte der Bischof Otton, warum er das
getan hätte. Das Kind sprach: »Du hießest mich im Bade hart
mit einer scharfen Gerte schlagen, und half mir all mein Weinen
nicht; da zürnte ich auf dich und wollte dich drum erschrecken.«
Da gelobte ihm Bruno, daß ihm fürbaß kein Leid mehr geschehen sollte, berief die Fürsten nach Mainz auf einen Tag und
übergab ihnen das Kind mit dem Reiche. Die Fürsten aber
empfahlen das Kind nunmehr Willegis, Bischof zu Mainz.

478. KÖNIG OTTO IN LAMPARTEN

Der König Otto fuhr da mit großem Heer zu Lamparten und
gewann Mailand und satzte da Pfenning, die hießen Ottelin. Da
der König dannen kam, verwarfen sie ihm seine Münze zu
Laster, und er fuhr wieder dar und bezwang sie dazu, daß sie von
altem Leder Pfenning nehmen und geben müßten. Da kam eine
Frau vor ihn und klagte über einen Mann, der ihr Gewalt
angetan hätte. Der König sprach: »Wann ich herwieder komme,
will ich dir richten.« – »Herr«, sagte die Frau, »du vergissest es.«
Der König wies sie mit seiner Hand an eine Kirche und sprach:
»Diese Kirche sei des mein Urkund.« Er fuhr dann wieder in

1 Otto II.? Schlosser, II, 2, 208.

deutsche Land und bezwang Ludolf, seinen Sohn, der sich empört hatte. Und als er nach der Zeit wieder in Lamparten zog, führte ihn der Weg an der Kirche her, die er dem Weib gewiesen hatte, daß er ihr richten wollte um ihre Not. Der König ließ sie rufen und ließ sie klagen. Sie sprach: »Herr, er ist nun mein ehelicher Mann, und ich habe liebe Kinder mit ihm.« Der sprach da: »Sammer Otten Bart!« Also schwur er ihr: »Er soll meiner Barten (Beile) schmecken!« und befahl, den Missetäter an seinem Leibe nach dem Recht zu strafen. Also richtete er dem Weib wider ihren Willen.

479. DER UNSCHULDIGE RITTER

Kaiser Otto III., genannt das Kind, hatte am Hofe einen edlen Ritter, den langte die Kaiserin Maria, gebürtig von Aragonien, bittend an, daß er mit ihr buhlete. Der Ritter erschrak und sprach: »Das sei ferne von mir, das wäre meiner und meines Herrn Ehre viel zu nah«, und ging weg von der Kaiserin. Da sie sah, daß er also im Zorne von ihr ging, kam sie zum Kaiser, schmeichelte und sprach: »Was habt Ihr für Ritter an Eurem Hofe? Einer von ihnen wollte mich schänden.« Da dies der Kaiser hörte, ließ er von Stund an den Ritter fangen und ihm das Haupt abschlagen. Aber es soll aus seinem Halse kein Blut geflossen sein, sondern Milch. Der Kaiser, als er das Wunder sah, rief: »Hierum steht's nicht recht«, ließ die Kaiserin vorfordern und fragte sie hart um die Wahrheit. Sie fiel bestürzt zu Fuß und bat um Gnade; er aber als ein gestrenger Richter, nachdem er die Lügen erfahren, ließ sein Weib dieser Untat wegen fangen und brennen, blieb auch ohne Weib und Erben sein Lebetage.

Otto III. hatte ein unstet Weib, die warb an einen Grafen, daß er
mit ihr buhlen sollte; das wollte der Graf nicht tun und seinen
Herren nicht entehren, noch sich selber. Da gab die Königin
diesen Grafen an beim König und sprach: »Der Graf hat mich
meiner Ehren angemutet.« Der König hieß in jähem Zorn den
Graf töten. Indem er aber zum Tod geführt wurde, begegnete
ihm sein Ehegemahl; der offenbarte er, wie ihn die Königin
böslich um Frömmigkeit, Biederkeit und Leben bringe, und
ermahnte sie, nach seinem Tode das glühende Eisen zu tragen
auf seine Unschuld. Nun ward dem Grafen sein Haupt abgeschlagen, und eine Zeit darauf geschah's, daß der Kaiser ein Gericht
berief und dazu Witwen und Waisen, daß nach dem Recht
gerichtet würde. Als nun das Gericht besetzt war, trat des Grafen
Gemahlin vor, trug das Haupt ihres Mannes heimlich unterm
Gewand, kniete nieder und forderte Hilfe und Recht. Hierauf
fragte sie, welchen Tod zu leiden der schuldig sei, der einen
andern unschuldig enthaupten lasse. Der Kaiser sprach: »Man
soll ihm wieder sein eigen Haupt abschlagen.« Da zog sie des
Grafen Haupt hervor und sprach: »Herr, du selbst bist es, der
diesen meinen Mann unschuldig hast töten lassen«, und offenbarte der Königin Falschheit. Der Kaiser erschrak und forderte
Beweis. Die Witwe wählte das Gottesurteil und trug das glühende Eisen, daß ihr nie kein Leid davon geschah. Da gab sich
der Kaiser in der Frauen Gewalt, daß sie ihn töten lassen könne
nach dem Recht. Die Herren aber legten sich hinein und
erwarben dem Kaiser von der Frauen einen Aufschlag des
Gerichts zehen Tage, darnach acht Tage, darnach sieben Tage,
darnach sechs Tage. Und der Kaiser gab der Gräfin um jeden
Aufschlag eine gute Feste, die haben davon den Namen; eine
heißt die Zehent, die andere die Acht, die dritte die Siebent, die
vierte die Sechst und liegen im Lümer Bistum. Und eh die Tage
vollgingen – da die Witwe auf des Kaisers Haupt bestand, es

wäre denn, daß die Hure sterbe, und damit allein könne sich der König lösen –, so ließ er die Königin fahen und lebendig vergraben; mit den vier Schlössern hatte er sich selber gelöst.

481. OTTO III. IN KARLS GRABE

Als nach langen Jahren Kaiser Otto III. an das Grab kam, wo Karls Gebeine bestattet ruhten, trat er mit zwei Bischöfen und dem Grafen Otto von Laumel (der dieses alles berichtet hat) in die Höhle ein. Die Leiche lag nicht wie andere Tote, sondern saß aufrecht wie ein Lebender auf einem Stuhl. Auf dem Haupte war eine Goldkrone, den Zepter hielt er in den Händen, die mit Handschuhen bekleidet waren, die Nägel der Finger hatten aber das Leder durchbohrt und waren herausgewachsen. Das Gewölbe war aus Marmor und Kalk sehr dauerhaft gemauert. Um hineinzugelangen, mußte eine Öffnung gebrochen werden; sobald man hineingelangt war, spürte man einen heftigen Geruch. Alle beugten sogleich die Knie und erwiesen dem Toten Ehrerbietung. Kaiser Otto legte ihm ein weißes Gewand an, beschnitt ihm die Nägel und ließ alles Mangelhafte ausbessern. Von den Gliedern war nichts verfault, außer von der Nasenspitze fehlte etwas; Otto ließ sie von Gold wiederherstellen. Zuletzt nahm er aus Karls Munde einen Zahn, ließ das Gewölbe wieder zumauern und ging von dannen.

Nachts darauf soll ihm im Traume Karl erschienen sein und verkündigt haben, daß Otto nicht alt werden und keinen Erben hinter sich lassen werde.

482. DIE HEILIGE KUNIGUND

Kaiser Heinrich II. und Kunigund, die blieben beide unbefleckt bis an ihren Tod. Der Teufel wollte sie da unehren, daß sie der Kaiser zieh von eines Herzogen wegen, mit dem sollte sie in

Ungebühr stehen. Die Fraue bot dafür ihr Recht, dazu kam mannig Bischöfe und Fürsten. Da wurden sieben glühende Eisenscharen gelegt, die sollte die Fraue treten. Sie hub auf ihre Hände zu Gott und sprach: »Gott, du weißt wohl alleine meine Unschuld; ledige mich von dieser Not, als du tätest der guten Susannen von der ungerechten Bezeugnis!« Sie trat die Schar kecklich und sprach: »Sieh, Kaiser, so schuldig ich deiner bin, bin ich aller Männer.« Da ward die Fraue gereinigt mit allen Ehren. Der König fiel ihr zu Füßen und die Herren alle.

483. DER DOM ZU BAMBERG

Baba, Heinrich des Voglers Schwester und Graf Albrechts Gemahlin, nach andern aber Kunigund, Kaiser Heinrichs II. Gemahlin, stiftete mit eigenem Gut den Dom zu Babenberg. Solange sie baute, setzte sie täglich eine große Schüssel voll Geldes auf für die Taglöhner und ließ einen jeden so viel herausnehmen, als er verdient hätte; denn es konnte keiner mehr nehmen, als er verdient hatte. Sie zwang auch den Teufel, daß er ihr große marmelsteinerne Säulen mußte auf den Berg tragen, auf den sie die Kirche setzte, die man noch heutigentages wohl siehet.

484. TAUBE SAGT DEN FEIND AN

Man erzählt, unter Kaiser Heinrich II. habe es sich begeben, daß eine Taube in eine Stadt, die bald darauf vom Feind überfallen und belagert wurde, geflogen kam. Um ihren Hals fand man einen Zettel gebunden, auf dem diese Nachricht geschrieben stand.

In den Zeiten als Kaiser Heinrich II. starb, war ein frommer Einsiedel, der hörte einen großen Rausch von Teufeln in der Luft und beschwor sie bei Gott, wo sie hinfahren wollten? Die bösen Geister sagten: »Zu Kaiser Heinrich.« Da beschwor sie der gute Mann, daß sie ihm hinterbrächten, was sie geworben hätten. Die Teufel fuhren ihren Weg, aber der gute Mann betete zu Gott für des Kaisers Seele. Bald darauf kamen die Teufel wieder gefahren zu dem Einsiedel und sprachen: »Als die Missetat des Kaisers seine Gutheit überwiegen sollte und wir die Seele in unsre Gewalt nehmen wollten, da kam der gesegnete Laurentius und warf einen Kelch schnell in die Waage, daß dem Kelch eine Scherbe ausbrach, also verloren wir die Seele; denn derselbe Kelch machte die gute Sache schwerer.« – Auf diese Botschaft dankte der Einsiedel Gott seiner Gnaden und tat sie kund den Domherren von Merseburg. Und sie fanden den Kelch mit der Scharte, als man ihn noch heute kann schauen. Der Kaiser aber hatte ihn einst bei seinen Lebzeiten dem heiligen Laurenz zu Merseburg aus Guttat geweihet.

486. SAGE VON KAISER HEINRICH III.

Kaiser Konrad der Franke ließ ein Gebot ausgehn: Wer den Frieden bräche, dem sollte man das Haupt abschlagen. Dies Gebot brach Graf Leopold von Calw, und da der König zu Land kam, entwich Graf Leopold in den Schwarzwald in eine öde Mühle, meinte sich da zu enthalten mit seiner Hausfrau, bis ihm des Königs Huld wieder würde. Einesmals ritt der König ungefähr in den Wald und vor dieselbe Mühle hin. Und da ihn Leopold hörte, fürchtete er, der König wolle ihn suchen, und floh in das Dickicht. Seine Hausfrau ließ er in der Mühle, die konnte nirgends hin; denn es war um die Zeit, daß sie ein Kind gebären sollte. Als nun der König nah bei der Mühle war und die

Frau in ihren Nöten hörte schreien, hieß er nachsehen, was der Frauen gebräche. In den Dingen hörte der König eine Stimme, die sprach: »Auf diese Stunde ist ein Kind hier geboren, das wird dein Tochtermann!« Konrad erschrak, denn er wußte anders nicht, denn daß die Frau eine Bäuerin wäre, und dachte, wie er dem zuvorkommen möchte, daß seine Tochter keinem Bauern zuteil würde. Und schickte zwei seiner Diener in die Mühle, daß sie das neugeborene Kind töteten und zu dessen Sicherheit ihm des Kindes Herz brächten; denn er müsse es haben zu einer Buße. Die Diener mußten dem Kaiser genugtun, fürchteten Gott und wollten das Kind nicht töten, denn es war gar ein hübsches Knäbelein, und legten's auf einen Baum, darum, daß etwer des Kindes innewürde.

Dem Kaiser brachten sie eines Hasen Herz, das warf er den Hunden vor und meinte, damit zuvorgekommen zu sein der Stimme der Weissagung.

In den Weilen jagte Herzog Heinrich von Schwaben auf dem Wald und fand das Kind mutterallein daliegen. Und sah, daß es neugeboren war, und brachte es heimlich seiner Frauen, die war unfruchtbar, und bat sie, daß sie sich des Kindes annähme, sich in ein Kindbett legte und das Kind wie ihr natürliches hätte; denn es sei ihnen von Gott geschickt worden. Die Herzogin tat es gern, und also ward das Kind getauft und ward Heinrich geheißen; niemand aber hielt es anders als für einen Herzogen zu Schwaben. Und da das Kind also erwuchs, ward es König Konrad gesandt zu Hof. Der hieß den Knaben öfter vor sich stehen denn die andern Junkern an seinem Hofe, von seiner klugen Weisheit und Höflichkeit wegen. Nun geschah es, daß dem Kaiser eine Verleumdung zu Ohren kam: der junge Herr wäre nicht ein rechter Herzog von Schwaben, sondern ein geraubt Kind. Da der Kaiser das vernahm, rechnete er seinem Alter nach und kam ihm Furcht, es wäre dasjenige, wovon die Stimme bei der Waldmühle geredet hätte. Und wollte wiederum zuvorkommen, daß es nicht seiner Tochter zu einem Mann würde. Da schrieb er einen Brief der Kaiserin, in dem befahl er, als lieb ihr Leib und Leben wäre, daß sie den Zeiger dieses Briefes töten hieße. Den Brief befahl er beschlossen dem jungen Herrn an, daß er ihn der Kaiserin einhändigte und niemand anderm. Der junge Heinrich verstund sich darunter nichts als Gutes, wollte die Botschaft vollenden und kam unterwegs in eines gelehrten Wirtes Haus; dem vertraute er seine Tasche von Sicherheit wegen, worin der Brief und anders Ding lagen. Der Wirt kam über den Brief aus Fürwitz, und da, wo er geschrieben fand, daß die Kaiserin ihn töten sollte, schrieb er, daß die Kaiserin dem jungen Herrn, Zeiger des Briefs, ihre Tochter gäbe und zulegte unverzogenlich; den Brief beschloß er wieder mit dem Insiegel gar säuberlich ohne Fehl. Da nun der junge Herr der Kaiserin den Brief zeigte, gab sie ihm die Tochter und legte sie ihm zu. Die Mären kamen aber bald vor den Kaiser. Da befand der Kaiser mit dem Herzogen von Schwaben und andern Rittern und Knechten, daß der Jüngling war von Leopolds Weib in der Mühle geboren, von dem die Stimme geweissagt hatte, und sprach: »Nun merk ich wohl, daß Gottes Ordnung niemand hintertreiben mag«, und förderte seinen Tochtermann zu dem Reich. Dieser König Heinrich baute und stiftete hernachmals Hirschau, das erste Kloster, an die Statt der Mühle, darin er geboren worden war.

487. DER TEUFELSTURM AM DONAUSTRUDEL

Es ist eine Stadt in Österreich mit Namen Grein, ob der Stadt hat es einen gefährlichen Ort in der Donau, nennet man den Strudel bei Stockerau, da hört man das Wasser weit und breit rauschen, also hoch fällt es über den Felsen, macht einen großen Schaum, ist gar gefährlich da durchzufahren; kommen die Schiff in einen Wirbel, gehen gescheibweis herum, schlägt das Wasser in die Schiffe und werden alle, die auf dem Schiff sind, ganz und gar naß. Wenn ein Schiff nur ein wenig an den Felsen rührt, zerstößt es sich zu kleinen Trümmern. Da muß jedermann arbeiten, an den Rudern mit Gewalt ziehen, bis man herdurch-kommt.

Daselbst herum wohnen viel Schiffleut, die des Wassers Art im Strudel wissen; die werden alsdann von den Schiffleuten bestellt, daß sie also desto leichter, ohn sondern Schaden, durch den Strudel kommen mögen.

Kaiser Heinrich, der dritte dieses Namens, fuhr hinab durch den Strudel; auf einem andern Schiff war Bischof Bruno von Würzburg, des Kaisers Vetter; und als dieser auch durch den Strudel fahren wollte, saß auf einem Felsen, der über das Wasser herausging, ein schwarzer Mann, wie ein Mohr, ein greulicher Anblick und erschrecklich. Der schreit und sagt zu dem Bischof Bruno: »Höre, höre, Bischof! Ich bin dein böser Geist, du bist mein eigen; fahr hin, wo du willst, so wirst du mein werden; jetzund will ich dir nichts tun, aber bald wirst du mich wiederse-hen.« Alle Menschen, die das hörten, erschraken und fürchteten sich. Der Bischof machte ein Kreuz und gesegnete sich, sprach etlich Gebet, und der Geist verschwand vor ihnen allen. Dieser Stein wird noch auf diesen Tag gezeigt; ist darauf ein kleines Türmlein gebaut, allein von Steinen und kein Holz dabei, hat kein Dach, wird der Teufelsturm genannt. Nicht weit davon, etwan zwei Meilen Wegs, fuhr der Kaiser mit den Seinen zu Land, wollt da über Nacht bleiben in einem Flecken, heißt Pösenbeiß. Daselbst empfing Frau Richilta, des Grafen Adelbar von Ebersberg Hausfrau (er war aber schon gestorben), den Kaiser gar herrlich; hielt ihn zu Gast und bat ihn daneben, daß er den Flecken Pösenbeiß und andere Höfe herum, so ihr Gemahl vogtsweise besessen und verwaltet hätte, ihres Bruders Sohn, Welf III., verleihen wollte. Der Kaiser ging in die Stube, und während er da stand bei dem Bischof Bruno, Grafen Aleman von Ebersberg und bei Frau Richilta und er ihr die rechte Hand gab und die Bitte gewährte, fiel jähling der Boden in der Stube ein; der Kaiser fiel hindurch auf den Boden der Badstube ohne allen Schaden, dergleichen auch Graf Aleman und die Frau Richilta; der Bischof aber fiel auf eine Badwanne auf die Taufel, fiel die Rippe und das Herz ein, starb also in wenig Tagen hernach.

488. QUEDL, DAS HÜNDLEIN

Mathild, die schöne Kaiserstochter Heinrich III., war so anmutig, daß sich ihr Vater in sie verliebte. Da flehte sie zu Gott und betete inbrünstig, daß er sie häßlich werden ließe, damit ihres Vaters Herz sich abwende. Aber Gott erhörte sie nicht. Da erschien ihr der böse Feind und bot sich an, mit dem Beding, daß sie ihm angehöre, so solle des Kaisers Liebe gewandelt werden in Haß und Zorn. Und sie ging es ein; doch hielt sie aus: erst dann solle sie sein eigen sein, wenn er sie in dreien Nächten schlafend fände; bliebe sie aber wachen, so dürfe er ihr nichts anhaben. Also webte sie ein köstliches Tuch und stickte dran die lange Nacht, das erhielt ihren Geist munter; auch hatte sie ein treues Hündlein bei sich namens Quedl oder Wedl, das bellte laut und wedelte mit dem Schwanz, wenn ihr die Augen vom Schlaf wollten zunicken. Wie nun der Teufel die drei Nächte hintereinander kam und sie immer wach und munter fand, da zürnte er und griff ihr mit der Kralle ins Angesicht, daß er ihr die Nase platt drückte, den Mund schlitzte und ein Auge ausstieß. Da war sie scheel, großmäulig und platschnasig geworden, daß sie ihr Vater nicht weiter leiden konnte und seine sündliche Liebe verlor. Sie aber führte ein geistliches Leben und erbaute eine Abtei zu Ehren ihres Hündleins, genannt Quedlinburg.

489. SAGE VOM SCHÜLER HILDEBRAND

Dieweil Kaiser Heinrich III. zu Rom war, wo er drei Päpste entsetzt und ins Elend geschickt hatte, wohnte ein Zimmermann in der Stadt, der ein klein Kind hatte. Das Kind spielete an dem Werk mit den Spänen und legte die Späne in Buchstabenweise

zusammen. Da kam ein Priester hinzu und las das. Das Kind
hatte mit den Spänen geleget: *dominabor a mari usque ad mare*, das
spricht: ich werde Herr vom Meer bis zum Meer. Der Priester
wußte wohl, daß dies Kind Papst werden sollte, und sagte es
seinem Vater. Der Vater ließ das Kind lehren. Da es Schüler war,
kam es an des Kaisers Hof und ward den Schreibern viel lieb;
aber des Kaisers Sohn Heinrich, der nachher auch Kaiser ward,
tat dem Schüler Leides viel und spielte ihm ungefüglich mit;
denn es ahnt' ihm sein Herz wohl, was ihm von dem Schüler
aufstehen sollte. Der Kaiser spottete seines Sohns und des
Schülers Spieles. Der Kaiserin war es leid, und sie schalt ihren
Sohn darum. Dem Kaiser träumte eines Nachts, wie sein Sohn
zum Tisch wäre gesessen und wie dem Schüler Hildebranden
wüchsen zwei Hörner bis in den Himmel und wie er mit diesen
Hörnern seinen Sohn aufhübe und ihn in das Horb (in den Kot)
würfe. Diesen Traum sagte der Kaiser der Kaiserin, die beschied
ihn also, daß der Schüler Papst werden und ihren Sohn von dem
Reich werfen würde. Da hieß der Kaiser den Hildebrand fahen
und ihn zu Hammerstein in einen Turm werfen und wähnte, daß
er Gottes Willen wenden möchte. Die Kaiserin verwies ihn oft,
daß er eines bloßen Traumes willen an dem armen Schüler so
schändlich täte; und über ein Jahr ließ er ihn wieder ledig. Der
ward ein Mönch, fuhr mit seinem Abt hin zu Rom, ward zu Hof
lieb und zujüngst Papst.

490. DER KNOBLAUCHSKÖNIG

Kaiser Heinrich IV. entbot den Sachsen, wo sie seinen Sohn zum
König wähleten, wolle er nimmermehr ziehen in Sachsenland.
Aber die Leute hatten keine Lust, und sprach Otto von der
Weser: »Ich habe je in der Welt sagen hören, von einer bösen
Kuh kommt kein gut Kalb.« Und sie koren zum Gegenkönig
Herzog Hermann von Lothringen (Luxemburg), der ward vom
Mainzer Bischof geweiht, und setzten ihn auf die Burg Eisle-

ben, da der Knoblauch wächset. Die Kaiserlichen nannten ihn zum Spott Knoblauchskönig oder König Knoblauch, und er kam nie zur Macht, sondern wurde nachher auf einer Burg erschlagen, wohin er geflohen war. Da sagte man abermals: »König Knoblauch ist tot!«

491.   KAISER HEINRICH VERSUCHT DIE KAISERIN

Der König nahm da Rat von den Herren, was er mit seines Vaters (Kaiser Heinrich IV.) Leichnam schaffen oder tun sollte; der war begraben in St. Lamprechts Münster zu Ludeke (Lüttich). Sie rieten, daß er ihn ausgrübe und legen ließe in ein ungeweiht Münster, bis daß er seinen Boten nach Rom gesandt hätte. Also getan Ende nahm der Kaiser. Dies war Kaiser Heinrich der Übele. Er ließ das beste Roß, das er im Lande fand, binden und in den Rhein werfen, bis es ertrank. Er ließ einen seiner Mannen die Kaiserin um ihre Minne bitten. Das war ihr leid. Der Ritter bat sie sehr, da sprach die Fraue, sie wolle tun, als ihr Herr raten würde. Da dies der Kaiser vernahm, gebärdete er, als er ausreiten wollte; legte des Mannes, der nach seinem Rate das geworben hatte, Kleider an und kam des Nachts zu der Kaiserin. Die Kaiserin hatte bereit starke Männer in Weibsgewand, die trugen große Knüttel, sie nahmen den Kaiser unter sich und schlugen ihn sehr. Der Kaiser rief, daß er es wäre. Die Kaiserin erschrak und sprach: »Herr, Ihr habt übel an mir getan.«

492.   GRAF HOYER VON MANSFELD

In dem sogenannten Welpshölzchen, wo im Jahre 1112 die Schlacht zwischen Kaiser Heinrich V. und den Sachsen vorfiel, liegt ein Stein, der die Eigenschaft hat, bei Gewitter ganz zu erweichen und erst nach einiger Zeit wieder hart zu werden. Er ist voller Nägel geschlagen, und man sieht auf ihm ganz deutlich den Eindruck einer Hand und eines Daumens. Graf Hoyer von Mansfeld, der Oberfeldherr, soll ihn vor der Schlacht ergriffen und gerufen haben: »So wahr ich in diesen Stein greife, so wahr will ich den Sieg gewinnen!« Auch wurden die Kaiserlichen geschlagen; aber der Hoyer blieb tot und wurde von Wiprecht von Groitsch erschlagen. Zu seinen Ehren ließen die Sachsen die Bildsäule eines gehelmten Mannes mit dem eisernen Streitkolben in der Rechten aufrichten und dem sächsischen Wappen in der Linken. Diese Denksäule nannte man Jodute, da gingen die Landleute fließig zu beten hin, und auch die Priesterschaft ehrte sie als ein heiliges Bild. Kaiser Rudolf aber, als er 1289 zu Erfurt Reichstag hielt, ließ sie wegnehmen, weil man fast Abgötterei damit trieb, und eine Kapelle an der Stelle bauen. Allein das Volk verehrte noch einen Weidenstock in dieser Kapelle, von dem die Priester sagten, er habe in jener Schlacht Jodute gerufen und dadurch den Sieg zuwege gebracht.

493. DIE WEIBER ZU WEINSPERG

Als König Konrad III. den Herzog Welf geschlagen hatte (im Jahr 1140) und Weinsperg belagerte, so bedingten die Weiber der Belagerten die Übergabe damit, daß eine jede auf ihren Schultern mitnehmen dürfte, was sie tragen könne. Der König gönnte das den Weibern. Da ließen sie alle Dinge fahren, und nahm eine jegliche ihren Mann auf die Schulter und trugen den aus. Und da des Königs Leute das sahen, sprachen ihrer viele, das wäre die Meinung nicht gewesen, und wollten das nicht gestatten. Der König aber schmutzlachte und tät Gnade dem listigen Anschlag der Frauen. »Ein königlich Wort«, rief er, »das einmal gesprochen und zugesagt ist, soll unverwandelt bleiben.«

Kaiser Friedrich war vom Papst in den Bann getan, man
verschloß ihm Kirchen und Kapellen, und kein Priester wollte
ihm die Messe mehr lesen; da ritt der edle Herr kurz vor Ostern,
als die Christenheit das heilige Fest begehen wollte, darum, daß
er sie nicht daran irren möchte, aus auf die Jagd. Keiner von des
Kaisers Leuten wußte seinen Mut und Sinn; er legte ein edles
Gewand an, das man ihm gesendet hatte von Indien, nahm ein
Fläschlein mit wohlriechendem Wasser zu sich und bestieg ein
edles Roß. Nur wenig Herren waren ihm in den tiefen Wald
nachgefolgt; da nahm er plötzlich ein wunderbares Fingerlein
in seine Hand, und wie er das tat, war er aus ihrem Gesicht
verschwunden. Seit dieser Zeit sah man ihn nimmermehr, und
so war der hochgeborene Kaiser verloren. Wo er hinkam, ob er
in dem Wald das Leben verlor oder ihn die wilden Tiere zerrissen
oder ob er noch lebendig sei, das kann niemand wissen. Doch
erzählen alte Bauern, Friedrich lebe noch und lasse sich als ein
Waller bei ihnen sehen; und dabei habe er öffentlich ausgesagt,
daß er noch auf römischer Erde gewaltig werden und die Pfaffen
stören wolle und nicht ehnder ablassen, er habe denn das Heilige
Land wieder in die Gewalt der Christen gebracht; dann werde er
»seines Schildes Last hangen an den dürren Ast«.

495. ALBERTUS MAGNUS UND KAISER WILHELM

Albertus Magnus, ein sehr berühmter und gelehrter Mönch, hat
den Kaiser Wilhelm von Holland, als er im Jahr 1248 zu Köln auf
den Tag der Drei Könige angelangt, in einen Garten, beim
Predigerkloster gelegen, mit seinem ganzen Hof zu Gast gebeten, dem der Kaiser gern willfahrt. Es ist aber auf berührten Tag
nicht allein große, unleidliche Kälte, sondern auch ein tiefer
Schnee gefallen; deshalb die kaiserlichen Räte und Diener

1 Die Sage mischt den zweiten zu dem ersten Friedrich.

beschwerliches Mißfallen an des Mönchs unordentlicher Ladung getragen und dem Kaiser, außer dem Kloster zu so strenger winterlicher Zeit Mahl zu halten, widerraten; haben aber doch denselben von seiner Zusag nicht wenden können, sondern hat sich samt den Seinen zu rechter Zeit eingestellt. Albert der Mönch hat etliche Tafeln samt aller Bereitschaft in den Klostergarten, darin Bäume, Laub und Gras alles mit Schnee bedeckt gewesen, mit großem Befremden eines jeden über die seltsame und widersinnige Anstalt lassen stellen und zum Aufwarten eine gute Anzahl von Gestalt des Leibes überaus schöne, ansehnliche Gesellen zur Hand bracht. Indem nun der Kaiser samt Fürsten und Herren zur Tafel gesessen und die Speisen vorgetragen und aufgestellt sind, ist der Tag obenrab unversehens heiter und schön worden, aller Schnee zusehends abgegangen und gleich in einem Augenblick ein lustiger, lieblicher Sommertag erschienen. Laub und Gras sind augenscheinlich, desgleichen allerhand schöne Blumen aus dem Boden hervorgebrochen, die Bäume haben anfahen, zu blühen und gleich nach der Blüt ein jeder feine Frucht zu tragen; darauf allerhand Gevögel niedergefallen und den ganzen Ort mit lieblichem Gesang erfüllet; und hat die Hitze dermaßen überhandgenommen, daß fast männiglich der winterlichen Kleider zum Teil sich entblößen müssen. Es hat aber niemand gesehen, wo die Speisen gekocht und zubereitet worden; auch niemand die zierlichen und willfährigen Diener gekannt oder Wissenschaft gehabt, wer und wannen sie seien, und jedermann voll großer Verwunderung über all die Anstellung und Bereitschaft gewesen. Demnach aber die Zeit des Mahls herum, sind erstlich die wunderbar köstlichen Diener des Mönchs, bald die lieblichen Vögel samt Laub und Gras auf Bäumen und Boden verschwunden, und ist alles wieder mit Schnee und Kälte dem anfänglichen Winter ähnlich worden: also daß man die abgelegten Kleider wieder angelegt und die strenge Kälte dermaßen empfunden, daß männiglich davon und zum Feuer und warmen Stube geeilet. Um solcher abenteuerlichen Kurzweil halben hat Kaiser Wilhelm den Albertus Magnus und sein Konvent, Predigerordens, mit etlichen Gütern reichlich begabt und denselben wegen seiner großen Geschicklichkeit in großem Ansehen und Wert gehalten.

496. KAISER MAXIMILIAN UND MARIA VON BURGUND

Der hochlöbliche Kaiser Maximilian I. hatte zum Gemahl Maria von Burgund, die ihm herzlich lieb war und deren Tod ihn heftig bekümmerte. Dies wußte der Abt zu Spanheim, Johannes Trithem, wohl und erbot sich dem Kaiser, so es ihm gefalle, die Verstorbene wieder vor Augen zu bringen, damit er sich an ihrem Angesicht ergötze. Der Kaiser ließ sich überreden und willigte in den gefährlichen Vorwitz. Sie gingen miteinander in ein besonderes Gemach und nahmen noch einen zu sich, damit ihrer drei waren. Der Zauber verbot ihnen, daß ihrer keiner beileibe ein Wort rede, solange das Gespenst gegenwärtig sei. Maria kam hereingetreten, ging säuberlich vor ihnen vorüber, der lebendigen, wahren Maria so ähnlich, daß gar kein Unterschied war und nicht das geringste mangelte. Ja, in Bemerkung und Verwunderung der Gleichheit ward der Kaiser eingedenk, daß sie am Halse hinten ein kleines schwarzes Flecklein gehabt, hatte acht darauf und befand es also, daß sie zum andernmal vorüberging. Da ist dem Kaiser ein Grauen ankommen, hat dem Abt gewinkt, er solle das Gespenst wegtun, und darnach mit Zittern und Zorn zu ihm gesprochen: »Mönch, mache mir der Possen keine mehr«, und hat bekannt, wie schwerlich und kaum er sich habe enthalten, daß er nicht zu ihr geredet.

497. SAGE VON ADELGER ZU BAYERN

Zur Zeit Kaisers Severus war in Bayern ein Herzog namens Adelger, der stand in großem Lobe und wollte sich nicht vor den

Römern demütigen. Da es nun dem König zu Ohren kam, daß niemand im ganzen Reiche ihm die gebührliche Ehre weigerte außer Herzog Adelger, so sandte er Boten nach Bayern und ließ ihn nach Rom entbieten. Adelger hatte nun einen getreuen Mann, den er in allen Dingen um Rat fragte; den rief er zu sich in sein Gemach und sprach: »Ich bin ungemut, denn die Römer haben nach mir gesendet und mein Herz stehet nicht dahin; sie sind ein böses Geschlecht und werden mir Böses antun; gern möchte ich dieser Fahrt entübrigt sein, rate mir dazu, du hast kluge Gedanken. « Der alte Ratgeber antwortete: »Gerne rate ich dir alles, was zu deinen Ehren stehet; willst du mir folgen, so besende deine Mannen und heiß sie sich kleiden in das beste Gewand, das im Lande gefunden wird; fahr mit ihnen furchtlos nach Rom und sei ihm alles Rechtes bereit. Denn du bist nicht stark genug, um wider das römische Reich zu fechten; verlangt der König aber über sein Recht hinaus, so kann's ihm übel ausschlagen. «

Herzog Adelger berief seine Mannen und zog an des Königs Hof nach Rom, wo er übel empfangen wurde. Zornig sprach der König ihm entgegen: »Du hast mir viel Leides getan, das sollst du heute mit deinem Leben gelten. « – »Dein Bote«, antwortete Adelger, »hat mich zu Recht und Urteil hierhergeleitet; was alle Römer sprechen, dem will ich mich unterwerfen und hoffen auf deine Gnade. « – »Von Gnade weiß ich nichts mehr«, sagte der König, »das Haupt soll man dir abschlagen und dein Reich einen andern Herrn haben. «

Als die Römer den Zorn des Königs sahen, legten sie sich dazwischen und erlangten, daß dem Herzog Leib und Leben geschenkt wurde. Darauf pflogen sie Rat und schnitten ihm sein Gewand ab, daß es ihm nur zu den Knien reichte, und schnitten ihm das Haar vornen aus; damit gedachten sie den edeln Helden zu entehren.

Adelger aber ging hart ergrimmt in seine Herberge. Alle seine Mannen trauerten, doch der alte Ratgeber sprach: »Herr, Gott erhalte dich! Laß nur dein Trauern sein und tu nach meinem Rat, so soll alles zu deinen Ehren ausgehen.« – »Dein Rat«, sagte Adelger, »hat mich hierhergebracht; magst du nun mit guten Sinnen meine Sache herstellen, so will ich dich desto werter halten; kann ich aber meine Ehre nicht wiedergewinnen, so komm ich nimmermehr heim nach Bayerland.« Der Alte sprach: »Herr, nun heiß mir tun, wie dir geschehen ist, und besende alle deine Mann und leih und gib ihnen, daß sie sich allesamt bescheren lassen; damit rette ich dir alle deine Ehre.« Da forderte der Herzog jeden Mann sonders vor sich und sagte: »Wer mir in dieser Not beisteht, dem will ich leihen und geben; wer mich liebhat, der lasse sich scheren, wie mir geschehen ist.« Ja, sprachen alle seine Leute, sie wären ihm treu bis in den Tod und wollten alles erfüllen. Zur Stunde beschoren sich alle, die mit ihm ausgekommen waren, Haar und Gewand, daß es nur noch bis an die Knie reichte; die Helden waren lang gewachsen und herrlich geschaffen, tugendreich und lobesam, daß es jeden wundernahm, der sie ansah, so vermessentlich war ihre Gebärde.

Früh den andern Morgen ging Adelger mit allen seinen Mannen zu des Königs Hof. Als sie der König ansah, sagte er in halbem Zorn: »Rede, lieber Mann, wer hat dir diesen Rat gegeben?« – »Ich führte mit mir einen treuen Dienstmann«, sprach Herzog Adelger, »der mir schon viele Treue erwiesen, der ist es gewesen; auch ist unsrer Bayern Gewohnheit daheim: ›Was einem zuleide geschieht, das müssen wir allesamt dulden.‹ So tragen wir uns nun einer wie der andre, arm oder reich, und das ist unsre Sitte so.« Der König von Rom sprach: »Gib mir jenen alten Dienstmann, ich will ihn an meinem Hofe halten, wenn du hinnen scheidest; damit sollst du alle meine Gnade gewinnen.« So ungern es auch der Herzog täte, konnte er doch dieser Bitte nicht ausweichen, sondern nahm den treuen Ratgeber bei der Hand und befahl ihn in die Gewalt des Königs. Darauf nahm er Urlaub und schied heim in sein Vaterland; voraus aber sandte er Boten und befahl allen seinen Untertanen, die Lehnrecht oder Rittersnamen haben wollten, daß sie sich das Haar vornen aus-

und das Gewand abschnitten, und wer es nicht täte, daß er die rechte Hand verloren hätte. Als es nun auskam, daß sich die Bayern so beschoren, da beliebte der Gebrauch hernach allen in deutschen Landen.

Es stund aber nicht lange an, so war die Freundschaft zwischen dem römischen König und dem Herzog wieder zergangen, und Adelgern ward von neuem entboten, nach Rom zu ziehen bei Leib und Leben, der König wolle mit ihm Rede haben. Adelger, ungemut über dieses Ansinnen, sandte heimlich einen Boten nach Welschland zu seinem alten Dienstmann, den sollte er bei seinen Treuen mahnen, ihm des Königs Willen, weshalb er ihn nach Hof rief, zu offenbaren und zu raten, ob er kommen oder bleiben sollte. Der alte Mann sprach aber zu Adelgers Boten: »Es ist nicht recht, daß du zu mir fährst; hiebevor, da ich des Herzogen war, riet ich ihm je das Beste; er gab mich dem König hin, daran warb er übel; denn verriet ich nun das Reich, so tät ich als ein Treuloser. Doch will ich dem König am Hofe ein Beispiel erzählen, das magst du wohl in acht behalten und deinem Herrn hinterbringen; frommt es ihm, so steht es gut um seine Ehre.«

Früh des andern Morgens, als der ganze Hof versammelt war, trat der Alte vor den König und bat sich aus, daß er ein Beispiel erzählen dürfte. Der König sagte, daß er ihn gerne hören würde, und der alte Ratgeber begann: »Vorzeiten, wie mir mein Vater erzählte, lebte hier ein Mann, der mit großem Fleiß seines Gartens wartete und viel gute Kräuter und Würze darin zog. Dies wurde ein Hirsch gewahr, der schlich sich nachts in den Garten und zerfraß und verwüstete die Kräuter des Mannes, daß alles niederlag. Das trieb er manchen Tag lang, bis ihn der Gärtner erwischte und seinen Schaden rächen wollte. Doch war ihm der Hirsch zu schnell, der Mann schlug ihm bloß das eine Ohr ab. Als der Hirsch dennoch nicht von dem Garten ließ, betrat ihn der Mann von neuem und schlug ihm halb den Schwanz ab. ›Das trag dir‹, sagte er, ›zum Wahrzeichen! Schmerzt's dich, so kommst du nicht wieder.‹ Bald aber heilten dem Hirsch die Wunden, er strich seine alten Schliche und äste dem Mann Kraut und Wurzeln ab, bis daß dieser den Garten listig mit Netzen umstellen ließ. Wie nun der Hirsch entfliehen wollte, ward er gefangen; der Gärtner stieß ihm seinen Spieß in den Leib und sagte: ›Nun wird dir das Süße sauer, und du bezahlst mir teuer meine Kräuter.‹ Darauf nahm er den Hirsch und zerwirkte ihn, wie es sich gehörte. Ein schlauer Fuchs lag still neben in einer Furche; als der Mann wegging, schlich der Fuchs hinzu und raubte das Herz vom Hirsch. Wie nun der Gärtner, vergnügt über seine Jagd, zurückkam und das Wild holen wollte, fand er kein Herz dabei, schlug die Hände zusammen und erzählte zu Haus seiner Frau das große Wunder von dem Hirsch, den er erlegt habe, der groß und stark gewesen, aber kein Herz im Leibe gehabt. ›Das hätte ich zuvorsagen wollen‹, antwortete des Gärtners Weib; ›denn als der Hirsch Ohr und Schwanz verlor, hätte er ein Herz gehabt, so wäre er nimmer in den Garten wiederkommen.‹« –

All diese kluge Rede war Adelgers Boten zu nichts nütze, denn er vernahm sie einfältig und kehrte mit Zorn gen Bayernland. Als er den Herzogen fand, sprach er: »Ich habe viel Arbeit erlitten und nichts damit erworben; was sollte ich da zu Rom tun? Der alte Ratgeber entbietet dir nichts zurück als ein Beispiel, das er dem König erzählte. Das hieß er mich dir hinterbringen. Daß er ein übel Jahr möge haben!«

Als Adelger das Beispiel vernahm, berief er schnell seine Mannen. »Dies Beispiel«, sagte er, »will ich euch, ihr Helden, wohl bescheiden. Die Römer wollen mit Netzen meinen Leib umgarnen; wißt aber, daß sie mich zu Rom in ihrem Garten nimmer berücken sollen. Wäre aber, daß sie mich selbst in Bayern heimsuchen, so wird ihnen der Leib durchbohrt, wo ich anders ein Herz habe und meine lieben Leute mir helfen wollen.«

Da man nun am römischen Hofe erfuhr, daß Adelger nicht nach Rom gehen wollte, sagte der König, so wolle er sehen, in welchem Lande der Herzog wohne. Das Heer wurde versammelt und brach, dreißigtausend wohlgewaffneter Knechte stark, schnell nach Bayern auf; erst zogen sie vor Bern, dann ritten sie durch Triental. Adelger, mit tugendlichem Mute, sammelte all seine Leute, Freunde und Verwandten; bei dem Wasser, heißet Inn, stießen sie zusammen, der Herzog trat auf eine Anhöhe und redete zu ihnen: »Wohlan, ihr Helden, unverzagt! Jetzt sollt ihr nicht vergessen, sondern leisten, was ihr mir gelobt habt. Man tut mir groß Unrecht. Zu Rom wurde ich gerichtet und hielt meine Strafe aus, als mich der König schändete an Haar und Gewand; damit gewann ich Verzeihung. Nun sucht er mich ohne Schuld heim; läge der Mann im Streite tot, so wäre die Not gering. Aber sie werfen uns in den Kerker und quälen unsern Leib, höhnen unsre Weiber, töten unsre Kinder, stiften Raub und Brand; nimmermehr hinfüro gewinnt Bayern die Tugend und Ehre, deren es unter mir gewohnt war; um so mehr, ihr Helden, wehret beides, Leib und Land.« Alle reckten ihre Hände auf und schwuren: Wer heute entrinne, solle nimmerdar auf bayerischer Erde weder Eigen noch Leben haben.

Gerold, den Markgrafen, sandte Adelger ab, daß er den Schwaben die Mark wehrte. Er focht mit ihnen einen starken Sturm, doch Gott machte ihn sieghaft; er fing Brenno, den Schwabenherzog, und hing ihn an einen Galgen auf.

Rudolf, den Grafen, mit seinen beiden Brüdern sandte Adelger gegen Böheim, dessen König zu Salre mit großer Macht lag und Bayern heerte. Rudolf nahm selbst die Fahne und griff ihn vermessen an. Er erschlug den König Osmig und gewann allen Raub wieder. Zu Kambach wandt' er seine Fahne.

Wirent, den Burggrafen, sandte Adelger gegen die Hunnen. Niemand kann sagen, wieviel der Hunnen in der Schlacht tot lagen; einen sommerlangen Tag wurden sie getrieben bis an ein Wasser, heißet Traun, da genasen sie kaum.

Herzog Adelger selbst leitete sein Heer gen Brixen an das Feld, da schlugen sie ihr Lager auf; das ersahen die Wartmänner der Römer, die richteten ihre Fahne auf und zogen den Bayern entgegen. Da fielen viele Degen und brach mancher Eschenschaft! Volkwin stach den Fähnrich des Königs, daß ihm der Spieß durch den Leib drang. »Diesen Zins« rief der vermessene Held, »bringe deinem Herrn und sage ihm, als er meinen Herrn schändete an Haar und Gewand, das ist jetzt dahin gekommen, daß er's ihm wohl vergelten mag.« Volkwin zuckte die Fahne wieder auf, nahm das Roß mit den Sporen und durchbrach den Römern die Schar. Von keiner Seite wollten sie weichen, und viel frommer Helden sank zu Boden; der Streit währte den sommerlangen Tag. Die grünen Fahnen der Römer wurden blutfärbig, ihre leichte Schar troff von Blut. Da mochte man kühne Jünglinge schwer verhauen sehen, Mann fiel auf Mann, das Blut rann über eine Meile. Da mochte man hören schreien nichts als ach und weh! Die kühnen Helde schlugen einander, sie wollten nicht von der Walstätte kehren, weder wegen des Tods, noch wegen irgendeiner Not; sie wollten ihre Herren nicht verlassen, sondern sie mit Ehren dannen bringen; das war ihr aller Ende.

Der Tag begann sich zu neigen, da wankten die Römer. Volkwin, der Fähnrich, dies gewahrend, kehrte seine Fahne wider den König der Römer; auf ihn drangen die mutigen Bayern mit ihren scharfen Schwertern und sangen das Kriegslied. Da vermochten die Welschen weder zu fliehen noch zu fechten. Severus sah, daß die Seinen erschlagen oder verwundet lagen und die Walstätte nicht behaupten konnten. Das Schwert warf er aus der Hand und rief: »Rom, dich hat Bayern in Schmach gebracht, nun acht ich mein Leben nicht länger!« Da erschlug Volkwin den König; als der König erschlagen war, steckte Herzog Adelger seinen Schaft in die Erde neben den Haselbrunnen: »Dies Land hab ich gewonnen den Bayern zu Ehre; diese Mark diene ihnen immerdar.«

498. DIE TREULOSE STÖRCHIN

Kranz, ein Kanzler Herzog Tassilos III., schreibt gar ein seltsames Wunder von Störchen zur Zeit Herzog Haunbrechts. Der Ehebruch sei derselbigen Zeit gemein gewesen, und Gott habe dessen harte Strafe an unvernünftigen Tieren zeigen wollen. Oberhalb Abach in Unterbayern, nicht weit von der Donau, stand ein Dorf, das man jetzund Teygen nennet. In dem Dorf nisteten ein Paar Störche und hatten Eier zusammen. Während die Störchin brütete und um Futter ausflog, kam ein fremder Storch, buhlte um die Störchin und überkam sie zuletzt. Nach vollbrachtem Ehebruch flog die Störchin über Feld zu einem Brunnen, taufte und wusch sich und kehrte wieder ins Nest zurück, dermaßen, daß der alte Storch bei seiner Rückkunft nichts von der Untreue empfand. Das trieb nun die Störchin mit dem Ehebrecher fort, einen Tag wie den andern, bis sie die Jungen ausgebrütet hatte. Ein Bauer aber auf dem Felde nahm es wahr und verwunderte sich, was doch die Störchin alle Tage zum Brunnen flöge und badete, vermachte also den Brunnen mit Reisig und Steinen und sah von ferne zu, was geschehen würde. Als nun die Störchin wiederkam und nicht zum Brunnen konnte, tat sie kläglich, mußte doch zuletzt ins Nest zurückfliegen. Da aber der Storch, ihr Mann, heimkam, merkte er die Treulosigkeit, fiel die Störchin an, die sich heftig wehrte; endlich flog der Storch davon und kam nimmer wieder, die Störchin mußte die Jungen allein nähren. Nachher um St. Laurenztag, da die Störche fortzuziehen pflegen, kam der alte Storch zurück, brachte unsäglich viel andre Störche mit, die fielen zusammen über die Störchin, erstachen und zerfleckten sie in kleine Flecken. Davon ist das gemeine Sprichwort aufkommen: »Du kannst es nicht schmecken.«

499. HERZOG HEINRICH IN BAYERN
HÄLT REINE STRASSE

Herzog Heinrich zu Bayern, dessen Tochter Elsbeth nach Brandenburg heiratete und die Märker nur »dat schon Elsken ut Bayern« nannten, soll das Rotwild zu sehr liebgehabt und den Bauern die Rüden durch die Zäun gejagt haben. Doch hielt er guten Frieden und litt Reuterei, oder wie die Kaufleute sagten:

Räuberei, gar nicht im Lande. Die Kaufleut hießen sein Reich: im Rosengarten. Die Reuter aber klagten und sagten: »Kein Wolf mag sich in seinem Land erhalten und dem Strang entrinnen.« Man sagt auch sonst von ihm, daß er seine Vormünder, die ihn in großen Verlust gebracht, ehe er zu seinen Jahren kam, gewaltig gehaßt, und einmal, als er über Land geritten, begegnete ihm ein Karren, geladen mit Häfen. Nun kaufte er denselben ganzen Karren, stellte die Häfen nebeneinander her und hob an zu fragen jeglichen Hafen: »Wes bist du?« Antwortete drauf selber: »Des Herzogs«, und sprach dann: »Nun du mußt es bezahlen«, und zerschlug ihn. Welcher Hafen aber sagte: »Er wäre der Regenten«, dem tat er nichts, sondern zog das Hütel vor ihm ab. Sagte nachmals: »So haben meine Regenten mit mir regiert.« Man nannt ihn nur den reichen Herzog; den Turm zu Burghausen füllte er mit Geld aus.

500. DIEZ SCHWINBURG

Kaiser Ludwig der Bayer ließ im Jahre 1337 den Landfriedensbrecher Diez Schwinburg mit seinen vier Knechten gefangen in München einbringen und zum Schwert verurteilen. Da bat Diez die Richter, sie möchten ihn und seine Knechte an eine Zeil, jeden acht Schuhe voneinander, stellen und mit ihm die Enthauptung anfangen; dann wolle er aufstehen und vor den Knechten vorbeilaufen, und vor so vielen er vorbeigelaufen, denen möchte das Leben begnadigt sein. Als ihm dieses die Richter spottweise gewährt, stellte er seine Knechte, je den liebsten am nächsten, zu sich, kniete getrost nieder, und wie sein Haupt abgefallen, stand er alsbald auf, lief vor allen vier Knechten hinaus, fiel alsdann hin und blieb liegen. Die Richter getrauten sich doch den Knechten nichts zu tun, berichteten alles dem Kaiser und erlangten, daß den Knechten das Leben geschenkt wurde.

501. DER GESCHUNDENE WOLF

Herzog Otto von Bayern vertrieb des Papstes Legaten Albrecht, daß er flüchten mußte und kam nach Passau. Da zog Otto vor die Stadt, nahm sie ein und ließ ihn da jämmerlich erwürgen. Etliche sagen: Man habe ihn schinden lassen, darum führen noch die von Passau einen geschundenen Wolf. Auch zeigt man einen Stein, der Blutstein geheißen, darauf soll Albrecht geschunden und zu Stücken gehauen sein. Es sei ihm, wie es wolle: Er hat den Lohn dafür empfangen, daß er soviel Unglück in der Christenheit angestiftet.

502. DIE GRETLMÜHL

Herzog Ott, Ludwigs von Bayern jüngster Sohn, verkaufte Mark Brandenburg an Kaiser Karl IV. um 200000 Gülden, räumte das Land und zog nach Bayern. Da verzehrte er sein Gut mit einer schönen Müllerin, namens Margaret, und wohnte im Schloß Wolfstein, unterhalb Landshut. Dieselbige Mühl wird noch die Gretlmühl genannt und der Fürst Otto der Finner, darum, weil er also ein solches Land verkauft. Man sagt: Karl hab ihn im Kauf überlistet und die Stricke an den Glocken im Land nicht bezahlt.

503. HERZOG FRIEDRICH UND LEOPOLD VON ÖSTERREICH

Da König Friedrich in der Gewalt Ludwig des Bayern gefangen lag auf einer Feste, genannt Trausnitz[1], kam ein wohlgelehrter Mann ein zu Herzog Leopold von Östreich (des Gefangenen

---

1 Als der Gefangene hineingeführt wurde und diesen Namen aussprechen hörte, rief er aus: »Jawohl, Trausnicht (Druwesnit), ich habe sein je nicht getraut, daß ich so sollte dareingebracht worden sein. «

Bruder) und sprach: »Ich will Gut nehmen und den Teufel beschwören und zwingen, daß er muß Euern Bruder, König Friedrich, aus der Gefängnis her zu Euch bringen.« Also gingen die zwei, Herzog Leopold und der Meister, in die Kammer; da trieb der Meister seine Kunst, und kam der Teufel zu ihnen in eines Pilgrims Weise und ward geheißen, daß er König Friedrich brächte ohn allen Schaden. Der Teufel antwortete, er wolle das wohl tun, wo ihm der König folgen würde. Also fuhr der Teufel weg, kam zu Friedrich nach Trausnitz und sprach: »Sitze her auf mich, so will ich dich bringen ohne Schaden zu deinem Bruder.« Der König sagte: »Wer bist du?« Der Teufel versetzte und sprach: »Frage nicht danach; willst du aus der Gefängnis kommen, so tue, das ich dich heiße.« Da ward dem Könige und denen, die sein hüteten, grauen und machten Kreuze vor sich. Da verschwand der Teufel.

Danach tät Herzog Leopold dem König Ludwig also weh mit Kriege, daß er mußte König Friedrich aus dem Gefängnis lassen. Doch mußte er schwören und verbürgen, König Ludwig fürder nicht zu irren an dem Reiche.

504. DER MARKGRÄFIN SCHLEIER

Agnes, Kaiser Heinrichs IV. Tochter, stand mit Leopold dem Heiligen, Markgrafen von Östreich, den achten Tag ihrer Hochzeit an einem Fenster der Burg und redete von der Stiftung eines Klosters, um die ihm Agnes anlag. Indem kam ein starker Wind und führte den Schleier der Markgräfin mit sich fort. Leopold aber schlug ihr die Bitte mit den Worten ab: »Wenn sich dein Schleier findet, will ich dir auch ein Kloster bauen.« Acht Jahre später geschah es, daß Leopold im Walde jagte und auf einem Holunderstrauch Agnesens Schleier hangen sah. Dieses Wunders wegen ließ der Markgraf auf der Stelle, wo er ihn gefunden hatte, das Kloster Neuburg bauen; und noch heutigen-

tages weist man daselbst den Schleier sowohl als den Stamm des Holunderbusches.

505. DER BRENNBERGER (ERSTE SAGE)

Der Brennberger, ein edler Ritter, war zu Wien an des Herzogs von Östreich Hofe und sah die auserwählte Herzogin an, ihre Wangen und ihren roten Mund, die blühten gleich den Rosen. Da sang er Lieder zu ihrem Preis: Wie selig wäre, der sie küssen dürfe, und wie kein schöner Frauenbild auf Erde lebe, als die sein Herr besitze und der König von Frankreich; diesen beiden Weibern tue es keine gleich. Als die Herzogin von diesem Lobe vernahm, ließ sie den Ritter vor sich kommen und sprach: »Ach, Brennberger, du allerliebster Diener mein, ist es dein Ernst oder Scherz, daß du mich so besingest? Und wärst du nicht mein Diener, nähm ich dir's übel.« – »Ich rede ohne Scherz«, sagte Brennberger, »und in meinem Herzen seid Ihr die Schönste auf Erden. Zwar spricht man von der Königin zu Frankreich Schönheit, doch kann ich's nicht glauben.« Da sprach die zarte Frau: »Brennberger, allerliebster Diener mein, ich bin dir hold und bitte dich sehr, nimm mein Gold und Silber und schaue die Königin und sieh, welche die schönste sei unter uns zweien; bringst du mir davon die Wahrheit, so erfreust du meinen Mut.« »Ach, edle Frau«, sagte der Brennberger, »ich fürchte die Müh und die lange Reise; und brächt ich das zurück, das Ihr nicht gerne höret, so wär mein Herz schwer; bring ich Euch aber gute Mär, daß Ihr Euch freuetet, so geschäh's auch mir zulieb, darum will ich die Reise wagen.« Die Frau sprach: »Zeuch hin und laß dir's an nichts gebrechen, an Geschmeide noch an Gewändern.«

Brennberger aber ließ sich ein Krämlein machen; darein tat er, was Frauen gehöret, Gürtel und Spinnzeug, und wollte das als Krämerin feiltragen; und zog über Berg und Tal im Dienste seiner Frauen, bis er gen Paris kam. Zu Paris nahm er Herberg bei einem auserwählten Wirt, der unten am Berg wohnte, der gab ihm Futter und Streu, Speise und Trank aufs freundlichste. Brennberger hatte doch weder Ruh noch Rast, winkte den Wirt und frug ihn um Rat, wie er's anfange, der Königin unter Augen zu kommen; denn um ihrentwillen habe ihn die Herzogin aus Östreich hergesandt. Der Wirt sprach: »Stellt Euch dahin, wo sie pflegt zur Kirche zu gehen, so sehet Ihr sie sicherlich.«

Da kleidete sich Brennberger fräulich an, nahm seinen Kram und setzte sich vors Burgtor, hielt Spindel und Seide feil. Endlich kam auch die Königin gegangen, ihr Mund brannte wie ein Feuer, und elf Jungfrauen traten ihr nach. »Gott grüß dich, Krämerin«, sprach sie im Vorübergang; »was Schönes hast du feil?« Die Krämerin dankte tugendlich und sagte: »Hochgelobte Königin, gnadet's anzuschauen und kauft von mir samt Euern Jungfrauen!«

Abends spat sprach die edle Königin: »Nun hat sich die Krämerin vor dem Tore verpätet; laßt sie ein, fürwahr, sie mag heut bei uns bleiben.« Und die Krämerin saß mit den Frauen züchtiglich zu Tisch. Als das Mahl vollbracht war, sagte die Königin: »Bei wem wollt Ihr schlafen?« Die Krämerin wär gern daheim gewesen, antwortete: »Gott dank Euch, edle Königin! Geliebt's

Euch, so laßt mich allein liegen.« Das wäre schlechte Ehre, versetzte sie; »wohlan, ich habe zwölf Jungfrauen hier, bei der jüngsten ziemt Euch zu liegen, da ist Euer Ehre gar wohl bewahrt.« Also lag die Krämerin die lange Nacht bei der zarten Jungfrau und hatte dreizehn Tage feil in der Burg, und jede Nacht schlief sie bei einer andern Jungfrau. Wie nun die letzte Nacht kam, sagte die Königin: »Hat sie euch allen beigelegen, was sollt ich's denn entgelten?« Da wurde dem Brennberger angst, daß es um sein Leben geschehen wäre, wenn er bei der Königin liegen müßte; und schlich sich des Abends von dannen zu seinem Wirt, setzte sich alsbald zu Pferd und ritt ohne Aufenthalt, bis er in die Stadt zu Wien kam.

»Ach, Brennberger, allerliebster Diener mein, wie ist es dir ergangen, was bringst du guter Märe?« – »Edle Frau«, antwortete der Ritter. »ich hab Lieb und Leid gehabt, wie man noch nie erhört. Dreizehn Tage hatte ich feil meinen Kram vor dem Burgtor; nun möget Ihr Wunder hören, welches Heil mir widerfuhr; jeden Abend wurde ich eingelassen und mußte bei jeder Jungfrau besonders liegen; ich fürchtete mich, es könnte nicht so lang verschwiegen bleiben, und die letzte Nacht wollte mich die Königin selber haben.« – »Weh mir, Brennberger, daß ich je geboren ward«, sprach die Herzogin, »daß ich dir je den Rat gab, die edle Frau zu kränken; nun sag mir aber, welche die schönste sei unter uns zweien?« – »Frau, in Wahrheit, sie ist schön ohnegleichen, nie sah ich ein schöner Weib auf Erden; ein lichter Schein brach von ihrem Angesicht, als sie das erstemal vor meinen Kram ging, sonderliche Kraft empfing ich von ihrer Schöne.« – »Ach, Brennberger, gefällt sie dir besser als ich, so sollst du auch ihr Diener sein!« – »Nein, edle Frau, das sag ich nicht; Ihr seid die Schönste in meinem Herzen.« – »Nun sprachst du eben erst, kein schöner Weib hast du nie gesehen.« – »Wißt, Frau, sie hatte einen hohen Mund, darum seid Ihr schöner auch an Hals und Kinn; aber nach Euch ist die Königin das schönste Weib, das ich je auf der Welt gesehen; das ist meine allergrößte Klage, ob ich einen unrechten Tod an ihr verdient hätte!«

506. DER BRENNBERGER (ZWEITE SAGE)

Als nun der edle Brennberger mannigfaltig gesungen hatte von seiner schönen Frauen, da gewahrte es ihr Gemahl, ließ den Ritter fahen und sagte: »Du hast meine Frau lieb, das geht dir an dein Leben!« Und zur Stunde ward ihm das Haupt abgehauen; sein Herz aber gebot der Herr auszuschneiden und zu kochen. Darauf wurde das Gericht der edlen Frau vorgestellt, und ihr roter Mund aß das Herz, das ihr treuer Dienstmann im Leibe getragen hatte. Da sprach der Herr: »Frau, könnt Ihr mich bescheiden, was Ihr jetzund gegessen habt?« Die Frau antwortete: »Nein, ich weiß es nicht; aber ich möcht es wissen, denn es schmeckt mir schön.« Er sprach: »Fürwahr, es ist Brennbergers Herz, deines Dieners, der dir viel Lust und Scherz brachte, und konnte dir wohl dein Leid vertreiben.« Die Frau sagte: »Hab ich gegessen, das mir Leid vertrieben hat, so tu ich einen Trunk darauf zu dieser Stund, und sollte meiner armen Seele nimmer Rat werden; von Essen und Trinken kommt nimmermehr in meinen Mund.« Und eilends stund sie auf, schloß sich in ihre Kammer und flehte die himmlische Königin um Hilfe an: »Es muß mich immer reuen um den treuen Brennberger, der unschuldig den Tod erlitt um meinetwillen; fürwahr, er ward nie meines Leibes teilhaftig und kam mir nie so nah, daß ihn meine Arme umfangen hätten.« Von der Zeit an kam weder Speise noch Trank über der Frauen Mund; elf Tage lebte sie, und am zwölften schied sie davon. Ihr Herr aber, aus Jammer, daß er sie so unehrlich verraten, stach sich mit einem Messer tot.

507. SCHRECKENWALDS ROSENGARTEN

Unterhalb Mölk in Östreich, auf dem hohen Agstein, wohnte vorzeiten ein furchtbarer Räuber, namens Schreckenwald. Er lauerte den Leuten auf, und nachdem er sie beraubt hatte, sperrte er sie oben auf dem steilen Felsen in einen engen, nicht mehr als drei Schritte langen und breiten Raum, wo die Unglücklichen vor Hunger verschmachteten, wenn sie sich nicht in die schreckliche Tiefe des Abgrundes stürzen und ihrem Elend ein Ende machen wollten. Einmal aber geschah es, daß jemand kühn und glücklich springend auf weiche Baumäste fiel und herablangte. Dieser offenbarte nun nach vollbrachter Rettung das Raubnest und brachte den Räuber gefangen, der mit dem Schwert hingerichtet wurde. Sprichwörtlich soll man von einem Menschen, der sich aus höchster Not nur mit Leib- und Lebensgefahr retten mag, sagen: »Er sitzt in Schreckenwalds Rosengärtlein.«

508. MARGARETA MAULTASCH

In Tirol und Kärnten erzählen die Einwohner viel von der umgehenden Margareta Maultasch, welche vor alten Zeiten Fürstin des Landes gewesen und ein so großes Maul gehabt, davon sie benannt wird. Die Klagenfurter gehen nach der Betglocke nicht gern ins Zeughaus, wo ihr Panzer verwahrt wird, oder der Vorwitz wird mit derben Maulschellen bestraft. Am großen Brunnen, da, wo der aus Erz gegossene Drache steht, sieht man sie zu gewissen Zeiten auf einem dunkelroten Pferde reiten. Unfern des Schlosses Osterwitz stehet ein altes Gemäuer; manche Hirten, die da auf dem Felde ihre Herden weideten, nahten sich unvorsichtig und wurden mit Peitschenhieben empfangen. Man hat deshalb gewisse Zeichen aufgesteckt, über welche hinaus keiner dort sein Vieh treibt; und selbst das Vieh mag das schöne, fette Gras, das an dem Orte wächst, nicht fressen, wenn unwissende Hirten es mit Mühe dahin getrieben haben. Zumal aber erscheint der Geist auf dem alten Schlosse bei Meran, neckt die Gäste und soll einmal mit dem bloßen Schwerte auf ein neuvermähltes Brautpaar in der Hochzeitsnacht eingehauen haben, doch ohne jemand zu töten. In ihrem Leben war diese Margareta kriegerisch, stürmte und verheerte Burgen und Städte und vergoß unschuldiges Blut.

Als bei fortwährender Belagerung des Schlosses Dietrichstein (im Jahr 1334) die Obersten gesehen, daß sie den Platz in die Länge wider die Frau Margarete Maultasch nicht erhalten möchten, da sie ihnen zu mächtig gewesen, darzu dann auch kommen, daß sie von Erzherzog Otten keine Hilf auf diesmal zu verhoffen gehabt: sind sie hierauf mit einhelligem Gemüt auf einen Abend, da ein gewaltiger Nebel eingefallen, in aller Stille mit dem ganzen kärntischen Kriegsvolk von Dietrichstein abgezogen und ganz glücklich in die Stadt St. Veit gekommen, dessen sich eine ganze Bürgerschaft höchlich erfreut hat. Wie nun aber die Maultaschischen folgenden Tages mit Stürmung angehalten und keinen einigen Widerstand befunden, konnten sie leichtlich aus dem stillen Wesen abnehmen, daß die Unsern sie betrogen und das Schloß ihnen leer verlassen hätten; darum Frau Maultasch, im Zorn entbrannt, mit großem Geschrei die Ihren nötigte und zwang, die Mauern zu ersteigen und das Haus einzunehmen, welches sie leichtlich, weil niemand darauf gewesen, tun können; und eroberten es also, und wurden die Mauern ungestümiglich zerbrochen, die Türm und Tore alle der Erde gleich eingerissen, die Zimmer verbrannt, und ließen sie allda wenig Gebäu aufrecht stehen. Damit ist Dietrichstein von der Maultasch zerstört und greulich verwüst worden, das doch die Herren von Dietrichstein folgender Zeit wiederaufgebaut und in etwas bewohnt gemacht haben. Es ist die gemeine Sage im Land, wie daß in diesem verödeten Schloß ein groß unsäglich Gut soll verborgen liegen; wie dann heutzutage oft geschehen soll, wenn man recht in das verfallne Gebäu kommt, daß sich ein solches Werfen, Poltern und Sausen erhebt, gleich als wenn es alles über einen Haufen werfen wollt; darum sich denn auch niemand unterstehen darf, lang an diesem Ort zu bleiben.

Wie das Schloß Dietrichstein von der Frau Margaret Maultasch (im Jahre 1334) belagert und verwüstet worden, sind hiezwischen viel Herren und Landleut aus Kärnten mit Weib und Kind in eilender Flucht gen Osterwitz kommen, dem edeln und gestrengen Herrn Reinher Schenk zugehörig, von dem sie dann mit großen Ehren sind empfangen worden. An diesem Orte, als von Natur überaus stark und ungewinnlich, hatten sie alle gute Hoffnung, mit den Ihren vor der Tyrannin sicher zu bleiben. Es liegt aber Osterwitz eine Meil Wegs von St. Veit gegen Völkermarkt wärts zur rechten Hand auf einem starken und sehr hohen Felsen, der an keinem Ort mag weder gestürmt noch angelaufen werden. Nun zog aber Frau Maultasch mit ihrem Kriegsvolk stracks auf Osterwitz zu, sonderlich nachdem sie verstanden, daß ein großer Adel allda beisammen wäre, des endlichen Vorhabens, so lange davorzuliegen, bis sie solches in ihre Gewalt bringen und der vorberührten Herren und Frauen würde habhaft sein. Wie solches dem Herrn Reinher Schenk von seinen Kundschaftern angekündet worden, hat er hierauf unverzogenlich seine Kriegsleute, derselben nicht viel über dreihundert gewesen, mit großem Fleiß auf die Wehren der Mauern und allenthalben auf dem hohen Berge geordnet und gar nichts unterlassen, was auf diesmal dazu gedienet. Hiezwischen kam die Frau Maultasch so weit hinaus, daß sie mit den Ihren das Feld weit und breit eingenommen, auch das Schloß in dem Gezirk also umringet, daß schier niemand zu den Belagerten kommen oder aus der Festung weichen konnte. Und weil die Tyrannin gesehen, daß es unmöglich, Osterwitz zu bewältigen, hat sie demnach, in der Zeit der Belagerung, den armen Bauersleuten in den Dörfern mit Brennen, Rauben, Morden und andern Gewalttätigkeiten nicht geringen Schaden zugefügt; wie dessen die zerbrochnen Schlösser und Burgen noch heutigentages genügsame Zeugnis geben. Doch als sie zuletzt gesehen, daß sie Zeit umsonst und vergeblich vertrieben, auch mit aller Gewalt wenig ausrichten würde, hat sie so viel im Rat befunden, ihre Gesandten an Reinher Schenk zu verordnen mit dem Befehl: daß sie ihn mit vielen und reichen Verheißungen dahin bewegen sollten, das Schloß Osterwitz ihr zu übergeben und mit den Seinen frei abzuziehen. Als auf solche Werbung Herr Reinher Schenk absäglich antwortete und sagen ließ, er müsse ein Kind sein, wenn er darauf horchen und nach ihren Drohungen fragen wollte, also daß die Gesandten mit betrübten Herzen ins Lager zurückkamen: rieten ihr alle, den Ort, da mit Gewalt nichts auszurichten wäre, auszuhungern und mit solchem Mittel den kärntischen Adel zum Brett zu treiben. Welchem getreuen Rat auch Frau Maultasch nachkommen wollte, weil doch keine andere Gelegenheit vorhanden war, ihres Willens habhaft zu werden.

Weil dann nun diese Belagerung ziemlich lange gewähret, entstand hiezwischen in dem Schloß zu Osterwitz nicht allein unter den gemeinen Knechten, sondern auch denen von Adel, sonderlich aber bei dem Frauenzimmer ein großer Mangel in allen Sachen, vornehmlich aber an Wasser, daß auch täglich viel umkamen. Denn es waren von den dreihundert Knechten kaum hundert überblieben, die sich gedrungenerweise mit abscheulicher Speise, als Katzen-, Hund- und Roßfleisch, ersättigen mußten. Indem sich nun etliche vornehme Herren und vom Adel deswegen miteinander beratschlagten, wie den Sachen zu tun wäre, erfanden sie endlich einen trefflich guten und erwünschten Weg. Denn als sie täglich den großen Jammer vermerkten und ihnen gar schmerzlich war, daß sie samt Weib und Kindern in großem Unglück standen und noch zukünftiger Zeit mehrerm Unfall möchten unterworfen sein, gingen sie sämtlich zu Herrn Reinher Schenk und sagten ihm, wie sie diesmal nur durch einen listigen Fund, weil sie keine Hilfe von Erzherzog Otto zu gewarten hätten, zu erretten wären. Nun hätten sie eine gute und geschwinde Kriegslist erdacht, damit den grimmen Feind ab ihrem Hals zu bringen. Nämlich dieweil sie gesehen, daß alle Essensspeisen und des Leibes Notdurft nun

bereits verzehrt und nichts mehr in ihrer Gewalt wäre als ein
dürrer Stier und zwei Vierling Roggen, so wäre ihr getreuer Rat,
Gutdünken und Meinung, man sollte hierauf den Stier
abschlachten, in dessen abgezogene Haut den Roggen einschüt-
ten und sie also, wohl vermacht, den Berg herabwerfen. Wenn
die Feinde dann solches sähen, würde es ihnen Ursache geben zu
denken, wir wären mit allerlei Notdurft und Lebensmittel noch
reichlich versehen und könnten die Belagerung noch eine gute
Zeit ausharren. Derowegen sie unzweifelig würden aufbrechen
und mit dem ganzen Kriegsheer abziehen. Diesem Rat kam Herr
Reinher Schenk alsbald nach, ließ den Stier abnehmen, den
Roggen dareintun und solche damit über den Berg abstürzen,
dem jedermann mit großer Verwunderung zugesehen. Als aber
solches Frau Maultasch erfahren, tät sie hierauf einen lauten
hellen Schrei und sagte: »Ha! Das sind die Klausrappen, so eine
gute Zeit ihre Nahrung in die Kluft zusammengetragen, und auf
den hohen Felsen sich versteckt haben, die wir nicht so leichtlich
in unsern Klauen werden fassen können; darum wir sie in ihrem
tiefen Nest sitzen und andre gemästete Vögel suchen wollen.«
Hat von Stund an darauf ihren Kriegsleuten geboten, daß ein
jeder insonderheit seine Sturmhaube voll Erde fassen und solches auf einem ebenen Felde, gleich gegen Osterwitz über,
ausschütten sollte. Welches, als es geschehen, ist aus der Erde ein
ziemlich groß Berglein worden, das man lange Zeit im Land zu
Kärnten die Maultasch-Schutt genannt hat. Noch vor kurzem,
im Jahre 1580, hat Herr Georg Kevenhüller, Freiherr zu Aichel-
berg, als Landeshauptmann von Kärnten der Frau Maultasch
Bildnis in schönem weißem Stein aushauen lassen, welche
Säul das Kreuz bei der Maultasch-Schutt genannt worden.

511. RADBOD VON HABSBURG

Im X. Jahrhundert gründete Radbod auf seinem eigenen Gute im
Aargau eine Burg, genannt Habsburg (Habichtsburg, Felsen-

nest), klein, aber fest. Als sie vollendet war, kam Bischof Werner, sein Bruder, der ihm Geld dazu hergegeben, den Bau zu sehen, und war unzufrieden mit dem kleinen Umfang. Nachts aber ließ Graf Radbod seine Dienstmannen aufbieten und die Burg umringen. Als nun der Bischof morgens ausschaute und sich verwunderte, sprach sein Bruder: »Ich hab eine lebendige Mauer erbaut, und die Treue tapferer Männer ist die festeste Burg.«

512. RUDOLF VON STRÄTTLINGEN

König Rudolf von Burgund herrschte mächtig zu Strättlingen auf der hohen Burg; er war gerecht und mild, baute Kirchen weit und breit im Lande; aber zuletzt übernahm ihn der Stolz, daß er meinte, niemand, selbst der Kaiser nicht, sei ihm an Macht und Reichtum zu vergleichen. Da ließ ihn Gott der Herr sterben; alsbald nahte sich der Teufel und wollte seine Seele empfangen; dreimal hatte er schon die Seele ergriffen, aber St. Michael wehrte ihm. Und der Teufel verlangte von Gott, daß des Königs Taten gewogen würden; und wessen Schale dann schwerer sei, dem solle der Zuspruch geschehen. Michael nahm die Waage und warf in die eine Schale, was Rudolf Gutes, in die andere, was er Böses getan hatte; und wie die Schalen schwankten und sachte die gute niederzog, wurde dem Teufel angst, daß seine auffahre; und schnell klammerte er sich von unten dran fest, daß sie schwer hinuntersank. Da rief Michael: »Wehe, der erste Zug geht zum Gericht!« Drauf hebt er zum zweitenmal die Waage, und abermal hängt sich Satan unten dran und machte seine Schale lastend. »Wehe«, sprach der Engel, »der zweite Zug geht zum Gericht!« Und zum drittenmal hob er und zögerte; da erblickte er die Krallen des Drachen am schmalen Rand der Waagschale, die sie niederdrückten. Da zürnte Michael und verfluchte den Teufel, daß er zur Hölle fuhr; langsam, nach langem Streit hob sich die Schale des Guten um eines Haares Breite, und des Königs Seele war gerettet.

Ein Rabe entführte der Gräfin Idda von Toggenburg, des Geschlechtes von Kirchberg, ihren Brautring durch ein offenes Fenster. Ein Dienstmann des Grafen Heinrichs, ihres Gemahls, fand ihn und nahm ihn auf; der Graf erkannte ihn an dessen Finger. Wütend eilte er zu der unglücklichen Idda und stürzte sie in den Graben der hohen Toggenburg; den Dienstmann ließ er am Schweif eines wilden Pferdes die Felsen herunterschleifen. Indes erhielt sich die Gräfin im Herabfall an einem Gesträuch, wovon sie sich nachts losmachte. Sie ging in einen Wald, lebte von Wasser und Wurzeln; als ihre Unschuld klar geworden, fand ein Jäger die Gräfin Idda. Der Graf bat viel; sie wollte nicht mehr bei ihm leben, sondern blieb still und heilig im Kloster zu Fischingen.

514. AUSWANDERUNG DER SCHWEIZER

Es war ein altes Königreich im Lande gegen Mitternacht, im Lande der Schweden und Friesen[1]; über dasselbe kam Hunger und teure Zeit. In dieser Not sammelte sich die Gemeinde; durch die meisten Stimmen wurde beschlossen, daß jeden Monat das Volk zusammenkommen und losen sollte; wen das Los träfe, der müsse bei Lebensstrafe aus dem Land ziehen, Hohe und Niedere, Männer, Weiber und Kinder. Dies geschah eine Zeitlang; aber es half bald nicht aus, und man wußte den Menschen keine Nahrung mehr zu finden. Da versammelte sich nochmals der Rat und verordnete, es solle nun alle acht Tage der zehnte Mann losen, auswandern und nimmermehr wiederkehren. So geschah der Ausgang aus dem Land in Mitternacht, über hohe Berge und tiefe Täler, mit großem Wehklagen aller Verwandten und Freunde; die Mütter führten ihre unmündigen Kinder. In drei

1 Das Lied nennt den damaligen König Risbert und den Grafen Christoph von Ostfriesland.

Haufen zogen die Schweden, zusammen sechstausend Männer, groß wie die Riesen, mit Weib und Kindern, Hab und Gut. Sie schwuren, sich einander nie zu verlassen, und erwählten drei Hauptleute über sich durchs Los, deren Namen waren Switer (Schweizer), Swey und Hasius. Zwölfhundert Friesen schlossen sich ihnen an. Sie wurden reich an fahrendem Gut durch ihren sieghaften Arm. Als sie durch Franken zogen und über den Rheinstrom wollten, ward es Graf Peter von Franken kund und andern; die machten sich auf, wollten ihrem Zug wehren und ihnen die Straße verlegen. Die Feinde dachten, mit ihrem starken Heer das arme Volk leicht zu bezwingen, wie man Hunde und Wölfe jagt, und ihnen Gut und Waffen zu nehmen. Aber die Schweizer schlugen sich glücklich durch, machten große Beute und baten zu Gott um ein Land wie das Land ihrer Altvordern, wo sie möchten ihr Vieh weiden in Frieden; da führte sie Gott in die eine Gegend, die hieß das Brochenburg. Da wuchs gut Fleisch und auch Milch und viel schönes Korn; daselbst saßen sie nieder und bauten Schwytz, genannt nach Schwyzer, ihrem ersten Hauptmann. Das Volk mehrte sich, in dem Tal war nicht Raum genug, sie hatten manchen schweren Tag, eh ihnen das Land Nutzen gab; den Wald ausrotten war ihr Geigenbogen. Ein Teil der Mengen zog ins Land an den schwarzen Berg, der jetzt Brauneck heißt. Sie zogen über das Gebirg ins Tal, wo die Aar rinnt, da werkten sie emsig zu Tag und Nacht und bauten Hütten. Die aber aus der Stadt Häßle in Schweden stammten, besetzten Hasli im Weißland (Oberhasli) und wohnten daselbst unter Hasius, dem dritten Hauptmann. Der Graf von Habsburg gab ihnen seine Erlaubnis dazu. Gott hatte ihnen das Land gegeben, daß sie drinnen sein sollten; aus Schweden waren sie geboren, trugen Kleider aus grobem Zwillich, nährten sich von Milch, Käs und Fleisch und erzogen ihre Kinder damit.

Hirten wußten noch zwischen 1777–80 zu erzählen, wie in alten Jahrhunderten das Volk von Berg zu Berg, aus Tal in Tal, nach Frutigen, Obersibental, Sanen, Afflentsch und Jaun gezogen;

jenseits Jaun wohnen andere Stämme. Die Berge waren aber vor
den Tälern bewohnt.

515. DIE OCHSEN AUF DEM ACKER ZU MELCHTAL

Es saß zu Sarnen einer von Landenberg, der war daselbst Vogt;
der vernahm, daß ein Landmann in Melchtal einen hübschen
Zug Ochsen hätte; da fuhr er zu, schickte einen Knecht und hieß
ihm die Ochsen bringen: Bauern sollten den Pflug ziehen, er
wolle die Ochsen haben. Der Knecht tat, was ihm befohlen war.
Nun hatte der arme fromme Landmann einen Sohn; als der
Knecht die Joche der Ochsen aufbinden wollte, schlug der Sohn
mit dem Garb (Stecken) dem Knecht die Finger entzwei. Der
gehub sich übel, lief heim und klagte. Der gute arme Knab
versah sich wohl: wo er nicht wiche, daß er darum leiden müßte,
floh und entrann. Der Herr ward zornig und schickte noch mehr
Leute aus, da war der Junge entronnen; da fingen sie den alten
Vater, dem ließ der Herr die Augen ausstechen und nahm ihm,
was er hatte.

516. DER LANDVOGT IM BAD

Zu den Zeiten war auch ein Biedermann auf Allzellen im Wald
gesessen, der hatte eine schöne Frau, die gefiel dem Landvogt
und hätte sie gern zu seinem Willen gehabt. Weil er aber sah, daß
das wider den Willen der Frau war, und sie ihn bat, abzustehen
und sie unbekümmert zu lassen, denn sie wolle fromm bleiben:
da dachte er die Frau zu zwingen. Eines Tages ritt er zu der
Frauen Haus; da war der Mann ungefähr zu Holz gefahren; da
zwang er die Frau, daß sie ihm ein Bad machen mußte, das tat sie
unwillig. Da das Bad gemacht war, saß der Herr hinein und
wollte, daß die Frau sich zu ihm ins Bad setzte; das war die gute
Frau nicht willens und verzog die Sache, solange sie mochte, bat

Gott, daß er ihre Ehre beschirmen und beschützen möge. Und Gott der Herr verließ sie in ihren Nöten nicht; denn da sie am größten waren, kam der Mann eben beizeit aus dem Walde; und wäre er nicht gekommen, so hätte die Frau des Herrn Willen tun müssen. Da der Mann gekommen war und seine Frau traurig stehen sah, fragte er, was ihr wäre, warum sie ihn nicht fröhlich empfänge. »Ach, lieber Mann«, sagte sie, »unser Herr ist da innen und zwang mich, ihm ein Bad zu richten; und wollte gehabt haben, daß ich zu ihm säße, seinen Mutwillen mit mir zu verbringen, das hab ich nicht wollen tun.« Der Mann sprach: »Ist dem also, so schweig still, und sei Gott gelobt, daß du deine Ehre behalten hast; ich will ihm schon das Bad gesegnen, daß er's keiner mehr tut.« Und ging hin zum Herrn, der noch im Bad saß und der Frauen wartete, und schlug ihn mit der Axt zu Tode. Das alles wollte Gott.

517. DER BUND IN RÜTLI

Einer von Schwyz, genannt Stöffacher, saß zu Steinen, dieshalb der Burg, der hatte gar ein hübsches Haus erbaut. Da ritt auf eine Zeit Grißler, Vogt zu des Reichs Handen in Uri und Schwyz, vorüber, rief dem Stöffacher und fragte: wes die schöne Herberg wäre? Sprach der Mann: »Euer Gnaden und mein Lehen«, wagte aus Furcht nicht, zu sprechen: Sie ist mein. Grißler schwieg still und zog heim. Nun war der Stöffacher ein kluger, verständiger Mann, hatte auch eine fromme weise Frau: der setzte sich die Sache zu Herzen und dachte, der Vogt nähme ihm noch Leib und Gut. Die Frau aber, als sie ihn bekümmert sah, fragte ihn aus; er sagte ihr alles. Da sagte sie: »Des wird noch Rat, geh und klag es deinen vertrauten Freunden.« So geschah es bald, daß drei Männer zusammenkamen, einer von Uri, der von Schwyz und der Unterwaldner, dem man den Vater geblendet hatte. Diese drei schwuren heimlich den ersten Eid, des ewigen Bundes Anfang, daß sie wollten Recht mehren, Unrecht niederdrücken und Böses strafen; darum gab ihnen Gott Glück. Wann sie aber ihre Anschläge tun wollten, fuhren sie an den Mittenstein, an ein Ende, heißt im Bettlin, da tageten sie zusammen im Rütli.

518. WILHELM TELL

Es fügte sich, daß des Kaisers Landvogt, genannt der Grißler[1], gen Uri fuhr; als er da eine Zeit wohnte, ließ er einen Stecken unter der Linde, da jedermann vorbeigehen mußte, richten, legte einen Hut drauf und hatte einen Knecht zur Wacht dabeisitzen. Darauf gebot er durch öffentlichen Ausruf: Wer der wäre, der da vorüberginge, sollte sich dem Hut neigen, als ob der Herr selber zugegen sei; und übersähe es einer und täte es nicht, den wollte er mit schweren Bußen strafen. Nun war ein frommer Mann im Lande, hieß Wilhelm Tell, der ging vor dem Hut über und neigte ihm keinmal; da verklagte ihn der Knecht, der des Hutes wartete, bei dem Landvogt. Der Landvogt ließ den Tell vor sich bringen und fragte: warum er dem Stecken und Hut nicht neige, als doch geboten sei? Wilhelm Tell antwortete: »Lieber Herr, es ist von ungefähr geschehen; dachte nicht, daß es Euer Gnad so hoch achten und fassen würde; wär ich witzig, so hieß ich anders dann der Tell.« Nun war der Tell gar ein guter Schütz, wie man sonst keinen im Lande fand, hatte auch hübsche Kinder, die ihm lieb waren. Da sandte der Landvogt, ließ die Kinder holen, und als sie gekommen waren, fragte er Tellen, welches Kind ihm das allerliebste wäre. »Sie sind mir alle gleich lieb.« Da sprach der Herr: »Wilhelm, du bist ein guter Schütz, und find't man nicht deinsgleichen; das wirst du mir jetzt bewähren; denn du sollst deiner Kinder einem den Apfel vom Haupte schießen. Tust du das, so will ich dich für einen guten Schützen achten.« Der gute Tell erschrak, fleht um Gnade und daß man ihm solches erließe, denn es wäre unnatürlich; was er ihm sonst hieße, wolle er gerne tun. Der Vogt aber zwang ihn

1 Sonst Geßler. Spiel und Lied nennen ihn gar nicht mit Namen.

mit seinen Knechten und legte dem Kinde den Apfel selbst aufs Haupt. Nun sah Tell, daß er nicht ausweichen konnte, nahm den Pfeil und steckte ihn hinten in seinen Göller, den andern Pfeil nahm er in die Hand, spannte die Armbrust und bat Gott, daß er sein Kind behüten wolle; zielte und schoß glücklich ohne Schaden den Apfel von des Kindes Haupt. Da sprach der Herr, das wäre ein Meisterschuß. »Aber eins wirst du mir sagen: Was bedeutet, daß du den ersten Pfeil hinten ins Göller stießest?« Tell sprach: »Das ist so Schützengewohnheit.« Der Landvogt ließ aber nicht ab und wollte es eigentlich hören; zuletzt sagte Tell, der sich fürchtete, wenn er die Wahrheit offenbarte: wenn er ihm das Leben sicherte, wolle er's sagen. Als das der Landvogt getan, sprach Tell: »Nun wohl! Sintemal Ihr mich des Lebens gesichert, will ich das Wahre sagen.« Und fing an und sagte: »Ich hab es darum getan: hätte ich des Apfels gefehlt und mein Kindlein geschossen, so wollte ich Euer mit dem andern Pfeil nicht gefehlt haben.« Da das der Landvogt vernahm, sprach er: »Dein Leben ist dir zwar zugesagt; aber an ein Ende will ich dich legen, da dich Sonne und Mond nimmer bescheinen«; ließ ihn fangen und binden und in denselben Nachen legen, auf dem er wieder nach Schwyz schiffen wollte. Wie sie nun auf dem See fuhren und kamen bis gen Axen hinaus, stieß sie ein grausamer starker Wind an, daß das Schiff schwankte und sie elend zu verderben meinten; denn keiner wußte mehr dem Fahrzeug vor den Wellen zu steuern. Indem sprach einer der Knechte zum Landvogt: »Herr, hießet Ihr den Tell aufbinden, der ist ein starker, mächtiger Mann und versteht sich wohl auf das Wetter: so möchten wir wohl aus der Not entrinnen.« Sprach der Herr und rief dem Tell: »Willst du uns helfen und dein Bestes tun, daß wir von hinnen kommen, so will ich dich heißen aufbinden.« Da sprach der Tell: »Ja, gnädiger Herr, ich will's gerne tun und getraue mir's.« Da ward Tell aufgebunden und stand an dem Steuer und fuhr redlich dahin; doch so lugte er allenthalben auf seinen Vorteil und auf seine Armbrust, die nah bei ihm am Boden lag. Da er nun kam gegen einer großen Platte – die man seither stets genannt hat des Tellen

Platte und noch heutbeitag also nennet –, deucht es ihm Zeit zu sein, daß er entrinnen konnte; rief allen munter zu, fest anzuziehen, bis sie auf die Platte kämen, denn wann sie davorkämen, hätten sie das Böseste überwunden. Also zogen sie der Platte nah, da schwang er mit Gewalt, als er denn ein mächtig starker Mann war, den Nachen, griff seine Armbrust und tat einen Sprung auf die Platte, stieß das Schiff von ihm und ließ es schweben und schwanken auf dem See. Lief durch Schwyz schattenhalb (im dunkeln Gebirg), bis daß er kam gen Küßnacht in die hohle Gassen; da war er vor dem Herrn hingekommen und wartete sein daselbst. Und als der Landvogt mit seinen Dienern geritten kam, stand Tell hinter einem Staudenbusch und hörte allerlei Anschläge, die über ihn gingen, spannte die Armbrust auf und schoß einen Pfeil in den Herrn, daß er tot umfiel. Da lief Tell hinter sich über die Gebirge gen Uri, fand seine Gesellen und sagte ihnen, wie es ergangen war.

519. DER KNABE ERZÄHLT'S DEM OFEN

Als auch Luzern dem ewigen Bunde beigetreten war, da wohnten doch noch östereichisch Gesinnte in der Stadt, die erkannten sich an den roten Ärmeln, die sie trugen. Diese Rotärmel versammelten sich einer Nacht unter dem Schwibbogen, willens, die Eidgenossen zu überfallen. Und wiewohl sonst niemand um so späte Zeit an den Ort zu gehen pflegte, geschah es damals durch Gottes Schickung, daß ein junger Knab unter dem Bogen gehen wollte, der hörte die Waffen klirren und den Lärm, erschrak und wollte fliehen. Sie aber holten ihn ein und drohten hart: wenn er einen Laut von sich gebe, müsse er sterben. Drauf nahmen sie ihm einen Eid ab, daß er's keinem Menschen sagen wolle; er aber hörte alle ihre Anschläge und entlief ihnen unter dem Getümmel, ohne daß man sein achtete. Da schlich er und lugte, wo er Licht sähe; und sah ein groß Licht auf der Metzgerstube, war froh und legte sich dahinten auf den Ofen. Es waren noch Leute da, die tranken und spielten. Und der gute Knab fing laut zu reden an: »O Ofen, Ofen!« und redete nichts weiter. Die andern hatten aber kein acht drauf. Nach einer Weile fing er wieder an: »O Ofen, Ofen, dürft ich reden.« Das hörten die Gesellen, schnarzten ihn an: »Was Gefährts treibst du hinterm Ofen? Hat er dir ein Leid getan, bist du ein Narr, oder was sonst, daß du mit ihm schwatzest?« Da sprach der Knab: »Nichts, nichts, ich sage nichts«, aber eine Weile drauf hub er an zum drittenmal und sagte laut:

> »O Ofen, Ofen, ich muß dir klagen,
> ich darf es keinem Menschen sagen«;

setzte hinzu, daß Leute unterm Schwibbogen stünden, die wollten heut einen großen Mord tun. Da die Gesellen das hörten, fragten sie nicht lange nach dem Knaben, liefen und taten's jedermann kund, daß bald die ganze Stadt gewarnt wurde.

520.   DER LUZERNER HARSCHHÖRNER

Die Schweizer brauchen Trompeten, Trummeln und Pfeifen, doch ist ein großer Unterschied zwischen dem landsknechtischen und eidgenössischem Schlag; denn der ist etwas gemächer. Die von Uri haben einen Mann dazu verordnet, den man den Stier von Uri nennt, der im Krieg ein Horn von einem wilden Urochsen bläst, schön mit Silber beschlagen. Die von Luzern brauchen aber ehrine Harschhörner, die gab ihnen König Karl zu Ehren, als sie tapfer stritten in der Runzifaller Schlucht. Da gönnte er ihnen, daß sie immerdar Hörner führen möchten und sollten, wie sie Roland, sein eigner Vetter, auch geführt.

Warin war ein Graf zu Altorf und Ravensburg in Schwaben, sein Sohn hieß Isenbart und Irmentrut dessen Gemahlin. Es geschah, daß ein armes Weib unweit Altorf drei Kindlein auf einmal zur Welt brachte; als das Irmentrut, die Gräfin, hörte, rief sie aus: »Es ist unmöglich, daß dies Weib drei Kinder von einem Mann haben könne ohne Ehbruch.« Dieses redete sie öffentlich vor Graf Isenbart, ihrem Herrn, und allem Hofgesinde, und diese Ehebrecherin verdiene nichts anders, als in einen Sack gesteckt und ertränkt zu werden.

Das nächste Jahr wurde die Gräfin selbst schwanger und gebar, als der Graf eben ausgezogen war, zwölf Kindlein, eitel Knaben. Zitternd und zagend, daß man sie nun gewiß, ihren eigenen Reden nach, Ehbruchs zeihen würde, befahl sie der Kellnerin, die andern elfe (denn das zwölfte behielt sie) in den nächsten Bach zu tragen und zu ersäufen. Indem nun die Alte diese elf unschuldigen Knäblein, in ein großes Becken gefaßt, in den vorfließenden Bach, die Scherz genannt, tragen wollte, schickte es Gott, daß der Isenbart selber heimkam und die Alte frug, was sie da trüge. Welche antwortete, es wären Welfe oder junge Hündlein. »Laß schauen«, sprach der Graf, »ob mir einige zur Zucht gefallen, die ich zu meiner Notdurft hernach gebrauchen will.« – »Ei, Ihr habt Hunde genug«, sagte die Alte und weigerte sich, »Ihr möchtet ein Grauen nehmen, sähet Ihr einen solchen Wulst und Unlust von Hunden.« Allein der Graf ließ nicht ab und zwang sie hart, die Kinder zu blößen und zu zeigen. Da er nun die elf Kindlein erblickte, wiewohl klein, doch von adliger, schöner Gestalt und Art, fragte er heftig und geschwind, wes die Kinder wären. Und als die alte Frau bekannte und ihn des ganzen Handels verständigte, wie daß nämlich die Kindlein seinem Gemahl zuständen, auch aus was Ursach sie hätten umgebracht werden sollen, befahl der Graf diese Welfen einem reichen Müller der Gegend, welcher sie aufziehen sollte; und verbot der Alten ernstlich, daß sie wiederum zu ihrer Frau ohne Furcht und Scheu gehen und nichts anders sagen sollte: ihr Befehl sei ausgerichtet und vollzogen worden.

Sechs Jahre hernach ließ der Graf die elf Knaben, adlig geputzt und geziert, in sein Schloß, da jetzo das Kloster Weingarten stehet, bringen, lud seine Freundschaft zu Gast und machte sich fröhlich. Wie das Mahl schier vollendet war, hieß er aber die elf Kinder, alle rot gekleidet, einführen; und alle waren dem zwölften, den die Gräfin behalten hatte, an Farbe, Gliedern, Gestalt und Größe so gleich, daß man eigentlich sehen konnte, wie sie von einem Vater gezeugt und unter einer Mutter Herzen gelegen wären.

Unterdessen stand der Graf auf und frug feierlich seine gesamte Freundschaft, was doch ein Weib, die so herrlicher Knaben elfe umbringen wollen, für einen Tod verschulde. Machtlos und ohnmächtig sank die Gräfin bei diesen Worten hin; denn das Herz sagte ihr, daß ihr Fleisch und Blut zugegen waren; als sie wieder zu sich gebracht worden, fiel sie dem Grafen mit Weinen zu Füßen und flehte jämmerlich um Gnade. Da nun alle Freunde Bitten für sie einlegten, so verzieh der Graf ihrer Einfalt und kindlichen Unschuld, aus der sie das Verbrechen begangen hatte. Gottlob, daß die Kinder am Leben sind.

Zum ewigen Gedächtnis der wunderbaren Geschichte begehrte und verordnete in seiner Freunde Gegenwart der Graf, daß seine Nachkommen sich fürder nicht mehr Grafen zu Altorf, sondern Welfen und sein Stamm der Welfen Stamm heißen sollten.

Andere berichten des Namens Entstehung auf folgende verschiedene Art:

Der Vorfahre dieses Geschlechtes habe sich an des Kaisers Hof aufgehalten, als er von seiner eines Sohnes entbundenen Gemahlin zurückgerufen wurde. Der Kaiser sagte scherzweise: »Was eilst du um eines Welfen willen, der dir geboren ist?« Der Ritter antwortete: Weil nun der Kaiser dem Kind den Namen gegeben, solle das gelten; und bat ihn, es zur Taufe zu halten, welches geschah.

Herzog Friedrich von Schwaben, Konrads Sohn, überwand die
Bayern unter ihrem Herzog Heinrich und dessen Bruder Welf
in dem Ries (Holz) bei Neresheim. Welf entfloh aus der
Schlacht, wurde aber im nächsten Streit vor Winsperg erstochen. Und war die Krei (Schlachtgeschrei) des bayrischen
Heeres: »Hie Welf!« aber der Schwaben: »Hier Gibling!« und
ward die Krei genommen von einem Wiler, darin die Säugamme
Friedrichs war; und wollte damit bezeugen, daß er durch seine
Stärke, die er durch die Bauernmilch empfangen hätte, die
Welfen überwinden könne.

523. HERZOG BUNDUS, GENANNT DER WOLF

Herzog Balthasar von Schwaben hatte Herzog Albans von
München Tochter zur Ehe, die gebar ihm in vierzehn Jahren kein
Kind. Da hatte der Herzog einen Jäger, dem er in allen Dingen
traute; mit dem legte er's an, wenn des Jägers Frau schwanger
würde, daß er es heimlich hielte, so sollte sein Gemahl tun, als ob
sie schwanger wäre. Wann dann sein Weib genese, solle er das
Kind bringen und es die Herzogin für ihres ausgeben. Das
geschah. Da war große Freude und nannten das Kind Bundus.
Nun hatten des Jägers Nachbarn zu derselben Nacht etwas
Ungeheures gehört, die fragten, was es gewesen wäre. Er sagte
ihnen, seine Jagdhunde hätten gewelfet. Da der Knabe vierzehn
Jahre alt war, da wollt er nun bei den Jägern sein; und da er in
dem zweiundzwanzigsten Jahre war, starb der alte Herzog; da
wollten sie dem Jungen eine Frau geben, die Herzogin von
Geldern. Indem schlug der Jäger einen am Hof und wurde in den
Turm gelegt; da kam des Jägers Weib, begehrte heimlich mit
dem Herrn zu reden. Das trieb sie so ernstlich, daß sie der Herr
ein hieß gehen und jedermann hinaus. Da fiel sie ihm um den
Hals und sprach: »Herzlieber Sohn!« und sagte ihm, daß der

Jäger sein Vater wäre und wie es ein Gestalt hätte ganz überall. Da erschrak er von Herzen sehr und besandte seinen Beichtvater; der wollte ihm nicht raten, ein Weib zu nehmen, er möge dann seine Seele verlieren. Da nahm er Hugo, des Herrn vom Heiligenberg Sohn, zu sich und hieß ihm die Herzogin von Geldern geben, mit aller Landsherren Willen; und kam mit ihnen überein, daß dieser sein Lebtag das Herzogtum inhaben und beherrschen sollte. Herzog Bundus aber nahm viel Geld und einige liegende Güter, damit kam er ins Gotteshaus Altorf, diente Gott ernstlich neunundzwanzig Jahr. Und als er sterben wollte, besandte er Herzog Hugo und die mächtigsten Landesherren und offenbarte ihnen, wes Sohn er wäre, und den ganzen Verlauf. Da ward er geheißen Herzog Wolf (Welf) und also in die Gedächtnis und Jahrzahl geschrieben.

524. HEINRICH MIT DEM GÜLDENEN WAGEN

Zu Zeiten König Ludwigs von Frankreich lebte in Schwaben Eticho der Welf, ein reicher Herr, gesessen zu Ravensburg und Altorf; seine Gemahlin hieß Judith, Königstochter aus Engelland, und ihr Sohn Heinrich. Eticho war so reich und stolz, daß er einen güldenen Wagen im Schilde führte, und wollte sein Land weder von Kaiser noch König in Lehen nehmen lassen; verbot es auch Heinrich, seinem Sohne. Dieser aber, dessen Schwester Kaiser Ludwig vermählt war, ließ sich einmal von derselben bereden, daß er dem Kaiser ein Land abforderte und bat, ihm so viel zu verleihen, als er mit einem güldenen Wagen in einem Vormittag umfahren könnte in Bayern. Das geschah, Ludwig aber traute ihm nicht solchen Reichtum zu, daß er einen güldenen Wagen vermöchte. Da hatte Heinrich immer frische Pferde und umfuhr einen großen Fleck Lands und hatte einen güldenen Wagen im Schoß. Ward also des Kaisers Mann. Darum nahm sein Vater, im Zorn und aus Scham, sein edles Geschlecht so erniedrigt zu sehen, zwölf Edelleute zu sich, ging in einen Berg und blieb darinnen, vermachte das Loch, daß ihn niemand finden konnte. Das geschah bei dem Scherenzer[1] Walde, darin verhärmte er sich mit den zwölf Edelleuten.

525. HEINRICH MIT DEM GOLDENEN PFLUGE

Eticho der Welf liebte die Freiheit dergestalt, daß er Heinrich, seinem Sohne, heftig abriet, er möchte kein Land vom Kaiser zu Lehen tragen. Heinrich aber, durch Zutun seiner Schwester Judith, die Ludwig dem Frommen die Hand gegeben hatte, tat sich in des Kaisers Schutz und Dienst und erwarb von ihm die Zusage, daß ihm so viel Landes geschenkt sein solle, als er mit seinem Pfluge zur Mittagszeit umgehen könne. Heinrich ließ darauf einen goldenen Pflug schmieden, den er unter seinem Kleide barg; und zur Mittagszeit, da der Kaiser Schlaf hielt, fing er an, das Land zu umziehen. Er hatte auch an verschiedenen Orten Pferde bereit stehen, wenn sie ermüdeten, gleich umzuwechseln. Endlich, wie er eben einen Berg überreiten wollte, kam er an ein böses Mutterpferd, das gar nicht zu bezwingen war, so daß er es nicht besteigen konnte. Daher der Berg davon Mährenberg heißt bis auf den heutigen Tag; und die Ravensburger Herren das Recht behaupten, daß sie nicht genötigt werden können, Stuten zu besteigen. Mittlerweile war der Kaiser aufgewacht, und Heinrich mußte einhalten. Er ging mit seinem Pfluge an den Hof und erinnerte Ludwig an das gegebene Wort. Dieser hielt es auch; wiewohl es ihm leid tat, daß er so belistet und um ein großes Land gebracht worden. Seitdem führte Heinrich den Namen eines Herrn von Ravensburg; denn Ravensburg lag mit im umgepflügten Gebiet, da seine Vorfahren bloß Herren von Altorf geheißen hatten.

Als aber Eticho hörte, daß sich sein Sohn hatte belehnen lassen, machte er sich traurig auf aus Bayern, zog mit zwölfen seiner treuesten Diener auf das Gebirg, ließ alle Zugänge sperren und

1 Scerenzerewald ist die älteste und beste Lesart; andere haben Scherendewald.

blieb da bis in sein Lebensende. Späterhin hieß einer seiner Nachfahren, um Gewißheit dieser Sage zu erlangen, die Gräber auf dem Gebirg suchen und die Totenbeine ausgraben. Da er nun die Wahrheit völlig daran erkannt hatte, ließ er an dem Ort eine Kapelle bauen und sie da zusammen bestatten.

526. HEINRICH DER LÖWE

Zu Braunschweig stehet aus Erz gegossen das Denkmal eines Helden, zu dessen Füßen ein Löwe liegt; auch hängt im Dom daselbst eines Greifen Klaue. Davon lautet folgende Sage: Vorzeiten zog Herzog Heinrich, der edle Welf, nach Abenteuern aus. Als er in einem Schiff das wilde Meer befuhr, erhub sich ein heftiger Sturm und verschlug den Herzogen; lange Tage und Nächte irrte er, ohne Land zu finden. Bald fing den Reisenden die Speise an auszugehen, und der Hunger quälte sie schrecklich. In dieser Not wurde beschlossen, Lose in einen Hut zu werfen; und wessen Los gezogen ward, der verlor das Leben und mußte der andern Mannschaft mit seinem Fleische zur Nahrung dienen; willig unterwarfen sich diese Unglücklichen und ließen sich für den geliebten Herrn und ihre Gefährten schlachten. So wurden die übrigen eine Zeitlang gefristet; doch schickte es die Vorsehung, daß niemals des Herzogen Los herauskam. Aber das Elend wollte kein Ende nehmen; zuletzt war bloß der Herzog mit einem einzigen Knecht noch auf dem ganzen Schiff lebendig, und der schreckliche Hunger hielt nicht stille. Da sprach der Fürst: »Laß uns beide losen, und auf wen es fällt, von dem speise sich der andere.« Über diese Zumutung erschrak der treue Knecht, doch so dachte er, es würde ihn selbst betreffen, und ließ es zu; siehe, da fiel das Los auf seinen edlen, liebwerten Herrn, den jetzt der Diener töten sollte. Da sprach der Knecht: »Das tu ich nimmermehr, und wenn alles verloren ist, so habe ich noch ein andres ausgesonnen; ich will Euch in einen ledernen Sack einnähen, wartet dann, was geschehen wird.« Der Herzog gab seinen Willen dazu; der Knecht nahm die Haut eines Ochsen, den sie vordem auf dem Schiffe gespeist hatten, wickelte den Herzogen darein und nähte sie zusammen; doch hatte er sein Schwert neben ihn mit hineingesteckt. Nicht lange, so kam der Vogel Greif geflogen, faßte den ledernen Sack in die Klauen und trug ihn durch die Lüfte über das weite Meer bis in sein Nest. Als der Vogel dies bewerkstelligt hatte, sann er auf einen neuen Fang, ließ die Haut liegen und flog wieder aus. Mittlerweile faßte Herzog Heinrich das Schwert und zerschnitt die Nähte des Sackes; als die jungen Greifen den lebendigen Menschen erblickten, fielen sie gierig und mit Geschrei über ihn her. Der teure Held wehrte sich tapfer und schlug sie sämtlich zu Tode. Als er sich aus dieser Not befreit sah, schnitt er eine Greifenklaue ab, die er zum Andenken mit sich nahm, stieg aus dem Neste den hohen Baum hernieder und befand sich in einem weiten, wilden Wald. In diesem Wald ging der Herzog eine gute Weile fort; da sah er einen fürchterlichen Lindwurm wider einen Löwen streiten, und der Löwe schwebte in großer Not, zu unterliegen. Weil aber der Löwe insgemein für ein edles und treues Tier gehalten wird und der Wurm für ein böses, giftiges, säumte Herzog Heinrich nicht, sondern sprang dem Löwen mit seiner Hilfe bei. Der Lindwurm schrie, daß es durch den Wald erscholl, und wehrte sich lange Zeit; endlich gelang es dem Helden, ihn mit seinem guten Schwerte zu töten. Hierauf nahte sich der Löwe, legte sich zu des Herzogs Füßen neben den Schild auf den Boden und verließ ihn nimmermehr von dieser Stunde an. Denn als der Herzog nach Verlauf einiger Zeit, während welcher das treue Tier ihn mit gefangenem Hirsch und Wild ernähret hatte, überlegte, wie er aus dieser Einöde und der Gesellschaft des Löwen wieder unter die Menschen gelangen könnte, baute er sich eine Horde aus zusammengelegtem Holz, mit Reis durchflochten, und setzte sie aufs Meer. Als nun einmal der Löwe in den Wald zu jagen gegangen war, bestieg Heinrich sein Fahrzeug und stieß vom Ufer ab. Der Löwe aber, welcher zurückkehrte und seinen Herrn nicht mehr fand, kam zum Gestade und erblickte ihn aus weiter Ferne; alsbald sprang er in die Wogen und schwamm so lange, bis er auf dem Floß bei dem Herzogen war, zu dessen Füßen er sich ruhig niederlegte. Hierauf fuhren sie eine Zeitlang auf den Meereswellen, bald überkam sie Hunger und Elend. Der Held betete und wachte, hatte Tag und Nacht keine Ruh; da erschien ihm der böse Teufel und sprach: »Herzog, ich bringe dir Botschaft; du schwebst hier in Pein und Not auf dem offenen Meere, und daheim zu Braunschweig ist lauter Freude und Hochzeit; heute an diesem Abend hält ein Fürst aus fremden Landen Beilager mit deinem Weibe; denn die gesetzten sieben Jahre seit deiner Ausfahrt sind verstrichen.« Traurig versetzte Heinrich, das möge wahr sein, doch wolle er sich zu Gott lenken, der alles wohl mache. »Du redest noch viel von Gott«, sprach der Versucher, »der hilft dir nicht aus diesen Wasserwogen; ich aber will dich noch heute zu deiner Gemahlin führen, wofern du mein sein willst.« Sie hatten ein lang Gespräche, der Herr wollte sein Gelübde gegen Gott, dem ewigen Licht, nicht brechen; da schlug ihm der Teufel vor, er wolle ihn ohne Schaden samt dem Löwen noch heut abend auf den Giersberg vor Braunschweig tragen und hinlegen, da solle er seiner warten; finde er ihn nach der Zurückkunft schlafend, so sei er ihm und seinem Reiche verfallen. Der Herzog, welcher von heißer Sehnsucht nach seiner geliebten Gemahlin gequält wurde, ging dieses ein und hoffte auf des Himmels Beistand wider alle Künste des Bösen. Alsbald ergriff ihn der Teufel, führte ihn schnell durch die Lüfte bis vor Braunschweig, legte ihn auf dem Giersberg nieder und rief: »Nun wache, Herr! Ich kehre bald wieder.« Heinrich aber war aufs höchste ermüdet, und der Schlaf setzte ihm mächtig zu. Nun fuhr der Teufel zurück und wollte den Löwen, wie er verheißen hatte, auch abholen; es währte nicht lange, so kam er mit dem treuen Tier dahergeflogen. Als nun der Teufel, noch aus der Luft herunter, den Herzog in Müdigkeit versenkt auf dem Giersberge ruhen sah, freute er sich schon im voraus; allein der Löwe, der seinen Herrn für tot hielt, hub laut zu schreien an, daß Heinrich in demselben Augenblicke erwachte. Der böse Feind sah nun sein Spiel verloren und bereute es zu spät, das wilde Tier herbeigeholt zu haben; er warf den Löwen aus der Luft zu Boden, daß es krachte. Der Löwe kam glücklich auf den Berg zu seinem Herrn, welcher Gott dankte und sich aufrichtete, um, weil es Abend werden wollte, hinab in die Stadt Braunschweig zu gehen. Nach der Burg war sein Gang, und der Löwe folgte ihm immer nach, großes Getön scholl ihm entgegen. Er wollte in das Fürstenhaus treten, da wiesen ihn die Diener zurück. »Was heißt das Getön und Pfeifen?« rief Heinrich aus, »sollte doch wahr sein, was mir der Teufel gesagt? Und ist ein fremder Herr in diesem Haus?« – »Kein fremder«, antwortete man ihm, »denn er ist unsrer gnädigen Frauen verlobt und bekommt heute das Braunschweiger Land.« – »So bitte ich«, sagte der Herzog, »die Braut um einen Trunk Weins, mein Herz ist mir ganz matt.« Da lief einer von den Leuten hinauf zur Fürstin und hinterbrachte, daß ein fremder Gast, dem ein Löwe mitfolge, um einen Trunk Wein bitten lasse. Die Herzogin verwunderte sich, füllte ihm ein Geschirr mit Wein und sandte es dem Pilgrim. »Wer magst du wohl sein«, sprach der Diener, »daß du von diesem edlen Wein zu trinken begehrst, den man allein der Herzogin einschenkt?« Der Pilgrim trank, nahm seinen goldenen Ring und warf ihn in den Becher und hieß diesen der Braut zurücktragen. Als sie den Ring erblickte, worauf des Herzogs Schild und Name geschnitten war, erbleichte sie, stund eilends auf und trat an die Zinne, um nach dem Fremdling zu schauen. Sie ward den Herrn inne, der da mit dem Löwen saß; darauf ließ sie ihn in den Saal entbieten und fragen, wie er zu dem Ringe gekommen wäre und warum er ihn in den Becher gelegt hätte. »Von keinem hab ich ihn bekommen, sondern ihn selbst genommen, es sind nun länger als sieben Jahre; und den Ring hab ich hingeleget, wo er billig hingehöret.« Als man der Herzogin diese Antwort hinterbrachte, schaute sie den Fremden an und fiel vor Freuden zur Erde, weil sie ihren geliebten Gemahl erkannte; sie bot ihm ihre weiße Hand und hieß ihn willkommen. Da entstand große

Freude im ganzen Saal, Herzog Heinrich setzte sich zu seiner Gemahlin an den Tisch; dem jungen Bräutigam aber wurde ein schönes Fräulein aus Franken angetraut. Hierauf regierte Herzog Heinrich lange und glücklich in seinem Reich; als er in hohem Alter verstarb, legte sich der Löwe auf des Herrn Grab und wich nicht davon, bis er auch verschied. Das Tier liegt auf der Burg begraben, und seiner Treue zu Ehren wurde ihm eine Säule errichtet.

527. URSPRUNG DER ZÄHRINGER

Die Sage ist, daß die Herzöge von Zähringen vorzeiten Köhler sind gewesen und haben ihre Wohnung gehabt in dem Gebirg und den Wäldern hinter Zähring dem Schloß, da es dann jetzund stehet, und haben allda Kohlen gebrennt. Nun hat es sich begeben, daß der Köhler an einem Ort im Gebirg Kohlen brannte, Grund und Boden nahm und damit den Kohlhaufen, um ihn auszubrennen, bedeckte. Als er nun die Kohlen hinwegtat, fand er am Boden eine schwere geschmelzte Materie; und da er sie besichtigte, da ist es gut Silber gewesen. Also brennte er fürder immerdar an dem Orte seine Kohlen, deckte sie mit demselben Grund und Erdboden und fand aber Silber wie zuvor. Dabei konnte er merken, daß es des Berges Schuld wäre, behielt es geheim, brannte von Tag zu Tag Kohlen da und brachte großen Schatz Silbers zusammen.

Nun hat es sich damals ereignet, daß ein König vertrieben ward vom Reich und floh auf den Berg im Breisgau, genannt der Kaiserstuhl, mit Weib und Kindern und allem Gesinde, litt da viel Armut mit den Seinen. Ließ darauf ausrufen, wer da wäre, der ihm wollte Hilfe tun, sein Reich wiederzuerlangen, der sollte zum Herzoge gemacht und eine Tochter des Kaisers ihm gegeben werden. Da der Köhler das vernahm, fügte sich's, daß er mit einer Bürde Silbers vor den König trat und begehrte, er wolle sein Sohn werden und des Königs Tochter ehelichen, auch dazu Land und Gegend – wo jetzt Zähringen, das Schloß, und die Stadt Freiburg stehet – zu eigen haben; alsdann wolle er ihm einen solchen Schatz von Silber geben und überliefern, damit er sein ganzes Reich wiedergewinnen könne. Als der König solches vernahm, willigte er ein, empfing die Last Silbers und gab dem Köhler, den er zum Sohn annahm, die Tochter zur Ehe und die Gegend des Landes darzu, wie er begehret hatte. Da hub der Sohn an und ließ sein Erz schmelzen, überkam groß Gut damit und baute Zähringen samt dem Schloß; da macht ihn der römische König, sein Schwäher, zu einem Herzogen von Zähringen. Der Herzog baute Freiburg und andere umliegende Städte und Schlösser mehr; und wie er nun mächtig ward, zunahm an Gut, Gewalt und Ehre, hub er an und ward stolz und frevelhaft. Eines Tages, so rief er seinen eignen Koch und gebot, daß er ihm einen jungen Knaben briete und zurichte; denn ihn gelüste zu schmecken, wie gut Menschenfleisch wäre. Der Koch vollbrachte alles nach seines Herrn Befehl und Willen, und da der Knab gebraten war und man ihn zu Tische trug dem Herrn und er ihn sah vor sich stehen, da fiel Schrecken und Furcht in ihn und empfand Reu und Leid um diese Sünde. Da ließ er zur Sühne zwei Klöster bauen, mit Namen das eine zu St. Ruprecht und das andere zu St. Peter im Schwarzwald, damit ihm Gott der Herr barmherzig verzeihen möge und vergeben.

528. HERR PETER DIMRINGER VON STAUFENBERG

In der Ortenau unweit Offenburg liegt Staufenberg, das Stammschloß Ritter Peters Dimringer, vom dem die Sage lautet: Er hieß einen Pfingsttag früh den Knecht das Pferd satteln und wollte von seiner Feste gen Nußbach reiten, daselbst Metten zu hören. Der Knabe ritt voran, unterwegs am Eingang des Waldes sah er auf einem Stein eine wunderschöne, reichgeschmückte Jungfrau mutterallein sitzen; sie grüßte ihn, der Knecht ritt vorüber. Bald darauf kam Herr Peter selbst daher, sah sie mit Freuden, grüßte und sprach die Jungfrau freundlich an. Sie neigte ihm und sagte: »Gott danke dir deines Grußes.« Da stund Peter vom Pferde, sie bot ihm ihre Hände, und er hob sie vom Steine auf, mit Armen umfing er sie; sie setzten sich beide ins Gras und redeten, was ihr Wille war. »Gnade, schöne Fraue, darf ich fragen, was mir zu Herzen liegt, so sagt mir, warum Ihr hier so einsam sitzet und niemand bei Euch ist.« – »Das sag ich dir, Freund, auf meine Treue: weil ich hier dein warten wollte; ich liebe dich, seit du je Pferd überschrittest; und überall in Kampf und in Streit, in Weg und auf Straßen hab ich dich heimlich gepfleget und gehütet mit meiner festen Hand, daß dir nie kein Leid geschah.« Da antwortete der Ritter tugendlich: »Daß ich Euch erblickt habe, nichts Liebers konnte mir geschehen, und mein Wille wäre, bei Euch zu sein bis an den Tod.« – »Dies mag wohl geschehen«, sprach die Jungfrau, »wenn du meiner Lehre folgest: Willst du mich liebhaben, darfst du fürder kein ehelich Weib nehmen, und tätest du's doch, würde dein Leib den dritten Tag sterben. Wo du aber allein bist und mein begehrest, da hast du mich gleich bei dir und lebest glücklich und in Wonne.« Herr Peter sagte: »Frau, ist das alles wahr?« Und sie gab ihm Gott zum Bürgen der Wahrheit und Treue. Darauf versprach er sich ihr zu eigen, und beide verpflichteten sich zueinander. Die Hochzeit sollte auf der Frauen Bitte zu Staufenberg gehalten werden; sie gab ihm einen schönen Ring, und nachdem sie sich tugendlich angelacht und einander umfangen hatten, ritt Herr Peter weiter fort seine Straße. In dem Dorfe hörte er eine Messe lesen und tat sein Gebet, kehrte alsdann heim auf seine Feste, und sobald er allein in der Kemenate war, dachte er bei sich im Herzen: Wenn ich doch nun meine liebe Braut hier bei mir hätte, die ich draußen auf dem Stein fand! Und wie er das Wort ausgesprochen hatte, stand sie schon vor seinen Augen, sie küßten sich und waren in Freuden beisammen.

Also lebten sie eine Weile, sie gab ihm auch Geld und Gut, daß er fröhlich auf der Welt leben konnte. Nachher fuhr er aus in die Lande, und wohin er kam, war seine Frau bei ihm, sooft er sie wünschte.

Endlich kehrte er wieder heim in seine Heimat. Da lagen ihm seine Brüder und Freunde an, daß er ein ehelich Weib nehmen sollte; er erschrak und suchte es auszureden. Sie ließen ihm aber härter zusetzen durch einen weisen Mann, auch aus seiner Sippe. Herr Peter antwortete: »Eh will ich meinen Leib in Riemen schneiden lassen, als ich mich vereheliche.« Abends nun, wie er allein war, wußte es seine Frau schon, was sie mit ihm vorhatten, und er sagte ihr von neuem sein Wort zu. Es sollte aber zu damal der deutsche König in Frankfurt gewählt werden; dahin zog auch der Staufenberger unter viel andern Dienstmännern und Edelleuten. Da tat er sich so heraus im Ritterspiel, daß er die Augen des Königs auf sich zog und der König ihm endlich seine Muhme aus Kärnten zur Ehe antrug. Herr Peter geriet in heftigen Kummer und schlug das Erbieten aus; und weil alle Fürsten darein redeten und die Ursache wissen wollten, sprach er zuletzt, daß er schon eine schöne Frau und von ihr alles Gute hätte, aber um ihretwillen keine andere nehmen dürfte, sonst müßte er tot liegen innerhalb drei Tagen. Da sagte der Bischof: »Herr, laß mich die Frau sehen.« Da sprach er: »Sie läßt sich vor niemand denn vor mir sehen.« – »So ist sie kein rechtes Weib«, redeten sie alle, »sondern vom Teufel; und daß Ihr die Teufelin minnet mehr denn reine Frauen, das verdirbt Euren Namen und Eure Ehre vor aller Welt.« Verwirrt durch diese Reden sagte der Staufenberger, er wolle alles tun, was dem König gefalle, und alsobald war ihm die Jungfrau verlobet unter kostbaren, königlichen Geschenken. Die Hochzeit sollte nach Peters Willen in der Ortenau gehalten werden. Als er seine Frau wieder das erstemal bei sich hatte, tat sie ihm klägliche Vorwürfe, daß er ihr Verbot und seine Zusage dennoch übertreten hätte, so sei nun sein junges Leben verloren. »Und zum Zeichen will ich dir folgendes geben: Wenn du meinen Fuß erblicken wirst und ihn alle andere sehen, Frauen und Männer, auf deiner Hochzeit, dann sollst du nicht säumen, sondern beichten und dich zum Tod bereiten.« Da dachte aber Peter an der Pfaffen Worte, daß sie ihn vielleicht nur mit solchen Drohungen berücken wolle und es eitel Lüge wäre. Als nun bald die junge Braut nach Staufenberg gebracht wurde, ein großes Fest gehalten wurde und der Ritter ihr über Tafel gegenübersaß, da sah man plötzlich etwas durch die Bühne stoßen, einen wunderschönen Menschenfuß bis an die Knie, weiß wie Elfenbein. Der Ritter erblaßte und rief: »Weh, meine Freunde, ihr habt mich verderbet, und in drei Tagen bin ich des Todes.« Der Fuß war wieder verschwunden, ohne ein Loch in der Bühne zurückzulassen. Pfeifen, Tanzen und Singen lagen darnieder, ein Pfaff wurde gerufen, und nachdem er von seiner Braut Abschied genommen und seine Sünden gebeichtet hatte, brach sein Herz. Seine junge Ehefrau begab sich ins Kloster und betete zu Gott für seine Seele, und in allen deutschen Landen wurde der mannhafte Ritter beklaget.

Im XVI. Jahrhundert, nach Fischarts Zeugnis, wußte das Volk der ganzen Gegend noch die Geschichte von Peter dem Staufenberger und der schönen Meerfei, wie man sie damals nannte. Noch jetzt ist der Zwölfstein zwischen Staufenberg, Nußbach und Weilershofen zu sehen, wo sie ihm das erstemal erschienen war; und auf dem Schlosse wird die Stube gezeigt, da sich die Meerfei soll unterweilen aufgehalten haben.

529. DES EDLEN MÖRINGERS WALLFAHRT

Zu Mörungen an der Donau lebte vorzeiten ein edler Ritter; der lag eines Nachts bei seiner Frau und bat sie um Urlaub, weil er weit hinziehen wollte in St. Thomas' Land, befahl ihr Leute und Gut und sagte, daß sie sieben Jahre seiner harren möchte. Frühmorgens stand er auf, kleidete sich an und empfahl seinem Kämmerer, daß er sieben Jahre lang seiner Frauen pflege, bis zu seiner Wiederkehr. Der Kämmerer sprach: »Frauen tragen lange Haare und kurzen Mut; fürwahr nicht länger denn sieben Tage mag ich Eurer Frauen pflegen.« Da ging der edle Möringer hin zu dem jungen von Neufen und bat, daß er sieben Jahre seiner Gemahlin pflege; der sagt's ihm zu und gelobte seine Treue.

Also zog der edle Möringer fern dahin, und ein Jahr verstrich um das andere. Wie das siebente nun sich vollendete, lag er im Garten und schlief. Da träumte ihm, wie daß ein Engel riefe und spräche: »Erwache, Möringer, es ist Zeit! Kommst du heut nicht zu Land, so nimmt der junge von Neufen dein Weib.« Der Möringer raufte vor Leid seinen grauen Bart und klagte flehentlich seine Not Gott und dem heiligen Thomas; in den schweren Sorgen entschlief er von neuem. Wie er aufwachte und die Augen öffnete, wußte er nicht, wo er war; denn er sah sich daheim in Schwaben vor seiner Mühle, dankte Gott, jedoch traurig im Herzen, und ging zu der Mühle. »Müller«, sprach er, »was gibt's Neues in der Burg? Ich bin ein armer Pilgrim.« – »Viel Neues«, antwortete der Müller, »der von Neufen will heut des edlen Möringers Frau nehmen; leider soll unser guter Herr tot sein.« Da ging der edle Möringer an sein eigen Burgtor und klopfte hart dawider. Der Torwart trat heraus. »Geh und sag deiner Frauen an, hier stehe ein elender Pilgrim; nun bin ich vom weiten Gehen so müde geworden, daß ich sie um ein Almosen bitte, um Gottes und St. Thomas' willen und des edlen Möringers Seele.« Und als das die Frau erhörte, hieß sie eilends auftun und solle er dem Pilger zu essen geben ein ganzes Jahr.

Der edle Möringer trat in seine Burg, und es war ihm so leid und schwer, daß ihn kein Mann empfing; er setzte sich nieder auf die Bank, und als die Abendstunde kam, daß die Braut bald zu Bett gehen sollte, redete ein Dienstmann und sprach: »Sonst hatte mein Herr Möring die Sitte, daß kein fremder Pilgrim schlafen durfte, er sang denn zuvor ein Lied.« Das hörte der junge Herr von Neufen, der Bräutigam, und rief: »Singt uns, Herr Gast, ein Liedelein, ich will Euch reich begaben.« Da hub der edle Möringer an und sang ein Lied, das anfängt: »Eins langen Schweigens hatt ich mich bedacht, so muß ich aber singen als eh« und so weiter[1], und sang darin, daß ihn der junge Mann an der alten Braut rächen und sie mit Sommerlatten (Ruten)

---

[1] Vergl. Sammlung von Minnesängern, I, 124, wo das Lied merkwürdig dem Walther von der Vogelweide beigelegt wird.

schlagen solle; ehemals sei er Herr gewesen und jetzt Knecht und auf der Hochzeit ihm nun eine alte Schüssel vorgesetzt worden. Sobald die edle Frau das Lied hörte, trübten sich ihre klaren Augen, und einen goldnen Becher setzte sie dem Pilgrim hin, in den schenkte sie klaren Wein. Möringer aber zog ein goldrotes Fingerlein von seiner Hand, womit ihm seine liebste Frau vermählt worden war, senkt es in den Becher und gab ihn dem Weinschenken, daß er ihn der edlen Frau vorsetzen sollte. Der Weinschenk brachte ihn: »Das sendet Euch der Pilger, laßt's Euch nicht verschmähen, edle Frau.« Und als sie trank und das Fingerlein im Becher sah, rief sie laut: »Mein Herr ist hier, der edle Möringer«, stand auf und fiel ihm zu Füßen. »Gott willkommen, liebster Herr, und laßt Euer Trauern sein! Meine Ehre hab ich noch behalten, und hätt ich sie verbrochen, so sollt Ihr mich vermauern lassen.« Aber der Herr von Neufen erschrak und fiel auf die Knie: »Liebster Herr, Treu und Eid hab ich gebrochen, darum schlagt mir ab mein Haupt!« – »Das soll nicht sein, Herr von Neufen, sondern ich will Euren Kummer lindern und Euch meine Tochter zur Ehe geben; nehmt sie und laßt mir meine alte Braut.« Des war der von Neufen froh und nahm die Tochter. Mutter und Tochter waren beide zarte Frauen, und beide Herren waren wohlgeboren.

530. GRAF HUBERT VON CALW

Vor alten Zeiten lebte zu Calw ein Graf in Wonne und Reichtum, bis ihn zuletzt sein Gewissen antrieb und er zu seiner Gemahlin sprach: »Nun ist vonnöten, daß ich auch lerne, was Armut heißt, wo ich nicht ganz will zugrunde gehen.« Hierauf sagte er ihr Lebewohl, nahm die Kleidung eines armen Pilgrims an und wanderte in die Gegend nach der Schweiz zu. In einem Dorfe, genannt Deislingen, wurde er Kuhhirt und weidete die ihm anvertraute Herde auf einem nahe gelegenen Berge mit allem Fleiß. Wiewohl nun das Vieh unter seiner Hut gedieh und fett ward, so verdroß es die Bauern, daß er sich immer auf dem nämlichen Berge hielt, und sie setzten ihn vom Amte ab. Da ging er wieder heim nach Calw und heischte das Almosen vor der Türe seiner Gemahlin, die eben ihre Hochzeit mit einem andern Mann feierte. Als ihm nun ein Stück Brot herausgebracht wurde, weigerte er es anzunehmen, es wäre denn, daß ihm auch der Gräfin Becher voll Wein dazu gespendet würde. Man brachte ihm den Becher, und indem er trank, ließ er seinen güldenen Mahlring dareinfallen und kehrte stillschweigend nach dem vorigen Dorfe zurück. Die Leute waren seiner Rückkunft froh, weil sie ihr Vieh unterdessen einem schlechten Hirten hatten untergeben müssen, und setzten den Grafen neuerdings in seine Stelle ein. So hütete er bis zu seinem Lebensende; als er sich dem Tode nah fühlte, offenbarte er den Leuten, wer und woher er wäre; auch verordnete er, daß sie seine Leiche von Rindern ausfahren lassen und da, wo diese stillstehen würden, beerdigen sollten, daselbst aber eine Kapelle bauen. Sein Wille ward genau vollzogen und über seinem Grabe ein Heiligtum errichtet, nach seinem Namen Hubert oder Oberk zu St. Huprecht geheißen. Viele Menschen wallfahreten dahin und ließen zu seiner Minne Messen lesen; jeder Bürger von Calw, der da vorübergeht, hat das Recht, an der Kapellentüre anzuklopfen.

531. UDALRICH UND WENDILGART UND DER UNGEBORNE BURKARD

Udalrich, Graf zu Buchhorn (am Bodensee), abstammend aus Karls Geschlecht, war mit Wendilgart, Heinrich des Voglers Nichte, vermählt. Zu seiner Zeit brachen die Heiden (Ungarn) in Bayern ein, Udalrich rückte aus in den Krieg, wurde gefangen und weggeführt. Wendilgart, die gehört hatte, daß er tot in der Schlacht geblieben, wollte nicht wieder heiraten, sondern begab sich nach St. Gallen, wo sie still und eingezogen lebte und für ihres Gemahls Seele den Armen Wohltaten erwies. Weil sie aber zart aufgezogen war, trug sie immer große Lust nach süßen Speisen. Sie saß eines Tages bei Wiborad, einer frommen Klosterfrau, im Gespräch und bat sie um süße Äpfel. »Ich habe schöne Äpfel, wie sie arme Leute essen«, sprach Wiborad, »die will ich dir geben«, und zeigte ihr wilde Holzäpfel. Wendilgart nahm sie gierig und biß darein; sie schmeckten so herb, daß sie ihr den Mund zusammenzogen, warf sie weg und sagte: »Deine Äpfel sind sauer, Schwester; hätte der Schöpfer alle so erschaffen, so würde Eva keinen gekostet haben.« – »Mit Recht führst du Even an«, sprach Wiborad, »denn sie gelüstete gleich dir nach süßer Speise.« Da errötete die edle Frau und tat sich hernach Gewalt an, entwöhnte sich aller Süßigkeiten und gedieh bald zu solcher Frömmigkeit, daß sie vom Bischof den heiligen Schleier begehrte. Er wurde ihr gewährt, und sie ließ sich einkleiden, lebte auch fortan in Tugend und Strenge. Vier Jahre verflossen, da ging sie am Todestage Udalrichs, ihres Gemahls, nach Buchhorn und beschenkte die Armen, wie sie alljährlich zu tun pflegte.

Udalrich war aber unterdessen glücklich aus der Gefangenschaft entronnen und hatte sich heimlich unter die übrigen verlumpten Bettler gestellt. Als Wendilgart hinzutrat, rief er laut um ein Kleid. Sie schalt, daß er ungestüm fordere, gab ihm aber doch das Kleid, als dessen er bedurfte. Er zog die Hand der Geberin mit dem Kleide an sich, umfaßte und küßte sie wider ihren Willen. Da warf er seine langen Haare mit der Hand hinter die Schulter und sprach, indem einige Umstehende mit Schlägen drohten: »Verschont mich mit Schlägen, ich habe ihrer genug ausgehalten, und erkennt euren Udalrich!« Das Volk hörte die Stimme des alten Herrn und erkannte sein Gesicht unter den wilden Haaren. Laut schrie ihm alles zu. Wendilgart war, gleichsam beschimpft, zurückgetreten: »Jetzt erst empfinde ich meines Gemahls gewissen Tod, da mir jemand Gewalt zu tun wagt.« Er aber reichte ihr die Hand, um sie aufzuheben, an der Hand sah sie eine ihr wohlbekannte Wundennarbe. Wie vom Traum erwachend, rief sie: »Mein Herr, den ich auf der Welt am liebsten habe, willkommen, mein liebster Gemahl!« und unter Küssen und Umarmungen: »Kleidet euern Herrn und richtet ihm ein Bad zu!« Als er angezogen war, sagte er: »Laßt uns zur Kirche gehen.« Unter dem Gehen sah er ihren Schleier und fragte: »Wer hat dein Haupt eingeschleiert?« Und als sie antwortete: »Der Bischof in der Kirchenversammlung«, sprach Udalrich zu sich selbst: »Nun darf ich dich erst mit der Kirche Erlaubnis umarmen.« Geistlichkeit und Volk sangen Loblieder; darauf ging man ins Bad und zur Mahlzeit. Bald versammelte sich die Kirche, und Udalrich forderte seine Gemahlin zurück. Der Bischof löste ihr den Schleier und verschloß ihn im Schrein, damit, wann ihr Gemahl früher verstürbe, sie ihn wiedernehmen sollte. Die Hochzeit wurde von neuem gefeiert, und als Wendilgart sich nach einiger Zeit schwanger befand, ging sie mit dem Grafen nach St. Gallen und gelobte dem Kloster das Kind, wenn es ein Knabe wäre. Vierzehn Tage vor ihrer Niederkunft erkrankte plötzlich Wendilgart und starb. Das Kind aber wurde lebendig aus dem Leib geschnitten und in eine frisch abgezogene Speckschweinschwarte gewickelt. So kam es auf, wurde Burkard getauft, und sorgsam im Kloster erzogen. Das Kind wuchs, zart von Leib, aber wunderschön; die Brüder pflegten ihn den ungeborenen *(Burcardus ingenitus)* zu nennen. Seine Haut blieb immer so fein, daß jeder Mückenstich Blut herauszog und ihn sein Meister mit der Rute gänzlich verschonen mußte. Burkard der Ungeborne ward mit der Zeit ein gelehrter, tugendhafter Mann.

532. STIFTUNG DES KLOSTERS WETTENHAUSEN

Zwischen Ulm und Augsburg, am Flüßchen Kammlach, liegt das Augustinerkloster Wettenhausen. Es wurde im Jahre 982 von zwei Brüdern, Konrad und Wernher, Grafen von Rochenstain, oder vielmehr von deren Mutter Gertrud gestiftet. Diese verlangte und erhielt von ihren Söhnen so viel Lands zur

Erbauung einer heiligen Stätte, als sie innerhalb eines Tages umpflügen könnte. Dann schaffte sie einen ganz kleinen Pflug, barg ihn in ihren Busen und umritt dergestalt das Gebiet, welches noch heutigentages dem Kloster unterworfen ist.

533. RITTER ULRICH, DIENSTMANN ZU WIRTENBERG

Eine Burg liegt in Schwabenland, geheißen Wirtenberg, auf der saß vorzeiten Graf Hartmann, dessen Dienstmann, Ritter Ulrich, folgendes Abenteuer begegnete: Als er eines Freitags in den Wald zu jagen zog, aber den ganzen Tag kein Wild treffen konnte, verirrte sich Ritter Ulrich auf unbekanntem Wege in eine öde Gegend, die sein Fuß noch nie betreten hatte. Nicht lange, so kamen ihm entgegengeritten ein Ritter und eine Frau, beide von edlem Aussehen; er grüßte sie höflich, aber sie schwiegen, ohne ihm zu neigen; da sah er derselben Leute noch mehr herbeiziehen. Ulrich hielt beiseit in dem Tann, bis fünfhundert Männer und ebensoviel Weiber vorüberkamen, alle in stummer, schweigender Gebärde, und ohne seine Grüße zu erwidern. Zuhinterst an der Schar fuhr eine Frau allein ohne Mann, die antwortete auf seinen Gruß: »Gott vergelt's!« Ritter Ulrich war froh, Gott nennen zu hören, und begann diese Frau weiterzufragen nach dem Zuge, und was es für Leute wären, die ihm ihren Gruß nicht vergönnt hätten. »Laßt's Euch nicht verdrießen«, sagte die Frau, »wir grüßen nicht, denn wir sind tote Leute.« – »Wie kommt's aber, daß Euer Mund frisch und rot steht?« – »Das ist nur der Schein; vor dreißig Jahren war mein Leib schon erstorben und verweset, aber die Seele leidet Qual.« – »Warum zoget Ihr allein, das nimmt mich wunder, da ich doch jede Frau samt einem Ritter fahren sah?« – »Der Ritter, den ich haben soll, der ist noch nicht tot, und gerne wollte ich lieber allein fahren, wenn er noch Buße täte und seine Sünde bereute.« – »Wie heißt er mit Namen?« – »Er ist genannt von Schenkenburg.« – »Den kenne ich wohl, er hob mir ein Kind aus der Taufe; gern möchte ich ihm hinterbringen, was mir hier begegnet ist; aber wie wird er die Wahrheit glauben?« – »Sagt ihm zum Wahrzeichen dieses: Mein Mann war ausgeritten, da ließ ich ihn ein in mein Haus, und er küßte mich an meinen Mund; da wurden wir einander bekannt, und er zog ein rotgülden Fingerlein von seiner Hand und schenkte mir's; wollte Gott, meine Augen hätten ihn nie gesehen!« – »Mag denn nichts Eure Seele retten, Gebete und Wallfahrten?« – »Aller Pfaffen Zungen, die je lasen und sangen, können mir nicht helfen, darum, daß ich nicht zur Beichte gelangt bin und gebüßt habe vor meinem Tod; ich scheute aber die Beichte; denn wäre meinem biderben Mann etwas zu Ohren kommen von meiner Unzucht, es hätte mir das Leben gekostet.«

Ritter Ulrich betrachtete diese Frau, während sie ihre jämmerliche Geschichte erzählte; an dem Leibe erschien nicht das Ungemach ihrer Seele, sondern sie war wohlaussehend und reichlich gekleidet. Ulrich wollte mit ihr dem andern Volk bis in die Herberge nachreiten; und als ihn die Frau nicht von diesem Vorsatz ablenken konnte, empfahl sie ihm bloß, keine der Speisen anzurühren, die man ihm bieten würde, auch sich nicht daran zu kehren, wie übel man dies zu nehmen scheine. Sie ritten zusammen über Holz und Feld, bis der ganze Haufen vor eine schön erbaute Burg gelangte, wo die Frauen abgehoben, den Rittern die Pferde und Sporen in Empfang genommen wurden. Darauf saßen sie je zwei, Ritter und Frauen, zusammen auf das grüne Gras; denn es waren keine Stühle vorhanden; jene elende Frau saß ganz allein am Ende, und niemand achtete ihrer. Goldne Gefäße wurden aufgetragen, Wildbret und Fische, die edelsten Speisen, die man erdenken konnte, weiße Semmel und Brot; Schenken gingen und füllten die Becher mit kühlem Weine. Da wurde auch dieser Speisen Ritter Ulrich vorgetragen, die ihn lieblich anrochen; doch war er so weise, nichts davon zu berühren. Er ging zu der Frauen sitzen und vergaß sich, daß er auf den Tisch griff und einen gebratenen Fisch aufheben wollte;

da verbrunnen ihm schnell seiner Finger viere wie von höllischem Feuer, daß er laut schreien mußte. Kein Wasser und kein Wein konnte ihm diesen Brand löschen; die Frau, die neben ihm saß, sah ein Messer an seiner Seite hangen, griff schnell danach, schnitt ihm ein Kreuz über die Hand und stieß das Messer wieder ein. Als das Blut über die Hand floß, mußte das Feuer davor weichen, und Ritter Ulrich kam mit dem Verluste der Finger davon. Die Frau sprach: »Jetzt wird ein Turnier anheben und Euch ein edles Pferd vorgeführt und ein goldbeschlagener Schild vorgetragen werden; davor hütet Euch.« Bald darauf kam ein Knecht mit dem Roß und Schild vor den Ritter, und so gern er's bestiegen hätte, ließ er's doch standhaft fahren. Nach dem Turnier erklangen süße Töne, und der Tanz begann; die elende Frau hatte den Ritter wieder davor gewarnt. Sie selbst aber mußte mit anstehen und stellte sich unten hin; als sie Ritter Ulrich anschaute, vergaß er alles, trat hinzu und bot ihr die Hand. Kaum berührte er sie, als er für tot niedersank; schnell trug sie ihn seitwärts auf einen Rain, grub ihm ein Kraut und steckte es in seinen Mund, wovon er wieder auflebte. Da sprach die Frau: »Es nahet dem Tage, und wann der Hahn kräht, müssen wir alle von hinnen.« Ulrich antwortete: »Ist es denn Nacht? Mir hat es so geschienen, als ob es die ganze Zeit heller Tag gewesen wäre.« Sie sagte: »Der Wahn trügt Euch; Ihr werdet einen Waldsteig finden, auf dem Ihr sicher zu dem Ausgang aus der Wildnis gelangen könnet.« Ein Zelter wurde der armen Frau vorgeführt, der brann als eine Glut; wie sie ihn bestiegen hatte, streifte sie den Ärmel zurück: da sah Ritter Ulrich das Feuer von ihrem bloßen Arm schießen, wie wenn die Flammen um ein brennendes Haus schlagen. Er segnete sie zum Abschied und kam auf dem angewiesenen Steige glücklich heim nach Wirtenberg geritten, zeigte dem Grafen die verbrannte Hand und machte sich auf zu der Burg, wo sein Gevatter saß. Dem offenbarte er, was ihm seine Buhlin entbieten ließ, samt dem Wahrzeichen mit dem Fingerlein und den verbrannten Fingern. Auf diese Nachricht rüstete sich der von Schenkenburg samt Ritter Ulrich, fuhren über Meer gegen die ungetauften Heiden, denen sie so viel Schaden, dem deutschen Hause zum Trost, antaten, bis die Frau aus ihrer Pein erlöst worden war.

534. FREIHERR ALBRECHT VON SIMMERN

Albrecht Freiherr von Simmern war bei seinem Landesherrn Herzog Friedrich von Schwaben, der ihn auferzogen hatte, wohlgelitten und stand in besonderer Gnade. Einstmals tat dieser in der Begleitung seiner Grafen und Ritter, unter welchen sich auch der Freiherr Albrecht befand, einen Lustritt zu dem Grafen Erchinger, bei dem er schon öfter gewesen und dessen Schloß Mogenheim im Zabergau lag. Der Graf war ein Mann von fröhlichem Gemüte, der Jagd und andern ehrlichen Übungen ergeben. Mit seiner Frau, Maria von Tübing, hatte er nur zwei Töchter und keinen Sohn erzeugt, und sein gräflicher Stamm drohte zu erlöschen.

Nahe an dem Schlosse lag ein lustiges Gehölz, der Stromberg genannt; darin lief seit langer Zeit ein ansehnlicher großer Hirsch, den weder die Jäger noch Hofbediente je hatten fahen können. Als er sich eben jetzt wieder sehen ließ, freuten sich alle, besonders der Graf Erchinger, welcher die übrige Gesellschaft aufmahnte, sich mit dem gewöhnlichen Jägerzeuge dahin zu begeben. Unter dem Jagen kam der Freiherr Albrecht von den andern ab in eine besondere Gegend des Waldes, wo er eines großen und schönen Hirsches ansichtig ward, wie er noch nie glaubte einen gesehen zu haben. Er setzte ihm lange durch den Wald nach, bis er ihn ganz aus dem Gesicht verlor und er nicht wußte, wo das Tier hingeraten war.

Indem trat ein Mann schrecklicher Gestalt vor ihn, und ob er gleich sonst beherzt und tapfer war, so entsetzte er sich doch heftig und wahrte sich wider ihn mit dem Zeichen des Kreuzes. Der Mann aber sprach: »Fürchte dich nicht! Ich bin von Gott gesandt, dir etwas zu offenbaren. Folge mir nach, so sollst du wunderbare Dinge sehen, wie sie deine Augen noch nie erblickt haben, und soll dir kein Haar dabei gekrümmt werden.« Der Freiherr willigte ein und folgte seinem Führer, der ihn aus dem Walde leitete. Als sie heraustraten, deuchte ihm, er sehe schöne Wiesen und eine überaus lustige Gegend. Ferner ein Schloß, das mit vielen Türmen und anderer Zier so prangte, daß dergleichen seine Augen niemals gesehen. Indem sie sich diesem Schlosse nahten, kamen viele Leute, gleich als Hofdiener, entgegen. Keiner aber redete ein Wort, sondern als er bei dem Tor anlangte, nahm einer sein Pferd ab, als wollte er es unterdessen halten. Sein Führer aber sprach: »Laß dich ihr Schweigen nicht befremden; dagegen rede auch nicht mit ihnen, sondern allein mit mir und tue in allem, wie ich dir sagen werde.«

Nun traten sie ein, und Herr Albrecht ward in einen großen, schönen Saal geführt, wo ein Fürst mit den Seinigen zu Tische saß. Alle standen auf und neigten sich ehrerbietig, gleich als wollten sie ihn willkommen heißen. Darauf setzten sie sich wieder und taten, als wenn sie äßen und tränken. Herr Albrecht blieb stehen, hielt sein Schwert in der Hand und wollte es nicht von sich lassen; indessen betrachtete er das wunderköstliche silberne Tafelgeschirr, darin die Speisen auf- und abgetragen wurden, samt den andern vorhandenen Gefäßen. Alles dieses geschah mit großem Stillschweigen; auch der Herr und seine Leute aßen für sich und bekümmerten sich nicht um ihn. Nachdem er also lange gestanden und alles angeschaut, erinnerte ihn der, welcher ihn hergeführt, daß er sich vor dem Herrn neigen und dessen Leute grüßen solle; dann wolle er ihn wieder herausgeleiten. Als er das getan, stand der Herr mit allen seinen Leuten wiederum höflich auf, und sie neigten gleichfalls ihre Häupter gegen ihn. Darauf ward Herr Albrecht von seinem Führer zu der Schloßpforte gebracht. Hier stellten diejenigen, welche bisher sein Pferd gehalten, ihm selbes wieder zu, legten ihm aber dabei Stillschweigen auf; woraus sie ins Schloß zurückkehrten. Nun gürtete Herr Albrecht sein Schwert wieder an und ward von seinem Gefährten auf dem vorigen Wege nach dem

Stromberger Walde gebracht. Er fragte ihn, was das für ein Schloß und wer dessen Einwohner wären, die darin zur Tafel gesessen. Der Geist antwortete: »Der Herr, welchen du gesehen, ist deines Vaters Bruder gewesen, ein gottesfürchtiger Mann, welcher vielmals wider die Ungläubigen gefochten. Ich aber und die andern, die du gesehen, waren bei Leibes Leben seine Diener und müssen nun unaussprechlich harte Pein leiden. Er hat bei Lebzeiten seine Untertanen mit unbilligen Auflagen sehr gedrückt und das Geld zum Krieg gegen die Ungläubigen angewendet; wir andern aber haben ihm dazu Rat und Anschläge gegeben und werden jetzt solcher Ungerechtigkeit willen hart gestraft. Dieses ist deiner Tugenden wegen offenbart, damit du vor solchen und ähnlichen Dingen dich hüten und dein Leben bessern mögest. Siehe, da ist der Weg, welcher dich wiederum durch den Wald an deinen vorigen Ort bringen wird; doch kannst du noch einmal zurückkehren, damit du siehest, in was für Elend und Jammer sich die vorige Glückseligkeit verkehrt hat. « Wie der Geist dieses gesagt, war er verschwunden. Herr Albrecht aber kehrte wieder zu dem Schlosse zurück. Siehe, da war alles miteinander zu Feuer, Pech und Schwefel worden, davon ihm der Geruch entgegenqualmte; dabei hörte er ein jammervolles Schreien und Klagen, worüber er sich so sehr entsetzte, daß ihm die Haare zu Berge stunden. Darum wendete er schnell sein Pferd um und ritt des vorigen Weges wieder nach seiner Gesellschaft zu. Als er anlangte, kam er allen so verändert und verstellet vor, daß sie ihn fast nicht erkannten. Denn ungeachtet er noch ein junger und frischer Mann war, hatte ihn doch Schrecken und Bestürzung zu einem eisgrauen umgestaltet, indem Haupthaar und Bart weiß wie der Schnee waren. Sie verwunderten sich zwar darüber nicht wenig, aber noch mehr über die durch seine veränderte Gestalt beglaubigte Erzählung, so daß sie insgesamt traurig nach Hause umkehrten.

Der Freiherr von Simmern beschloß, an dem Orte, wo sich das zugetragen, zur Ehre Gottes eine Kirche zu erbauen. Graf Erchinger, auf dessen Gebiet er lag, gab gern seine Einwilligung, und er und seine Gemahlin versprachen Rat und Hilfe, damit daselbst ein Frauenkloster aufgerichtet und Gott stets gedienet würde. Auch der Herzog Friedrich von Schwaben verhieß seinen Beistand zur Förderung des Baues und hat verschiedene Zehnten und Einkünfte dazu verordnet. Die Geschichte hat sich im Jahr 1134 unter Lothar II. begeben.

535. ANDREAS VON SANGERWITZ, KOMTUR AUF CHRISTBURG

Im Jahr 1410, am 15. Juli, ward bei Tannenberg zwischen den Kreuzherren in Preußen und Wladislaw, Könige von Polen, eine große Schlacht geliefert. Sie endigte mit der Niederlage des ganzen Ordensheeres; der Hochmeister Ulrich von Jungingen selbst fiel darin. Seinen Leichnam ließ der König den Brüdern zu Osterode zukommen, die ihn zu Marienburg begruben; das abgehauene Kinn aber mit dem Bart ward gen Krakau gebracht, wo es noch heutigestages (zu Caspar Schützens Zeit) gezeigt wird.

Als der Hochmeister mit den Gebietigern über diesen Krieg ratschlagte, riet der Komtur der Christburg, Andreas Sangerwitz, ein Deutscher von Adel, getreulich zum Frieden, unangesehen die andern fast alle zum Krieg stimmten und der Feind schon im Lande war; welches den Hochmeister übel verdroß, und rechnete es ihm zur Furcht und Zagheit. Er aber, der nicht weniger Herz als Witz und Verstand hatte, sagte zu ihm: »Ich habe Euer Gnaden zum Frieden geraten, wie ich's am besten merk und verstehe, und bedünket mich, nach Frieden dienete uns dieser Zeit Gelegenheit am besten. Weil es aber Gott anders ausersehen, auch Euer Gnaden anders gefällt, so muß ich folgen und will Euch in künftiger Schlacht, es laufe, wie es wolle, so mannlich beistehen und mein Leib und Leben für Euch lassen, als getreulich ich jetzt zum Frieden rate. « Welchem er auch als redlicher Mann nachgelebet und ist nebst dem Hochmeister, nachdem er sich tapfer gegen den Feind gehalten, auf der Walstatt geblieben.

Da nun dieser Komtur zur Schlacht auszog und gewappnet aus dem Schlosse ritt, begegnete ihm ein Chorherr, der seiner spottete und ihn höhnisch fragte, wem er das Schloß in seinem Abwesen befehlen wollte. Da sprach er aus großem Zorn: »Dir und allen Teufeln, die zu diesem Kriege geraten haben!« Demnach, als die Schlacht geschehen und der Komtur umgekommen, hat solch eine Teufelei und Gespenst in dem Schlosse anfangen zu wanken und zu regieren, daß nachmals kein Mensch darinnen bleiben und wohnen konnte. Denn sooft die Ordensbrüder im Schlosse aßen, so wurden alle Schüsseln und Trinkgeschirr voll Bluts; wann sie außerhalb des Schlosses aßen, widerfuhr ihnen nichts dergleichen. Wenn die Knechte wollten in den Stall gehen, kamen sie in den Keller und tranken so viel, daß sie nicht mehr wußten, was sie taten. Wenn der Koch und sein Gesinde in die Küche ging, so fand er Pferde darin stehen und war ein Stall daraus worden. Wollte der Kellermeister seine Geschäfte im Keller verrichten, so fand er an der Stelle der Wein- und Bierfässer lauter Hafen, Töpfe, Bälge und Wassertröge; und dergleichen ging es in allen Dingen und Orten widersinnigs. Dem neuen Komtur, der aus Frauenburg dahin kam, ging es noch viel wunderlicher und ärger: einmal ward er in den Schloßbrunnen an den Bart gehängt; das andre Mal ward er auf das oberste Dach im Schlosse gesetzet, da man ihn kaum ohne Lebensgefahr herunterbringen konnte. Zum drittenmal fing ihm der Bart von selbst an zu brennen, so daß ihm das Gesicht geschändet wurde; auch konnte ihm der Brand mit Wasser nicht gelöscht werden, und nur, als er aus dem verwünschten Schlosse herauslief, erlosch das Feuer. Derowegen fürder kein Komtur in dem Schlosse bleiben wollte, wurde auch von jedermänniglich verlassen und nach des verstorbenen Komturs Prophezeiung des Teufels Wohnung geheißen.

Zwei Jahre nach der Schlacht kam ein Bürger von Christburg wiederum zu Hause, der während der Zeit auf einer Wallfahrt nach Rom gewesen war. Als er von dem Gespenst des Schlosses hörte, ging er auf einen Mittag hinauf: sei es nun, daß er die Wahrheit selbst erfahren wollte, oder daß er vielleicht ein Heiligtum mit sich gebracht, das gegen die Gespenster dienen sollte. Auf der Brücke fand er stehen des Komturs Bruder, welcher auch mit in der Schlacht geblieben war; er erkannte ihn alsbald, denn er hatte ihm ein Kind aus der Taufe gehoben und hieß Otto von Sangerwitz; und weil er meinte, es wäre ein lebendiger Mensch, trat er auf ihn zu und sprach: »O Herr Gevatter, wie bin ich erfreut, daß ich Euch frisch und gesund sehen mag; man hat mich überreden wollen, Ihr wärt erschlagen worden; ich bin froh, daß es besser ist, als ich meinete. Und wie stehet es doch in diesem Schlosse, davon man so wunderliche Dinge redet?« Das Teufelsgespenst sagte wieder zu ihm: »Komm mit mir, so wirst du sehen, wie man allhier haushält.« Der Schmied folgte ihm nach, die Wendeltreppe hinauf; da sie in das erste Gemach gingen, fanden sie einen Haufen Volks, die nichts anders taten denn mit Würfel und Karten spielen; etliche lachten, etliche fluchten Wunden und Marter. Im andern Gemach saßen sie zu Tische, da war nichts anders denn Fressen und Saufen zu ganzen und halben; von dannen gingen sie in den großen Saal, da fanden sie Männer, Weiber, Jungfrauen und junge Gesellen; da hörte man nichts denn Saitenspiel, singen, tanzen und sahe nichts denn Unzucht und Schande treiben. Nun gingen sie in die Kirche; da stund ein Pfaff vor dem Altar, als ob er Messe halten wollte; die Chorherren aber saßen ringsumher in ihren Stühlen und schliefen. Darnach gingen sie wieder zum Schloß hinaus, alsbald hörte man in dem Schloß so jämmerlich heulen, weinen und Zetergeschrei, daß dem Schmied angst und bange ward, gedachte auch, es könnte in der Hölle nicht jämmerlicher sein. Da sprach sein Gevatter zu ihm: »Gehe hin und zeige dem neuen Hochmeister an, was du gesehen und gehört hast! Denn so ist unser Leben gewesen, wie du drinnen gesehen; das ist der erfolgte Jammer darauf, den du hier außen gehört hast.« Mit den Worten verschwand er, der Schmied aber erschrak so, daß ihm zu allen Füßen kalt ward; dennoch wollt er den Befehl verrichten, ging zum neuen Hochmeister und erzählte ihm alles, wie es ergangen. Der Hochmeister ward zornig, sagte, es wäre erdichtet Ding, seinem hochwürdigen Orden zu Verdruß und Schanden, ließ den Schmied ins Wasser werfen und ersäufen.

536. DER VIRDUNGER BÜRGER

Zu Rudolfs von Habsburg Zeiten saß in der Stadt Virdung (Verdun) ein Bürger, der verfiel in Armut; und um aufs neue zu Schätzen zu gelangen, versprach er sich mit Hilfe eines alten Weibes dem Teufel. Und als er sich Gott und allen himmlischen Gnaden abgesagt hatte, füllte ihm der Höllenrabe den Beutel mit Pfennigen, die nimmer all wurden; denn sooft sie der Bürger ausgegeben hatte, lagen sie immer wieder unten. Da wurde seines Reichtums unmaßen viel; er erwarb Wiesen und Felder und lebte nach allen Gelüsten. Eines Tages, da er fröhlich bei seinen Freunden saß, kamen zwei Männer auf schwarzen Pferden angeritten; der eine zog bei der Hand ein gesatteltes und gezäumtes brandschwarzes Roß, das führte er zu dem Bürger und mahnte, daß er ihnen folgen sollte, wohin er gelobt hätte. Traurig nahm der Bürger Abschied, bestieg das Roß und schied mit den Boten von dannen, im Angesicht von mehr als fünfzig Menschen und zweier seiner Kinder, die jämmerlich klagten und nicht wußten, was aus ihrem Vater geworden sei. Da gingen sie beide zu einem alten Weib, die viele Künste wußte, und verhießen ihr viel Geld, wenn sie ihnen die rechte Wahrheit von ihrem Vater zeigen würde. Darauf nahm das Weib die Jünglinge mit sich in einen Wald und beschwor den Erdboden, bis er sich auftat und die zwei herauskamen, mit welchen ihr Vater fortgeritten war. Das Weib fragte, ob sie ihren Vater sehen wollten. Da fürchtete sich der älteste; der jüngere aber, welcher ein männlicher Herz hatte, bestand bei seinem Vorsatz. Da gebot die

Meisterin den Höllenboten, daß sie das Kind unverletzt hin zu seinem Vater und wieder zurückführeten. Die zwei führten ihn nun in ein schönes Haus, da saß sein Vater ganz allein in demselben Kleid und Gewand, in welchem er abgeschieden war, und man sah kein Feuer, das ihn quälte. Der Jüngling redete ihn an und fragte: »Vater, wie steht es um dich, ist dir sanft oder weh?« Der Vater antwortete: »Weil ich die Armut nicht ertragen konnte, gab ich um irdisches Gut dem Teufel Leib und Seele dahin und alles Recht, was Gott an mir hatte; darum, mein Sohn, behalte nichts von dem Gut, das du von mir geerbt hast, sonst wirst du verloren gleich mir.« Der Sohn sprach: »Wie kommt's, daß man kein Feuer an dir brennen siehet?« – »Rühre mich mit der Spitze deines Fingers an«, versetzte der Vater, »zuck aber schnell wieder weg!« In dem Augenblick, wo es der Sohn tat, brannte er sich Hand und Arm bis an den Ellenbogen; da ließ erst das Feuer nach. Gerührt von seines Vaters Qualen, sprach er: »Sag an, mein Vater, gibt es nichts auf der Welt, das dir helfen möge oder irgend fromme?« – »Sowenig des Teufels selber Rat werden mag«, sagte der Vater, »sowenig kann meiner Rat werden; du aber, mein Sohn, tue so mit deinem Gut, daß deine Seele erhalten bleibe.« Damit schieden sie sich. Die zwei Führer brachten den Jüngling wieder heraus zu dem Weib, dem er den verbrannten Arm zeigte. Darauf erzählte er Armen und Reichen, was ihm widerfahren war und wie es um seinen Vater stand; begab sich alles seines Gutes und lebte freiwillig arm in einem Kloster bis an sein Lebensende.

537. DER MANN IM PFLUG

Zu Metz in Lothringen lebte ein edler Ritter, namens Alexander, mit seiner schönen und tugendhaften Hausfrau Florentina. Dieser Ritter gelobte eine Wallfahrt nach dem Heiligen Grabe, und als ihn seine betrübte Gemahlin nicht von dieser Reise abwenden konnte, machte sie ihm ein weißes Hemde mit einem roten Kreuz, das sie ihm zu tragen empfahl. Der Ritter zog hierauf in jene Länder, wurde von den Ungläubigen gefangen und mit seinen Unglücksgefährten in den Pflug gespannt; unter harten Geißelhieben mußten sie das Feld ackern, daß das Blut von ihren Leibern lief. Wunderbarerweise blieb nun jenes Hemd, welches Alexander von seiner Frauen empfangen hatte und beständig trug, rein und unbefleckt, ohne daß ihm Regen, Schweiß und Blut etwas schadeten; auch zerriß es nicht. Dem Sultan selbst fiel diese Seltsamkeit auf, und er befragte den Sklaven genau über seinen Namen und Herkunft und wer ihm das Hemd gegeben habe. Der Ritter unterrichtete ihn von allem, »und das Hemd habe ich von meiner tugendsamen Frau erhalten; daß es so weiß bleibt, zeigt mir ihre fortdauernde Treue und Keuschheit an«. Der Heide, durch diese Nachricht neugierig gemacht, beschloß, einen seiner Leute heimlich nach Metz zu senden; der sollte kein Geld und Gut sparen, um des Ritters Frau zu seinem Willen zu verführen; so würde sich nachher ausweisen, ob das Hemd die Farbe verändere. Der Fremde kam nach Lothringen, kundschaftete die Frau aus und hinterbrachte ihr, wie elendiglich es ihrem Herrn in der Heidenschaft ginge; worüber sie höchst betrübt wurde, aber sich so tugendhaft bewies, daß der Abgesandte, nachdem er alles Geld verzehrt hatte, wieder unausgerichteter Sache in die Türkei zurückreisen mußte. Bald darauf nahm Florentina sich ein Pilgerkleid und eine Harfe, welche sie wohl zu spielen verstand, und reiste dem fremden Heiden nach, holte ihn auch noch zu Venedig ein und fuhr mit ihm in die Heidenschaft, ohne daß er sie in der veränderten Tracht erkannt hätte. Als sie nun an des Heidenkönigs Hof anlangten, wußte der Pilgrim diesen so mit seinem Gesang und Spiel einzunehmen, daß ihm große Geschenke dargebracht wurden. Der Pilgrim schlug diese alle aus und bat bloß um einen von den gefangenen Christen, die im Pfluge gingen. Die Bitte wurde bewilligt, und Florentina ging unerkannt zu den Gefangenen, bis sie zuletzt zu dem Pflug kam, in welchen ihr lieber Mann gespannt war. Darauf forderte und erhielt sie diesen Gefangenen, und beide reisten zusammen über die See glücklich nach Deutschland heim. Zwei Tagreisen vor Metz sagte der Pilgrim zu Alexander: »Bruder, jetzt scheiden sich unsere Wege; gib mir zum Andenken ein Stücklein aus deinem Hemde, von dessen Wunder ich soviel habe reden hören, damit ich's auch andern erzählen und beglaubigen kann.« Diesem willfahrte der Ritter, schnitt ein Stück aus dem Hemde und gab es dem Pilgrim; sodann trennten sich beide. Florentina kam aber auf einem kürzeren Wege einen ganzen Tag früher nach Metz, legte ihre gewöhnlichen Frauenkleider an und erwartete ihres Gemahls Ankunft. Als diese erfolgte, empfing Alexander seine Gemahlin auf das zärtlichste; bald aber bliesen ihm seine Freunde und Verwandten in die Ohren, daß Florentina als ein leichtfertiges Weib zwölf Monate lang in der Welt umhergezogen sei und nichts habe von sich hören lassen. Alexander entbrannte vor Zorn, ließ ein Gastmahl anstellen und hielt seiner Frau öffentlich ihren geführten Lebenswandel vor. Sie trat schweigend aus dem Zimmer, ging in ihre Kammer und legte das Pilgerkleid an, das sie während der Zeit getragen hatte, nahm die Harfe zur Hand, und nun offenbarte sich, indem sie ihm das ausgeschnittene Stück von dem Hemde vorwies, wer sie gewesen war und daß sie selbst als Pilgrim ihn aus dem Pflug erlöst hatte. Da verstummten ihre Ankläger, fielen der edlen Frau zu Füßen, und ihr Gemahl bat sie mit weinenden Augen um Verzeihung.

538. SIEGFRIED UND GENOFEVA

Zu den Zeiten Hildolfs, Erzbischofs von Trier, lebte daselbst Pfalzgraf Siegfried mit Genofeva, seiner Gemahlin, einer Herzogstochter aus Brabant, schön und fromm. Nun begab es sich, daß ein Zug wider die Heiden geschehen sollte und Siegfried in den Krieg ziehen mußte; da befahl er Genofeven, im Meifelder Gau auf seiner Burg Simmern still und eingezogen zu wohnen;

auch übertrug er einem seiner Dienstmänner, namens Golo, auf den er zumal vertraute, daß er seine Gemahlin in besonderer Aufsicht hielte. Die letzte Nacht vor seiner Abreise hatte aber Genofeva einen Sohn von ihrem Gemahl empfangen. Als nun Siegfried abwesend war, dauerte es nicht lange, und Golo entbrann von sündlicher Liebe zu der schönen Genofeva, die er endlich nicht mehr zurückhielt, sondern der Pfalzgräfin erklärte. Sie aber wies ihn mit Abscheu zurück. Darauf schmiedete Golo falsche Briefe, als wenn Siegfried mit allen seinen Leuten im Meer ertrunken wäre, und las sie der Gräfin vor; jetzt gehöre ihm das ganze Reich zu, und sie dürfe ihn ohne Sünde lieben. Als er sie aber küssen wollte, schlug sie ihm hart mit der Faust ins Gesicht, und er merkte wohl, daß er nichts ausrichten konnte; da verwandelte er seinen Sinn, nahm der edlen Frau all ihre Diener und Mägde weg, daß sie in ihrer Schwangerschaft die größte Not litt. Und als ihre Zeit heranrückte, gebar Genofeva einen schönen Sohn, und niemand außer einer alten Waschfrau stand ihr bei oder tröstete sie; endlich aber hörte sie, daß der Pfalzgraf lebe und bald zurückkehre; und sie fragte den Boten, wo Siegfried jetzo sei. »Zu Straßburg«, antwortete der Bote und ging darauf zu Golo, dem er dieselbe Nachricht brachte. Golo erschrak heftig und hielt sich für verloren. Da redete eine alte Hexe mit ihm, was er sich Sorgen um diese Sache mache? Die Pfalzgräfin habe zu einer Zeit geboren, daß niemand wissen könne, ob nicht der Koch oder ein andrer des Kindes Vater sei; »sag nur dem Pfalzgrafen, daß sie mit dem Koch gebuhlt habe, so wird er sie töten lassen, und du ruhig sein.« Golo sagte: »Der Ratschlag ist gut«, ging daher eilends seinem Herrn entgegen und erzählte ihm die ganze Lüge. Siegfried erschrak und seufzte aus tiefem Leid. Da sprach Golo: »Herr, es ziemt dir nicht länger, diese zum Weibe zu haben.« Der Pfalzgraf sagte: »Was soll ich tun?« – »Ich will«, versetzte der Treulose, »sie mit ihrem Kind an den See führen und im Wasser ersäufen.« Als nun Siegfried eingewilligt hatte, ergriff Golo Genofeven und das Kind und übergab sie den Knechten, daß sie sie töten sollten. Die

Knechte führten sie in den Wald, da hub einer unter ihnen an: »Was haben diese Unschuldigen getan?« Und es entstand ein Wortwechsel, keiner aber wußte Böses von der Pfalzgräfin zu sagen und keinen Grund, warum sie sie töten sollten. »Es ist besser«, sprachen sie, »daß wir sie hier von den wilden Tieren zerreißen lassen, als unsere Hände mit ihrem Blut zu beflecken.« Also ließen sie Genofeven allein in dem wilden Wald und gingen fort. Da sie aber ein Wahrzeichen haben mußten, das sie Golo mitbrächten, so riet einer, dem mitlaufenden Hunde die Zunge auszuschneiden. Und als sie vor Golo kamen, sagte er: »Wo habt ihr sie gelassen?« – »Sie sind ermordet«, antworteten sie und wiesen ihm Genofevens Zunge.

Genofeva aber weinte und betete in der öden Wildnis; ihr Kind war noch nicht dreißig Tage alt, und sie hatte keine Milch mehr in ihren Brüsten, womit sie es ernähren könnte. Wie sie nun die Heilige Jungfrau um Beistand flehte, sprang plötzlich eine Hindin durchs Gesträuch und setzte sich neben das Kind nieder; Genofeva legte die Zitzen der Hindin in des Knäbleins Mund, und es sog daraus. An diesem Orte lieb sie sechs Jahre und drei Monate; sie selbst aber nährte sich von Wurzeln und Kräutern, die sie im Walde fand; sie wohnten unter einer Schichte von Holzstämmen, welche die arme Frau, so gut sie konnte, mit Dörnern gebunden hatte.

Nach Verlauf dieser Zeit trug sich's zu, daß der Pfalzgraf gerade in diesem Wald eine große Jagd anstellte; und da die Jäger die Hunde hetzten, zeigte sich ihren Augen dieselbe Hirschkuh, die den Knaben mit ihrer Milch nährte. Die Jäger verfolgten sie; und weil sie zuletzt keinen andern Ausweg hatte, floh sie zu dem Lager, wohin sie täglich zu laufen pflegte, und warf sich wie gewöhnlich zu des Knaben Füßen. Die Hunde drangen nach, des Kindes Mutter nahm einen Stock und wehrte die Hunde ab. In diesem Augenblick kam der Pfalzgraf hinzu, sah das Wunder und befahl, die Hunde zurückzurufen. Darauf fragte er die Frau, ob sie eine Christin wäre. Sie antwortete: »Ich bin eine Christin, aber ganz entblößt; leih mir deinen Mantel, daß ich meine Scham bedecke.« Siegfried warf ihr den Mantel zu, und sie bedeckte sich damit. »Weib«, sagte er, »warum schafftest du dir nicht Speise und Kleider?« Sie sprach: »Brot habe ich nicht, ich aß die Kräuter, die ich im Walde fand; mein Kleid ist vor Alter zerschlissen und auseinandergefallen.« – »Wieviel Jahre sind's, seit du hierhergekommen?« – »Sechs, und drei Monden wohne ich hier.« – »Wem gehört der Knabe?« – »Es ist mein Sohn.« – »Wer ist des Kindes Vater?« – »Gott weiß es.« – »Wie kamst du hierher und wie heißest du?« – »Mein Namen ist Genoveva.« – Als der Pfalzgraf den Namen hörte, gedachte er seiner Gemahlin; und einer der Kämmerer trat hinzu und rief: »Bei Gott, das scheint mir unsre Frau zu sein, die schon lange gestorben ist, und sie hatte ein Mal im Gesicht.« Da sahen sie alle, daß sie noch dasselbe Mal an sich trug. »Hat sie auch noch den Trauring?« sagte Siegfried. Da gingen zwei hinzu und fanden, daß sie noch den Ring trage. Alsobald umfing sie der Pfalzgraf und küßte sie und nahm weinend den Knaben und sprach: »Das ist mein Gemahl, und das ist mein Kind.« Die gute Frau erzählte nun allen, die da standen, von Wort zu Wort, was ihr begegnet war, und alle vergossen Freudentränen; indem kam auch der treulose Golo dazu, da wollten sie alle auf ihn stürzen und ihn töten. Der Pfalzgraf rief aber: »Haltet ihn, bis wir aussinnen, welches Todes er würdig ist.« Dies geschah; und nachher verordnete Siegfried, vier Ochsen zu nehmen, die noch vor keinem Pfluge gezogen hätten, und jeden Ochsen dem Missetäter an die vier Teile des Leibes zu spannen, zwei an die Füße, zwei an die Hände, und dann die Ochsen gehen zu lassen. Und als sie auf diese Weise festgebunden waren, ging jeder Ochse mit seinem Teile durch, und Golos Leib wurde in vier Stücke gerissen.

Der Pfalzgraf wollte nunmehr seine geliebte Gemahlin nebst dem Söhnlein heimführen. Sie aber schlug es aus und sprach: »An diesem Ort hat die Heilige Jungfrau mich vor den wilden Tieren bewahrt und durch ein Wild mein Kind erhalten; von diesem Orte will ich nicht weichen, bis er ihr zu Ehren geweiht ist.« Sogleich besandte der Pfalzgraf den Bischof Hildolf, welchem er alles berichtete; der Bischof war erfreut und weihte den Ort. Nach der Weihung führte Siegfried seine Gemahlin und seinen Sohn herzu und stellte ein feierliches Mahl an; sie bat, daß er hier eine Kirche bauen ließe, welches er zusagte. Die Pfalzgräfin konnte fürder keine Speisen mehr vertragen, sondern ließ sich im Walde die Kräuter sammeln, an welche sie gewohnt worden war. Allein sie lebte nur noch wenige Tage und wanderte selig zum Herrn; Siegfried ließ ihre Gebeine in der Waldkirche, die er zu bauen gelobt hatte, bestatten; diese Kapelle hieß Frauenkirche (unweit Meyen), und manche Wunder geschahen daselbst.

539. KARL YNACH, SALVIUS BRABON UND FRAU SCHWAN

Gottfried, mit dem Zunamen der Karl, war König von Tongern und wohnte an der Maas auf seiner Burg Megen. Er hatte einen Sohn, namens Karl Ynach, den verbannte er aus dem Land, weil er einer Jungfrau Gewalt getan hatte. Karl Ynach floh nach Rom zu seinem Oheim Cloadich, welcher daselbst als Geisel gefangen lebte, und wurde von diesem ehrenvoll empfangen. Karl Ynach wohnte zu Rom bei einem Senator, namens Octavius, bis dieser vor des Sylla Grausamkeit aus der Stadt wich nach Arkadien. Hier aber lebte Lucius Julius Prokonsul, welcher zwei Töchter hatte, die eine hieß Julia, die andere Germana. In diese Germana verliebte sich nun Karl Ynach, offenbarte ihr, daß er eines Königs Sohn wäre, und beredete sie zur Flucht. Eines Nachts nahmen sie die besten Kleinode aus ihrem Schatz, schifften sich heimlich ein und kamen nach Italien, nahe bei Venedig. Hier stiegen beide zu Pferd, ritten über Mailand durch Savoyen und Burgund ins Land Frankreich und trafen nach viel Tagefahrten zu Cambray ein. Von da gingen sie noch weiter an einen Ort, der damals das Schloß Senes hieß, und ruhten in einem schönen Tale aus. In diesem Tal auf einem lustigen Fluß schwammen

Schwäne; einer ihrer Diener, der Bogenschütze war, spannte und schoß einen Pfeil. Aber er fehlte den Schwan, der erschrokkene Vogel hob sich in die Luft und flüchtete sich in der schönen Germana Schoß. Froh über dieses Wunder, und weil der Schwan ein Vogel guter Bedeutung ist, fragte sie Karl Ynach, ihren Gemahl, wie der Vogel in seiner Landessprache heiße. »In deutscher Sprache«, antwortete er, »heißt man ihn Swana.« – »So will ich«, sagte sie, »hinfüro nicht länger Germana, sondern Schwan heißen;« denn sie befürchtete, eine Tages an ihrem rechten Namen erkannt zu werden. Der ganze Ort aber bekam von der Menge seiner Schwäne den Namen Schwanental *(vallis cignea, Valenciennes)* an der Schelde. Jenen Schwan nahm die Frau mit, fütterte und pflag ihn sorgsam. Karl und Frau Schwan gelangten nach diesem bis zu dem Schlosse Florimont, unweit Brüssel; daselbst erfuhr er den Tod seines Vaters Gottfried Karl und zog sogleich dahin. Zu Löwen opferte er seinen Göttern und wurde in Tongern mit Jubel und Freude als König und Erbe empfangen. Karl Ynach herrschte hierauf eine Zeitlang in Frieden und zeugte mit seiner Gemahlin einen Sohn und eine Tochter. Der Sohn wurde Octavian, die Tochter wiederum Schwan benannt. Bald danach hatte Ariovist, König der Sachsen, Krieg mit Julius Cäsar und den Römern; Karl Ynach verband sich mit Ariovist und zog den Römern entgegen, blieb aber tot in einer Schlacht, die bei Besançon geliefert wurde. Frau Schwan, seine Witwe, barg sich mit ihren Kindern in dem Schlosse Megen an der Maas und fürchtete, daß Julius Cäsar, ihr Bruder, sie auskundschaften möchte. Das Reich Tongern hatte sie an Ambiorix abgetreten, nahm aber ihren Schwan mit nach Megen, wo sie ihn auf den Burggraben setzte und oft mit eigner Hand fütterte, zum Angedenken ihres Gemahls.

Julius Cäsar hatte dazumal in seinem Heer einen Helden, namens Salvius Brabon, der aus dem Geschlechte des Frankus, Hektors von Troja Sohn, abstammte. Julius Cäsar, um sich von der Arbeit des Krieges ein wenig auszuruhen, war ins Schloß Kleve gekommen; Salvius Brabon belustigte sich in der Gegend von

Kleve mit Bogen und Pfeil, gedachte an sein bisheriges Leben und an einen bedeutenden Traum, den er eines Nachts gehabt. In diesen Gedanken befand er sich von ungefähr am Ufer des Rheins, der nicht weit von dem Schlosse Kleve fließt, und sah auf dem Strom einen schneeweißen Schwan; der spielte und biß mit seinem Schnabel in einen Kahn am Ufer. Salvius Brabon blickte mit Vergnügen und Verwunderung zu, und die glückliche Bedeutung dieses Vogels mit seinem Traum verbindend, trat er in das Schifflein; der Schwan, ganz kirr und ohne scheu zu werden, flog ein wenig voraus und schien ihm den Weg zu weisen; der Ritter empfahl sich Gott und beschloß, ihm zu folgen. Ganz ruhig geleitete ihn der Schwan den Lauf des Rheins entlang, und Salvius schaute sich allenthalben um, ob er nichts sähe; so fuhren sie lang und weit, bis endlich der Schwan das Schloß Megen erkannte, wo seine Herrin wohnte, kümmerlich als eine arme Witwe in fremdem Lande ihre beiden Kinder auferziehend. Der Schwan, als er nun seinen gewohnten Aufenthalt erblickte, schlug die Flügel, erhob sich in die Lüfte und flog zum Graben, wo ihn die Frau aus ihrer Hand fressen ließ. Als sich aber Salvius von seinem Führer verlassen sah, wurde er betrübt, landete mit seinem Nachen und sprang ans Land; er hielt den Bogen gespannt und dachte den Schwan zu schießen, falls er ihn erreichen könnte. Wie er nun weiterging und den Vogel im Schloßgraben fand, legte er den Pfeil auf und zielte. Indem war die Frau ans Fenster getreten, den Schwan zu liebkosen, und sah einen fremden Mann darauf anlegen. Erschrocken rief sie laut in griechischer Sprache: »Ritter, ich beschwöre dich, töte mir nicht diesen Schwan.« Salvius Brabon, der sich mit diesen Worten in einem wildfremden Lande und durch eine Frau in seiner Sprache anrufen hörte, war überaus betroffen, zog jedoch die Hand vom Bogen und tat den Pfeil vom Strang; darauf fragte er die Frau auf griechisch, was sie in dem abgelegenen, wilden Lande mache. Sie aber war noch mehr erschrocken, sich in ihrer Muttersprache anreden zu hören, und lud ihn ein, in die Burg zu treten, so würden sie sich vollständig

einander Aufschluß geben können; welches er auch mit Vergnügen annahm. Als er innen war, fragte sie ihn eine Menge Dinge und erfuhr auch Julius Cäsars Aufenthalt in Kleve. Weil sie aber hörte, daß der Ritter aus Arkadia stammte, nahm sie sich ein Herz und forderte ihm einen Eid ab, daß er ihr beistehn wolle, »wie man Witwen und Waisen soll«. Darauf erzählte sie umständlich alle ihre Begebenheiten. Sie bat, daß er sie wieder mit ihrem Bruder aussöhnen möchte, und gab ihm für diesen zum Wahrzeichen ein goldnes Götzenbild, das ihr Julius Cäsar einstmals aufzuheben vertraut hatte, mit. Salvius Brabon versprach, das Seinige zu tun, und kehrte wieder zu seinem Herrn nach Kleve zurück. Er grüßte ihn von seiner Schwester und gab ihm das Goldbild, welches Julius Cäsar auf den ersten Blick erkannte. Sodann fragte er den Salvius, wo er sie gefunden hätte. Dieser erzählte ihr Leben und Schicksal und bat um Verzeihung. Cäsar wurde gerührt zum Erbarmen und bedauerte auch seines Schwagers, Karl Ynachs, Tod; hierauf wollte er sogleich seine Schwester und Neffen sehen; Salvius Brabon führte ihn mit Freuden nach dem Schlosse Megen. Sie erkannten sich mit herzlicher Wonne; Salvius Brabon bat sich die junge Schwan, des Kaisers Nichte, zur Gemahlin aus, die ihm auch bewilligt wurde. Die Hochzeit geschah zu Löwen. Julius Cäsar verlieh seiner Nichte und ihrem Gemahl eine weite Strecke Landes als ein Herzogtum, von dem Meer mit dem Wald Soigne und dem Flusse Schelde bis zu dem Bächlein, welches heißt Lace. Brabon war hier der erste Fürst, und von ihm trägt dieses Land den Namen Brabant. Seinem Neffen Octavian gab der Kaiser das Königreich Agrippina am Rhein, ein weites Gebiet.
Tongern aber benannte er hinfüro nach dem Namen seiner Schwester Germana Germania und wollte auch, daß Octavian den Beinamen Germanicus führte. Seitdem heißen die Deutschen nun Germanen.

Zu Flandern war vor alters ein Königreich Lillefort, da, wo jetzt die Städte Ryßel und Doway liegen; in demselben herrschte Pyrion mit Matabruna, seiner Gemahlin. Sie zeugten einen Sohn, namens Oriant. Dieser jagte eines Tages im Walde einen Hirsch, der Hirsch entsprang ihm aber in ein Wasser, und Oriant setzte sich müde an einen schönen Brunnen, um dabei auszuruhen. Als er so allein saß, kam eine edle Jungfrau gegangen, die seine Hunde sah und ihn fragte, mit wessen Urlaub er in ihrem Wald jage. Diese Jungfrau hieß Beatrix, und Oriant wurde von ihrer wunderbaren Schönheit so getroffen, daß er ihr die Liebe erklärte und seine Hand auf der Stelle bot. Beatrix willigte ein, und der junge König nahm sie mit aus dem Wald nach Lillefort, um eine fröhliche Hochzeit zu feiern. Matabrun, seine Mutter, ging ihm aber entgegen und war der jungen Braut gram darum, daß er sie nackt und bloß heimgeführt hatte und niemand wußte, woher sie stammte. Nach einiger Zeit nun wurde die Königin schwanger; währenddessen geschah's, daß sie von ungefähr am Fenster stand und zwei Kindlein, die eine Frau auf einmal geboren hatte, zur Taufe tragen sah. Da rief sie heimlich ihren Gemahl und sprach: wie das möglich wäre, daß eine Frau zwei Kinder gebäre, ohne zwei Männer zu haben? Oriant antwortete: »Mit Gottes Gnaden kann eine Frau sieben Kinder auf einmal von ihrem Manne empfangen.« Bald darnach mußte der König in den Krieg ziehen; da sich nun seine Gemahlin schwanger befand, empfahl er sie seiner Mutter zu sorgfältiger Obhut und nahm Abschied. Matabruna hingegen dachte auf nichts als Böses und beredete sich mit der Wehmutter, daß sie der Königin, wenn sie gebären würde, statt der Kinder junge Hunde unterschieben, die Kinder selbst töten und Beatrix einer strafbaren Gemeinschaft mit Hunden anklagen wollten.

Als nun ihre Zeit heranrückte, ward Beatrix von sechs Söhnen und einer Tochter entbunden, und jedem Kindlein lag um seinen Hals eine silberne Kette. Matabruna schaffte sogleich die Kinder weg und legte sieben Wölpe hin; die Wehfrau aber rief: »Ach, Königin, was ist Euch geschehen! Ihr habt sieben scheußliche Wölpe geboren, tut sie weg und laßt sie unter die Erde graben, daß dem Könige seine Ehre bewahrt bleibe.« Beatrix weinte und rang die Hände, daß es einen erbarmen mußte; die alte Königin aber hub an sie heftig zu schelten und des schändlichsten Ehebruchs zu zeihen. Darauf ging Matabruna weg, rief einen vertrauten Diener, dem sie die sieben Kindlein übergab, und sprach: »Die silbernen Ketten an dieser Brut bedeuten, daß sie dereinst Räuber und Mörder werden; darum muß man eilen, sie aus der Welt zu schaffen.« Der Knecht nahm sie in seinen Mantel, ritt in den Wald und wollte sie töten; als sie ihn aber anlachten, wurde er mitleidig, legte sie hin und empfahl sie der Barmherzigkeit Gottes. Darauf kehrte er an den Hof zurück und sagte der Alten, daß er ihren Befehl ausgerichtet, wofür sie ihm großen Lohn versprach. Die sieben Kinder schrien unterdessen vor Hunger im Walde; das hörte ein Einsiedler, Helias mit Namen, der fand sie und trug sie in seinem Gewande mit sich in die Klause. Der alte Mann wußte aber nicht, wie er sie ernähren sollte; siehe, da kam eine weiße Geiß gelaufen, bot den Kindern ihre Mammen, und sie sogen begierig daran. Diese Geiß stellte sich nun von Tag zu Tage ein, bis daß die Kinder wuchsen und größer wurden. Der Einsiedel machte ihnen dann kleine Röcklein von Blättern, sie gingen spielen im Gesträuch und suchten sich wilde Beeren, die sie aßen, und wurden auferzogen in Gottes Furcht und Gnade.

Der König, nachdem er den Feind besiegt hatte, kehrte heim und wurde mit Klagen empfangen, daß sein Gemahl von einem schändlichen Hunde sieben Wölpe geboren hätte, welche man weggeschafft. Da befiel ihn tiefer Schmerz; er versammelte seinen Rat und fragte, was zu tun wäre. Und einige rieten, die Königin zu verbrennen, andere aber, sie nur gefangen einzuschließen. Dieses letztere gefiel dem Könige besser, weil er sie noch immer liebte. Also blieb die unschuldige Beatrix eingeschlossen, bis zur Zeit, daß sie wieder erlöst werden sollte.

Der Einsiedel hatte unterdessen die sieben Kinder getauft und eines, das er besonders liebte, Helias nach seinem Namen geheißen. Die Kinder aber in ihren Blätterröcklein, barfuß und barhaupt, liefen stets miteinander im Wald herum. Es geschah, daß ein Jäger der alten Königin daselbst jagte und die Kindlein alle sieben, mit ihren Silberketten um den Hals, unter einem Baum sitzen sah, von dem sie die wilden Äpfel abrupften und aßen. Der Jäger grüßte sie, da flohen die Kinder zu der Klause, und der Einsiedel bat, daß der Jäger ihnen kein Leid tun möchte. Als dieser Jäger wieder nach Lillefort kam, erzählte er Matabrunen alles, was er gesehen hatte; sie wunderte sich und riet wohl, daß es Oriants sieben Kinder wären, welche Gott beschirmt hatte. Da sprach sie auf der Stelle: »O guter Gesell, nehmt von Euren Leuten und kehret mir eilends zum Wald, daß Ihr die sieben Kinder tötet, und bringt mir die sieben Ketten zum Wahrzeichen mit! Tut Ihr das nicht, so ist's um Euer eigen Leben geschehn, sonst aber sollt Ihr großen Lohn haben.« Der Jäger sagte: »Euer Wille soll befolgt werden«, nahm sieben Männer und machte sich auf den Weg nach dem Walde. Unterwegs mußten sie durch ein Dorf, wo ein großer Haufen Menschen versammelt war. Der Jäger fragte nach der Ursache und erhielt zur Antwort: »Es soll eine Frau hingerichtet werden, weil sie ihr Kind ermordet hat.« Ach, dachte der Jäger, diese Frau wird verbrennt, weil sie ein Kind getötet hat, und ich gehe darauf aus, sieben Kinder zu morden; verflucht sei die Hand, die dergleichen vollbringt! Da sprachen alle Jäger: »Wir wollen den Kindern kein Leid tun, sondern ihnen die Ketten ablösen und sie der Königin bringen, zum Beweise, daß sie tot seien.« Hierauf kamen sie in den Wald, und der Einsiedler war gerade ausgegangen, auf dem Dorfe Brot zu betteln, und hatte eins der Kinder mitgenommen, das ihm tragen helfen mußte. Die sechs andern schrien vor Furcht, wie sie die fremden Männer sahen. »Fürchtet euch nicht«, sprach der Jäger. Da nahmen sie die Kinder und taten ihnen die Ketten vom Hals; in demselben Augenblick, wo dies geschah, wurden sie zu weißen Schwänen und flogen in die

Luft. Die Jäger aber erschraken sehr, und zuletzt gingen sie nach Hause und brachten der alten Königin die sechs Ketten unter dem Vorgeben, die siebente hätten sie verloren. Darüber war Matabruna sehr bös und entbot einen Goldschmied, aus den sechsen einen Napf zu schmieden. Der Goldschmied nahm eine der Ketten und wollte sie im Feuer prüfen, ob das Silber gut wäre. Da wurde die Kette so schwer, daß sie allein mehr wog als vorher die sechse zusammen. Der Schmied war verwundert, gab die fünfe seiner Frau, sie aufzuheben; und aus der sechsten, die geschmolzen war, wirkte er zwei Näpfe, jeden so groß, als ihn Matabrun begehrt hatte. Den einen Napf behielt er auch noch zu den Ketten und den andern trug er der Königin hin, die sehr zufrieden mit seiner Schwere und Größe war.

Als nun die Kinder in weiße Schwäne verwandelt worden waren, kam der Einsiedler mit dem jungen Helias auch wieder heim und war erschrocken, daß die andern fehlten. Und sie suchten nach ihnen den lieben langen Tag bis zum Abend und fanden nichts und waren sehr traurig. Morgens frühe begann der kleine Helias wieder nach seinen Geschwistern zu suchen, bis er zu einem Weiher kam, worauf sechs Schwäne schwammen, die zu ihm hinflossen und sich mit Brot füttern ließen. Von nun ging er alle Tage zu dem Wasser und brachte den Schwänen Brot; es verstrich eine geraume Zeit.

Während Beatrix gefangen saß, dachte Matabrun auf nichts anderes, als sie durch den Tod wegzuräumen. Sie stiftete daher einen falschen Zeugen an, welcher aussagte, den Hund gekannt zu haben, mit dem die Königin Umgang gepflogen hätte. Oriant wurde dadurch von neuem erbittert; und als der Zeuge sich erbot, seine Aussage gegen jedermann im Gotteskampf zu bewähren, schwur der König, daß Beatrix sterben solle, wenn kein Kämpfer für sie aufträte. In dieser Not betete sie zu Gott, der ihr Flehen hörte und einen Engel zum Einsiedel sandte. Dieser erfuhr nunmehr den ganzen Verlauf: wer die Schwäne wären und in welcher Gefahr ihre arme Mutter schwebte. Helias, der Jüngling, war erfreut über diese Nachricht und

machte sich barfuß, barhaupt und in seinem Blätterkleid auf, an den Hof des Königs, seines Vaters zu gehen. Das Gericht war gerade versammelt, und der Verräter stand zum Kampfe bereit. Helias erschien, seine einzige Waffe war eine hölzerne Keule. Hierauf überwand der Jüngling seinen Gegner und tat die Unschuld der geliebten Mutter dar, die sogleich befreit und in ihre vorigen Rechte eingesetzt wurde. Als sich nun die ganze Verräterei enthüllt hatte, wurde sogleich der Goldschmied gesandt, der die Schwanketten verschmieden sollte. Er kam und brachte fünf Ketten und den Napf, der ihm von der sechsten übergeschossen war. Helias nahm nun diese Ketten und war begierig, seine Geschwister wieder zu erlösen; plötzlich sah man sechs Schwäne zu dem Schloßweiher geflogen kommen. Da gingen Vater und Mutter mit ihm hinaus, und das Volk stand um das Ufer und wollte dem Wunder zusehen. Sobald die Schwäne Helias erblickten, schwammen sie hinzu, und er strich ihnen die Federn und wies ihnen die Ketten. Hierauf legte er einem nach dem andern die Kette um den Hals, augenblicklich standen sie in menschlicher Gestalt vor ihm, vier Söhne und eine Tochter, und die Eltern liefen hinzu, ihre Kinder zu halsen und zu küssen. Als aber der sechste Schwan sah, daß er allein übrigblieb und kein Mensch wurde, war er tief betrübt und zog sich im Schmerz die Federn aus; Helias weinte und ermahnte ihn tröstend zur Geduld. Der Schwan neigte mit dem Hals, als ob er ihm dankte, und jedermann bemitleidete ihn. Die fünf andern Kinder wurden darauf zur Kirche geführt und getauft; die Tochter empfing den Namen Rose, die vier Brüder wurden hernachmals fromme und tapfere Helden.
König Oriant, nach diesen wunderbaren Begebenheiten, gab nun die Regierung des Reichs in seines Sohnes Helias Hände. Der junge König aber beschloß, vor allem das Recht walten zu lassen, eroberte die feste Burg, wohin Matabrun geflohen war, und überlieferte sie dem Gericht, welches die Übeltäterin zum Tode des Feuers verdammte. Dieses Urteil wurde sodann vollstreckt. Helias regierte nun eine Weile zu Lillefort; eines

Tages aber, da er den Schwan, seinen Bruder, auf dem Schloß-weiher einen Nachen ziehen sah, hatte er keine längre Ruhe, sondern hielt dies für ein Zeichen des Himmels, daß er dem Schwan folgen und irgendwo Ruhm und Ehre erwerben solle. Er versammelte daher Eltern und Geschwister, entdeckte ihnen sein Vorhaben und küßte sie zum Abschied. Dann ließ er sich Harnisch und Schild bringen. Oriant, sein Vater, schenkte ihm ein Horn und sprach: »Dieses Horn bewahre wohl! Denn alle, die es blasen hören, denen mag kein Leid geschehen!« Der Schwan schrie drei- oder viermal mit ganz seltsamer Stimme, da ging Helias zum Gestade hinab; sogleich schlug der Vogel die Flügel, als ob er ihn fröhlich bewillkommnete, und neigte seinen Hals. Helias betrat den Nachen, und der Schwan stellte sich vornen hin und schwamm voraus; schnell flossen sie davon, von Fluß in Fluß, von Strom in Strom, bis sie zu der Stelle gelangten, wohin sie nach Gottes Willen beschieden waren.

Zu diesen Zeiten herrschte Otto I., Kaiser von Deutschland, und unter ihm stand das Ardennerland, Lüttich und Namur. Dieser hielt gerade seinen Reichstag zu Nimwegen, und wer über ein Unrecht zu klagen hatte, der kam dahin und brachte seine Worte an. Es begab sich nun, daß auch der Graf von Frankenburg vor den Kaiser trat und die Herzogin von Billon (Bouillon), namens Clarissa, beschuldigte, ihren Gemahl vergiftet und während seiner dreijährigen Meerfahrt eine unrechte Tochter erzeugt zu haben; darum sei das Land nunmehr an ihn, den Bruder des Herzogs, verfallen. Die Herzogin verantwortete sich, so gut sie konnte; aber das Gericht sprach einen Gotteskampf aus, und daß sie sich einen Streiter gegen den Grafen von Frankenburg stellen müsse, der ihre Unschuld dartun wolle. Die Herzogin sah sich aber vergebens nach einem Retter um; indem hörten alle ein Horn blasen. Da schaute der Kaiser zum Fenster, und man erblickte auf dem Wasser den Nachen fahren, von dem Schwan geleitet, in welchem Helias gewappnet stand. Kaiser Otto verwunderte sich, und als das Fahrzeug anhielt und der Held landete, hieß er ihn sogleich vor sich führen. Die Herzogin sah ihn auch kommen und erzählte ihrer Tochter einen Traum, den sie die letzte Nacht gehabt hatte: »Es träumte mir, daß ich vor Gericht mit dem Grafen dingte, und ward verurteilt, verbrannt zu werden. Und wie ich schon an den Flammen stand, flog über meinem Haupt ein Schwan und brachte Wasser zum Löschen des Feuers; aus dem Wasser stieg ein Fisch, vor dem fürchteten sich alle, so daß sie bebten; darum hoffe ich, daß uns dieser Ritter vom Tode erlösen wird.« Helias grüßte den Kaiser und sprach: »Ich bin ein armer Ritter, der durch Abenteuer hierherkommt, um Euch zu dienen.« Der Kaiser antwortete: »Abenteuer habt Ihr hier gefunden! Hier stehet eine auf den Tod verklagte Herzogin; wollt Ihr für sie kämpfen, so könnt Ihr sie retten, wenn ihre Sache gut ist.« Helias sah die Herzogin an, die ihm sehr ehrbar zu sein schien, und ihre Tochter war von wunderbarer Schönheit, daß sie ihm herzlich wohlgefiel. Sie aber schwur ihm mit Tränen, daß sie unschuldig wäre; und Helias gelobte, ihr Kämpfer zu werden. Das Gefecht wurde hierauf anberaumt, und nach einem gefährlichen Streite schlug der Ritter mit dem Schwan dem Grafen Otto das Haupt vom Halse, und der Herzogin Unschuld wurde offenbar. Der Kaiser begrüßte den Sieger; die Herzogin aber begab sich des Landes zugunsten ihrer Tochter Clarissa und vermählte sie mit dem Helden, der sie befreit hatte. Die Hochzeit wurde prächtig zu Nimwegen gefeiert; hernach zogen sie in ihr Land Billon, wo sie mit Freuden empfangen wurden. Nach neun Monaten gebar die Herzogin eine Tochter, welche den Namen Ida empfing und späterhin die Mutter berühmter Helden ward. Eines Tages nun fragte die Herzogin ihren Gemahl nach seinen Freunden und Magen, und aus welchem Lande er gekommen wäre. Helias aber antwortete nichts, sondern verbot ihr diese Frage; sonst müsse er von ihr scheiden. Sie fragte ihn also nicht mehr, und sechs Jahre lebten sie in Ruhe und Frieden zusammen.

Was man den Frauen verbietet, das tun sie zumeist, und die Herzogin, als sie einer Nacht bei ihrem Gemahl zu Bette lag, sprach dennoch: »O mein Herr! Ich möchte gerne wissen, von wannen Ihr seid.« Als dies Helias hörte, wurde er betrübt und antwortete: »Ihr wißt, daß Ihr das nicht wissen sollt; ich gelobe Euch nun, morgen von Lande zu scheiden.« Und wieviel sie und die Tochter klagten und weinten, stand der Herzog morgens auf, berief seine Mannen und gebot ihnen, Frau und Tochter nach Nimwegen zu geleiten, damit er sie dort dem Kaiser empfehlen könne; denn er kehre nimmermehr wieder. Unter diesen Reden hörte man schon den Schwan schreien, der sich über seines Bruders Wiederkunft freuete, und Helias trat in den Nachen. Die Herzogin reiste mit ihrer Tochter zu Lande nach Nimwegen, dahin kam bald der Schwan geschwommen. Helias blies ins Horn und trat vor den Kaiser, dem er sagte, daß er notgedrungen sein Land verlassen müsse, und dringend seine Tochter Ida empfahl. Otto sagte es ihm zu, und Helias, nachdem er Abschied genommen, Weib und Kind zärtlich geküßt hatte, fuhr in dem Nachen davon.

Der Schwan aber geleitete ihn wieder nach Lillefort, wo ihn alle, und zumal Beatrix, seine Mutter, fröhlich bewillkommten. Helias dachte vor allen Dingen, wie er seinen Bruder Schwan wieder lösen möchte. Er ließ daher den Goldschmied rufen und händigte ihm die Näpfe ein, mit dem Befehl, daraus eine Kette zu schmieden, wie die gewesen war, die er einstens geschmolzen hatte. Der Schmied tat es, und brachte die Kette; Helias hängte sie dem Schwan um, der ward alsobald ein schöner Jüngling, wurde getauft und Eßmer (nach andern Emeri, Emerich) genannt.

Einige Zeit darauf erzählte Helias seinen Verwandten die Begebenheit, die er im Lande Billon erfahren hatte; begab sich darauf der Welt und ging in ein Kloster, um da geistlich zu leben bis an sein Ende. Aber zum Andenken ließ er ein Schloß bauen, ganz wie das in Ardennen, und nannte es auch mit demselben Namen Billon.

Als nun Ida, Helias' Tochter, vierzehn Jahre alt geworden war, vermählte sie Kaiser Otto mit Eustachias, einem Grafen von Bonn. Ida lag auf eine Zeit im Traum, da deuchte ihr, als wenn drei Kinder an ihrer Brust lägen, jedes mit einer Krone auf dem Haupt; aber dem dritten zerbrach die Krone, und sie hörte eine Stimme, die sprach, sie würde drei Söhne gebären, von denen der Christenheit viel Frommen erwachsen solle; nur müsse sie verhüten, daß sie keine andere Milch sögen als ihre eigene. Innerhalb drei Jahren brachte auch die Gräfin drei Söhne zur Welt; der älteste hieß Gottfried, der zweite Baldewin, der dritte Eustachias; alle aber zog sie sorgfältig mit ihrer Milch groß. Da begab sich, daß auf einen Pfingsttag die Gräfin in der Kirche war und etwas lange von ihrem Säugling Eustachias blieb; da weinte das Kind so, daß eine andere Frau ihm zu säugen gab. Als die Gräfin zurückkehrte und ihren Sohn an der Frauen Brust fand, sprach sie: »Ach, Frau, was habt Ihr getan? Nun wird mein Kind seine Würdigkeit verlieren.« Die Frau sagte: »Ich meinte wohlzutun, weil es so weinte, und dachte es zu stillen.« Die Gräfin aber war betrübt, aß und trank den ganzen Tag nicht und grüßte die Leute nicht, die ihr vorgestellt wurden.

Die Herzogin, ihre Mutter, hätte unterdessen gar zu gern Kundschaft von ihrem Gemahl gehabt, wohin er gekommen wäre; und sie sandte Pilger aus, die ihn suchen sollten in allen Landen. Nun kam endlich einer dieser Pilger vor ein Schloß, nach dessen Namen er fragte, und hörte mit Erstaunen, daß es Billon hieße; da er doch wohl wußte, Billon liege noch viel weiter. Die Landleute erzählten ihm aber, warum Helias diesen Bau gestiftet und so benannt habe, und berichteten den Pilgrim der ganzen Geschichte. Der Pilgrim dankte Gott, daß er endlich gefunden hatte, was er so lange suchte; ließ sich bei dem König Oriant und seinen Söhnen melden und erzählte, wie es um die Herzogin in Billon und ihre Tochter stünde. Eßmer brachte dem Helias die frohe Botschaft in sein Kloster, Helias gab dem Pilgrim seinen Trauring zum Wahrzeichen mit; auch sandten die andern viele Kostbarkeiten ihren Freunden zu Billon. Der Pilgrim fuhr damit in seine Heimat, und bald zogen die Herzogin und die Gräfin hin zu ihrem Gemahl und Vater in sein Kloster. Helias empfing sie fröhlich, starb aber nicht lange darnach; die Herzogin folgte ihm aus Betrübnis. Die Gräfin aber, als ihre Eltern begraben waren, zog wieder heim in ihr Land und unterwies ihre Söhne in aller Tugend und Gottesfurcht. Diese Söhne gewannen hernachmals den Ungläubigen das Heilige Land ab, und Gottfried und Baldewin wurden zu Jerusalem als Könige gekrönt.

541. DAS SCHWANSCHIFF AM RHEIN

Im Jahr 711 lebte Dietrichs, des Herzogen zu Kleve, einzige Tochter Beatrix, ihr Vater war gestorben, und sie war Frau über Kleve und viel Lande mehr. Zu einer Zeit saß diese Jungfrau auf der Burg von Nimwegen, es war schön klar Wetter, sie schaute in den Rhein und sah da ein wunderlich Ding. Ein weißer Schwan trieb den Fluß abwärts, und am Halse hatte er eine goldne Kette. An der Kette hing ein Schiffchen, das er fortzog, darin ein schöner Mann saß. Er hatte ein goldnes Schwert in der Hand, ein Jagdhorn um sich hängen und einen köstlichen Ring am Finger. Dieser Jüngling trat aus dem Schifflein ans Land und hatte viele Worte mit der Jungfrau und sagte, daß er ihr Land schirmen sollte und ihre Feinde vertreiben. Dieser Jüngling behagte ihr so wohl, daß sie ihn liebgewann und zum Manne nahm. Aber er sprach zu ihr: »Fraget mich nie nach meinem Geschlecht und Herkommen; denn wo Ihr danach fraget, werdet Ihr mein los sein und ledig und mich nimmer sehen.« Und er sagte ihr, daß er Helias hieße; er war groß von Leibe, gleich einem Riesen. Sie hatten nun mehrere Kinder miteinander. Nach einer Zeit aber, so lag dieser Helias bei Nacht neben seiner Frau im Bette, und die Gräfin fragte unachtsam und sprach: »Herr, solltet Ihr Euren Kindern nicht sagen wollen, wo Ihr herstammet?« Über das Wort verließ er die Frau, sprang in das Schwanenschiff hinein und fuhr fort, wurde auch nicht wieder gesehen. Die Frau grämte sich und starb aus Reue noch das nämliche Jahr. Den Kindern aber soll er die drei Stücke,

Schwert, Horn und Ring, zurückgelassen haben. Seine Nachkommen sind noch vorhanden, und im Schloß zu Kleve stehet ein hoher Turm, auf dessen Gipfel ein Schwan sich drehet, genannt der Schwanturm, zum Andenken der Begebenheit.

542. LOHENGRIN ZU BRABANT

Der Herzog von Brabant und Limburg starb, ohne andere Erben als eine junge Tochter Els oder Elsam zu hinterlassen; diese empfahl er auf dem Todbette einem seiner Dienstmannen, Friedrich von Telramund[1]. Friedrich, sonst ein tapferer Held, der zu Stockholm in Schweden einen Drachen getötet hatte, wurde übermütig und warb um der jungen Herzogin Hand und Land unter dem falschen Vorgeben, daß sie ihm die Ehe gelobt hatte. Da sie sich standhaft weigerte, klagte Friedrich bei dem Kaiser Heinrich dem Vogler; und es wurde Recht gesprochen, daß sie sich im Gotteskampf durch einen Helden gegen ihn verteidigen müsse. Als sich keiner finden wollte, betete die Herzogin inbrünstig zu Gott um Rettung. Da erscholl weit davon zu Montsalvatsch beim Gral der Laut der Glocke, zum Zeichen, daß jemand dringender Hilfe bedürfe; alsobald beschloß der Gral, den Sohn Parzivals, Lohengrin, darnach auszusenden. Eben wollte dieser seinen Fuß in den Stegreif setzen, da kam ein Schwan auf dem Wasser geflossen und zog hinter sich ein Schiff daher. Kaum erblickte ihn Lohengrin, als er rief: »Bringt das Roß wieder zur Krippe; ich will nun mit diesem Vogel ziehen, wohin er mich führt.« Speise im Vertrauen auf Gott nahm er nicht in das Schiff; nachdem sie fünf Tage über Meer gefahren hatten, fuhr der Schwan mit dem Schnabel ins Wasser, fing ein Fischlein auf, aß es halb und gab dem Fürsten die andere Hälfte zu essen.

1 Die Erzählung im Parzival ist noch einfacher. Friedrich fehlt ganz, die demütige Herzogin wird von Land und Leuten bedrängt, sich zu vermählen. Sie verschwört jeden Mann, außer den ihr Gott sende, und da schwimmt der Schwan herzu.

Unterdessen hatte Elsam ihre Fürsten und Mannen nach Antwerpen zu einer Landsprache berufen. Gerade am Tage der Versammlung sah man einen Schwan die Schelde heraufschwimmen, der ein Schifflein zog, in welchem Lohengrin auf sein Schild ausgestreckt schlief. Der Schwan landete bald am Gestade, und der Fürst wurde fröhlich empfangen; kaum hatte man ihm Helm, Schild und Schwert aus dem Schiff getragen, als der Schwan sogleich zurückfuhr. Lohengrin vernahm nun das Unrecht, welches die Herzogin litt, und übernahm es gerne, ihr Kämpfer zu sein. Elsam ließ hierauf alle ihre Verwandten und Untertanen entbieten, die sich bereitwillig in großer Zahl einstellten; selbst König Gotthart, ihr mütterlicher Ahn, kam aus Engelland, durch Gundemar, Abt zu Clarbrunn, berufen. Der Zug machte sich auf den Weg, sammelte sich nachher vollständig zu Saarbrück und ging von da nach Mainz. Kaiser Heinrich, der sich zu Frankfurt aufhielt, kam nach Mainz entgegen; und in dieser Stadt wurde das Gestühl errichtet, wo Lohengrin und Friedrich kämpfen sollten. Der Held vom Gral überwand; Friedrich gestand, die Herzogin angelogen zu haben, und wurde mit Schlägel und Barte (Beil) gerichtet. Elsam fiel nun dem Lohengrin zuteile, die sich längst einander liebten; doch behielt er sich insgeheim voraus, daß ihr Mund alle Fragen nach seiner Herkunft zu vermeiden habe; denn sonst müsse er sie augenblicklich verlassen.

Eine Zeitlang verlebten die Eheleute in ungestörtem Glück, und Lohengrin beherrschte das Land weise und mächtig; auch dem Kaiser leistete er auf den Zügen gegen die Hunnen und Heiden große Dienste. Es trug sich aber zu, daß er einmal im Speerwechsel den Herzog von Kleve herunterstach und dieser den Arm zerbrach; neidisch redete da die Klever Herzogin laut unter den Frauen: »Ein kühner Held mag Lohengrin sein, und Christenglauben scheint er zu haben; schade, daß Adels halben sein Ruhm gering ist; denn niemand weiß, woher er ans Land geschwommen kam.« Dies Wort ging der Herzogin von Brabant durch das Herz, sie errötete und erblich. Nachts im Bette, als ihr Gemahl sie in Armen hielt, weinte sie; er sprach: »Lieb, was wirret dir?« Sie antwortete: »Die Klever Herzogin hat mich zu tiefem Seufzen gebracht«, aber Lohengrin schwieg und fragte nicht weiter. Die zweite Nacht weinte sie wieder; er aber merkte es wohl und stillte sie nochmals. Allein in der dritten Nacht konnte sich Elsam nicht länger halten und sprach: »Herr, zürnt mir nicht! Ich wüßte gern, von wannen Ihr geboren seid; denn mein Herz sagt mir, Ihr seiet reich an Adel.« Als nun der Tag anbrach, erklärte Lohengrin öffentlich, von woher er stamme: daß Parzival sein Vater sei und Gott ihn vom Grale hergesandt habe. Darauf ließ er seine beiden Kinder bringen, die ihm die Herzogin geboren, küßte sie und befahl, ihnen Horn und Schwert, das er zurücklasse, wohl aufzuheben; der Herzogin ließ er das Fingerlein, das ihm einst seine Mutter geschenkt hatte. Da kam mit Eile sein Freund, der Schwan, geschwommen, hinter ihm das Schifflein; der Fürst trat hinein und fuhr wider Wasser und Wege in des Grales Amt. Elsam sank ohnmächtig nieder, daß man mit einem Keil ihre Zähne aufbrechen und ihr Wasser eingießen mußte. Kaiser und Reich nahmen sich der Waisen an; die Kinder hießen Johann und Lohengrin. Die Witwe aber weinte und klagte ihr übriges Leben lang um den geliebten Gemahl, der nimmer wiederkehrte.

543. LOHERANGRINS ENDE IN LOTHRINGEN

Als nun Loherangrin mit Zurücklassung des Schwerts, Hornes und Fingerlins aus Brabant fortgezogen war, kam er in das Land Lyzaborie (Luxemburg) und ward der schönen Belaye Gemahl, die sich wohl vor der Frage nach seiner Herkunft hütete und ihn über die Maßen liebte, so daß sie keine Stunde von ihm sein konnte, ohne zu siechen. Denn sie fürchtete seinen Wankelmut und lag ihm beständig an, zu Haus zu bleiben; der Fürst aber mochte ein so verzagtes Wesen nicht gerne leiden, sondern ritt oft zu birsen auf die Jagd. Solange er abwesend war, saß Belaye halbtot und sprachlos daheim; sie kränkelte, und es schien ihr durch Zauberei etwas angetan. Nun wurde ihr von einem Kammerweib geraten: wolle sie ihn fester an sich bannen, so müsse die Loherangrin, wann er müde von der Jagd entschlafen sei, ein Stück Fleisch von dem Leibe schneiden und essen. Belaye aber verwarf den Ratschlag und sagte: »Eh wollt ich mich begraben lassen, als daß ihm nur ein Finger schwüre!« zürnte dem Kammerweib und verwies sie seitdem aus ihrer Huld. Giftig ging die Verräterin hin zu Belayens Magen, die dem Helden die Königstochter neideten, und brachte ihnen falsche Lügen vor. Da bereit sich Belayens Sippschaft, daß sie aus Loherangrin das Fleisch, womit allein Belayens Not gelindert werden könnte, schneiden wollten; und als er eines Tages wieder auf die Jagd gegangen und entschlafen war, träumte ihm, tausend Schwerter stünden zumal ob seinem einzigen Haupt gezückt. Erschrocken fuhr er auf und sah die Schwerter der Verräter. Alle bebten vor dem Helden, mit seiner einen Hand erschlug er mehr denn hundert. Sie waren aber untereinander zu fest verbunden und ließen nicht nach, ihn anzugreifen, bis ihm ihrer zuviel wurde und er eine Wunde durch den linken Arm empfing, so schwer, daß sie kein Arzt heilen konnte. Als sie ihn todwund sahen, fielen sie ihm alle zu Füßen, seiner großen Tugend wegen. Belaye starb nach empfangener Todesbotschaft alsbald vor Herzeleid. Loherangrin und Belaye wurden gebalsamt und zusammen eingesargt, hernach ein Kloster über ihren Gräbern gebauet; ihre Leichname werden da den Pilgrimen noch gewiesen. Das Land, vorher Lyzaborie genannt, nahm von ihm den Namen Lotharingen an. Diese Begebenheit hat sich ereignet nach Christi Geburt fünfhundert Jahr.

544. DER SCHWANRITTER

Herzog Gottfried von Brabant war gestorben, ohne männliche Erben zu hinterlassen; er hatte aber in einer Urkunde gestiftet, daß sein Land der Herzogin und seiner Tochter verbleiben sollte. Hieran kehrte sich jedoch Gottfrieds Bruder, der mächtige Herzog von Sachsen, wenig, sondern bemächtigte sich, aller Klagen der Witwe und Waisen unerachtet, des Landes, das nach deutschem Recht auf keine Weiber erben könne.

Die Herzogin beschloß daher, bei dem König zu klagen; und als bald darauf Karl nach Niederland zog und einen Tag zu Neumagen am Rheine halten wollte, kam sie mit ihrer Tochter dahin und begehrte Recht. Dahin war auch der Sachsenherzog gekommen und wollte der Klage zu Antwort stehen. Es ereignete sich aber, daß der König durch ein Fenster schaute; da erblickte er einen weißen Schwan, der schwamm den Rhein heran und zog an einer silbernen Kette, die hell glänzte, ein Schifflein nach sich; in dem Schiff aber ruhte ein schlafender Ritter, sein Schild war sein Hauptkissen, und neben ihm lag Helm und Halsberg; der Schwan steuerte gleich einem geschickten Seemann und brachte sein Schiff an das Gestade. Karl und der ganze Hof verwunderten sich höchlich ob diesem seltsamen Ereignis; jedermann vergaß der Klage der Frauen und lief hinab dem Ufer zu. Unterdessen war der Ritter erwacht und stieg aus der Barke; wohl und herrlich empfing ihn der König, nahm ihn selbst zur Hand und führte ihn gegen die Burg. Da sprach der Held zu dem Vogel: »Flieg deinen Weg wohl, lieber Schwan! Wann ich dein wieder bedarf, will ich dir schon rufen.« Sogleich schwang sich der Schwan und fuhr mit dem Schifflein aus aller Augen weg. Jedermann schaute den fremden Gast neugierig an; Karl ging wieder ins Gestühl zu seinem Gericht und wies jenem eine Stelle unter den andern Fürsten an.

Die Herzogin von Brabant, in Gegenwart ihrer schönen Tochter, hub nunmehr ausführlich zu klagen an, und hernach verteidigte sich auch der Herzog von Sachsen. Endlich erbot er sich zum Kampf für sein Recht, und die Herzogin solle ihm einen Gegner stellen, das ihre zu bewähren. Da erschrak sie heftig; denn er war ein auserwählter Held, an den sich niemand wagen würde; vergebens ließ sie im ganzen Saal die Augen umgehen, keiner war da, der sich ihr erboten hätte. Ihre Tochter klagte laut und weinte; da erhob sich der Ritter, den der Schwan ins Land geführt hatte, und gelobte, ihr Kämpfer zu sein. Hierauf wurde sich von beiden Seiten zum Streit gerüstet, und nach einem langen und hartnäckigen Gefecht war der Sieg endlich auf seiten des Schwanritters. Der Herzog von Sachsen verlor sein Leben, und der Herzogin Erbe wurde wieder frei und ledig. Da neigten sie und ihre Tochter dem Helden, der sie erlöst hatte, und er nahm die ihm angetragene Hand der Jungfrau mit dem Beding an, daß sie nie und zu keiner Zeit fragen solle, woher er gekommen und welches sein Geschlecht sei; denn außerdem müsse sie ihn verlieren.

Der Herzog und die Herzogin zeugten zwei Kinder zusammen, die waren wohlgeraten; aber immer mehr fing es an, ihre Mutter zu drücken, daß sie gar nicht wußte, wer ihr Vater war; und endlich tat sie an ihn die verbotene Frage. Der Ritter erschrak herzlich und sprach: »Nun hast du selbst unser Glück zerbrochen und mich am längsten gesehen.« Die Herzogin bereute es aber zu spät, alle Leute fielen zu seinen Füßen und baten ihn zu bleiben. Der Held waffnete sich, und der Schwan kam mit demselben Schifflein geschwommen; darauf küßte er beide Kinder, nahm Abschied von seinem Gemahl und segnete das ganze Volk; dann trat er ins Schiff, fuhr seine Straße und kehrte nimmer wieder. Der Frau ging der Kummer zu Bein und Herzen, doch zog sie fleißig ihre Kinder auf. Aus dem Samen dieser Kinder stammen viel edle Geschlechter, die von Geldern sowohl als Kleve, auch die Rieneker Grafen und manche andre; alle führen den Schwan im Wappen.

545. DER GUTE GERHARD SCHWAN

Eines Tages stand König Karl am Fenster einer Burg und sah hinaus auf den Rhein. Da sah er einen Schwan auf dem Wasser schwimmen kommen, der hatte einen Seidenstrang um den

Hals, und daran hing ein Boot; in dem Boot saß ein Ritter ganz gewaffnet, an seinem Hals hatte er eine Schrift. Und wie der Ritter ans Land kam, fuhr der Schwan mit dem Schiffe fort und wurde nimmermehr gesehen. Navilon (Nibelung), einer von des Königs Männern, ging dem Fremden entgegen, gab ihm die Hand und führte ihn vor den König. Da fragte Karl nach seinem Namen; aber der Ritter konnte nicht reden, sondern zeigte ihm die Schrift; und die Schrift besagte, daß Gerhard Schwan gekommen sei, ihm um ein Land und eine Frau zu dienen. Navilon nahm ihm darauf die Waffen ab und hob sie auf; aber Karl gab ihm einen guten Mantel, und sie gingen dann zu Tisch. Als aber Rolland den Neukömmling sah, frug er, was er für ein Mann wäre. Karl antwortete: »Diesen Ritter hat mir Gott gesandt«, und Rolland sprach: »Er scheinet heldenmütig.« Der König befahl, ihn wohl zu bedienen. Gerhard war ein weiser Mann, diente dem König wohl und gefiel jedermann; schnell lernte er die Sprache. Der König wurde ihm sehr hold, vermählte ihm seine Schwester Adalis (im Dänischen: Elisa) und setzte ihn zu einem Herzog über Ardennenland.

546. DIE SCHWANRINGE ZU PLESSE

Die Herren von Schwanring zogen aus einem fremden Land in die Gegend von Plesse und wollten sich niederlassen. Im Jahr 892 bekamen sie Fehde mit denen von Beverstein; es waren ihrer drei Brüder: Siegfried, Sieghart und Gottschalk von Schwanring; und sie führten Schwanflügel und Ring in ihren Schilden. Bodo von Beverstein erschoß den Sieghart mit einem Pfeil und floh vor der Rache der Brüder nach Finnland, wo er sich niedersetzte. Und die andern Beversteine legten eine feste Burg an gegen die Schwanringe, geheißen Hardenberg oder Beverstein. Gottschalk und Siegfried gingen aber damit um, eine Gegenburg anzulegen. Eines Tages jagten sie von Hökelheim aus in dem hohen Wald (der auch Langforst oder Plessenwald heißt), und mit ihnen war ihr Bastardbruder, genannt Heiso Schwanenflügel, ein guter, listiger Jäger, der Wege und Stege in Feld und Holz wohl erfahren; der wußte von den Anschlägen der Hardenberger. Dieser ersah ein gutes Plätzchen an einer Ecke gegen die Leine, wies es seinen Brüdern; die sprachen: »Wohlan, ein gut gelegen Plätzken! Hier wollen wir Haus, Burg und Feste bauen.« Also bauten sie an demselben Flecken; das Haus wurde Plätzken und nach und nach Plesse genannt; endlich nahmen die Schwanringe selbst den Namen der von Plesse an. Der Streit mit den Hardenbergern wurde vertragen. Die Schäfer zeigen noch die Stelle, wo Sieghart erschossen wurde (zwischen den Dörfern Angerstein und Parnhosen), und fügen hinzu, daß auch daselbst vorzeiten ein steinern Kreuz gestanden habe, das Schwanringer Kreuz genannt.

547. DAS OLDENBURGER HORN

In dem Hause Oldenburg wurde sonst ein künstlich und mit viel Zieraten gearbeitetes Trinkhorn sorgfältig bewahrt, das sich aber gegenwärtig zu Kopenhagen befindet. Die Sage lautet so: Im Jahr 990 (967) beherrschte Graf Otto das Land. Weil er als ein guter Jäger große Lust am Jagen hatte, begab er sich am 20. Juli gedachten Jahres mit vielen von seinen Edelleuten und Dienern auf die Jagd und wollte zuvörderst in dem Walde, Bernefeuer genannt, das Wild heimsuchen. Da nun der Graf selbst ein Reh hetzte und demselben vom Bernefeuerholze bis an den Osenberg allein nachrannte, verlor er sein ganzes Jagdgefolge aus Augen und Ohren, stand mit einem weißen Pferde mitten auf dem Berge und sah sich nach seinen Winden um, konnte aber auch nicht einmal einen lautenden (bellenden) Hund zu hören bekommen. Hierauf sprach er bei ihm selber, denn es eine große Hitze war: Ach Gott, wer nur einen kühlen Trunk Wassers hätte! Sobald, als der Graf das Wort gesprochen, tat sich der Osenberg auf und kommt aus der Kluft eine schöne Jungfrau, wohl gezieret, mit schönen Kleidern angetan, auch schönen, über die Achsel geteilten Haaren und einem Kränzlein darauf, und hatte ein köstlich silbern Geschirr, so vergüldet war, in Gestalt eines Jägerhorns, wohl und gar künstlich gemacht, in der Hand, das gefüllt war. Dieses Horn reichte sie dem Grafen und bat, daß er daraus trinken wolle, sich zu erquicken.

Als nun solches vergüldtes silbern Horn der Graf von der Jungfrau auf- und angenommen, den Deckel davongetan und hineingesehen: da hat ihm der Trank, oder was darinnen gewesen, welches er geschüttelt, nicht gefallen und deshalben solch Trinken der Jungfrau geweigert. Worauf aber die Jungfrau gesprochen: »Mein lieber Herr, trinket nur auf meinen Glauben! Denn es wird Euch keinen Schaden geben, sondern zum Besten gereichen«; mit fernerer Anzeige, wo er, der Graf, draus trinken wolle, sollt's ihm, Graf Otten und den Seinen, auch folgends dem ganzen Hause Oldenburg wohlgehn und die Landschaft zunehmen und ein Gedeihen haben. Da aber der Graf ihr keinen Glauben zustellen noch daraus trinken würde, so sollte künftig im nachfolgenden gräflich-oldenburgischen Geschlecht keine Einigkeit bleiben. Als aber der Graf auf solche Rede keine acht gab, sondern bei ihm selber, wie nicht unbillig, ein groß Bedenken machte, daraus zu trinken: hat er das silbern vergüldte Horn in der Hand behalten und hinter sich geschwenket und ausgegossen, davon etwas auf das weiße Pferd gespritzet; und wo es begossen und naß worden, sind ihm die Haare abgegangen. Da nun die Jungfrau solches gesehen, hat sie ihr Horn wiederbegehret; aber der Graf hat mit dem Horn, so er in der Hand hatte, vom Berge abgeeilet, und als er sich wieder umgesehn, vermerkt, daß die Jungfrau wieder in den Berg gangen; und weil darüber dem Grafen ein Schrecken ankommen, hat er sein Pferd zwischen die Sporn genommen und im schnellen Lauf nach seinen Dienern geeilet und denselbigen, was sich zugetragen, vermeldet, das silbern vergüldte Horn gezeiget und also mit nach Oldenburg genommen. Und ist dasselbige, weil er's so wunderbarlich bekommen, vor ein köstlich Kleinod von ihm und allen folgenden regierenden Herren des Hauses gehalten worden.

548. FRIEDRICH VON OLDENBURG

Graf Huno von Oldenburg war ein frommer und rechter Mann. Als zu seiner Zeit Kaiser Heinrich IV. einen großen Fürstentag in der Stadt Goslar hielt, säumte Huno, weil er Gott und frommen Werken oblag, dahin zu gehen. Da verleumdeten ihn falsche Ohrenbläser und klagten ihn des Aufruhrs gegen das Reich an; der Kaiser aber verurteilte ihn zum Gottesurteil durch Kampf, und kämpfen sollte er mit einem ungeheuern, grausamen Löwen. Huno begab sich nebst Friedrich, seinem jungen Sohne, in des Kaisers Hof; Friedrich wagte, mit dem Tier zu fechten. Vater und Sohn flehten Gottes Beistand an und gelobten, der Jungfrau Maria ein reiches Kloster zu stiften, wenn ihnen der Sieg zufiele. Friedrich ließ einen Strohmann zimmern und gleich einem Menschen bewaffnen, den warf er listig dem Löwen vor, schreckte ihn und gewann unverletzt den Sieg. Der Kaiser umarmte den Helden, schenkte ihm Gürtel und Ring und belehnte ihn mit vielen Gütern vom Reich. – Die Friesen sangen Lieder von dieser Tat.

549. DIE NEUN KINDER

Zu Möllenbeck, einer Klosterkirche an der Weser, zeigt man das Holzbild einer Heiligen, die eine Kirche im Arm trägt. Die Sage lautet: Einst kehrte Graf Uffo aus fernen Landen nach langer Abwesenheit in seine Heimat wieder; unterwegs träumte ihm, Hildburg, seine Gemahlin, habe ihm unterdessen neun Kinder geboren. Erschrocken beschleunigte er seine Reise, und Hildburg kam ihm fröhlich mit den Worten entgegen: »Ich glaubte dich tot, aber blieb nicht allein, sondern habe neun Töchter geboren, die sind alle Gott geweiht.« Uffo antwortete: »Deine Kinder sind auch die meinen, ich will sie ausstatten.« Es waren aber neun Kirchen, darunter das Kloster zu Möllenbeck, welche die fromme Frau gebaut und gestiftet hatte.

550. AMALABERGA VON THÜRINGEN

In Thüringen herrschten drei Brüder, Baderich, Hermenfried und Berthar. Den jüngsten tötete Hermenfried auf Anstiften seiner Gemahlin Amalaberga, einer Tochter Theodorichs von Franken. Darauf ruhte sie nicht, sondern reizte ihn, auch den ältesten wegzuräumen, und soll auf folgende listige Weise den Bruderkrieg erweckt haben: Als ihr Gemahl eines Tages zum Mahl kam, war der Tisch nur halb gedeckt. Hermenfried fragte, was dies zu bedeuten hätte: »Wer nur ein halbes Königreich besitzt«, sprach sie, »der muß sich auch mit einer halb gedeckten Tafel begnügen.«

551. SAGE VON IRMINFRIED IRING,
UND DIETRICH

Der Frankenkönig Hugo (Chlodwig) hinterließ keinen rechtmäßigen Erben außer seiner Tochter Amelberg, die an Irminfried, König von Thüringen, vermählt war. Die Franken aber wählten seinen unehelichen Sohn Dieterich zum König; der schickte einen Gesandten zu Irminfried um Frieden und Freunschaft; auch empfing ihn derselbe mit allen Ehren und hieß ihn eine Zeitlang an seinem Hofe bleiben. Allein die Königin von Thüringen, welche meinte, daß ihr das Frankenreich zu Recht gehörte und Dieterich ihr Knecht wäre, berief Iring, den Rat des Königs, zu sich und bat ihn, ihrem Gemahl zuzureden, daß er sich nicht mit dem Botschafter eines Knechtes einlassen möchte. Dieser Iring war sehr stark und tapfer, klug und fein in allem

Ratgeben und brachte also den König von dem Frieden mit Dieterich ab, wozu ihm die andern Räte geraten hatten. Daher trug Irminfried dem Abgesandten auf, seinem Herrn zu antworten, er möge doch eher sich die Freiheit als ein Reich zu erwerben trachten. Worauf der Gesandte versetzte: »Ich wollte dir lieber mein Haupt geben als solche Worte von dir gehört haben; ich weiß wohl, daß um derentwillen viel Blut der Franken und Thüringer fließen wird.«

Wie Dieterich diese Botschaft vernommen, ward er erzürnt, zog mit einem starken Heere nach Thüringen und fand den Schwager bei Runibergun seiner warten. Am ersten und zweiten Tage ward ohne Entscheidung gefochten; am dritten aber verlor Irminfried die Schlacht und floh mit den übriggebliebenen Leuten in seine Stadt Schiding, am Flusse Unstrut gelegen.

Da berief Dieterich seine Heerführer zusammen. Unter denen riet Waldrich, nachdem man die Toten begraben und die Wunden gepflegt, mit dem übrigen Heere heimzukehren, das nicht hinreiche, den Krieg fortzuführen. Es hatte aber der König einen getreuen, erfahrenen Knecht, der gab andern Ratschlag und sagte, die Standhaftigkeit wäre in edlen Dingen das Schönste, wie bei den Vorfahren; man müßte aus dem eroberten Lande nicht weichen und die Besiegten wieder aufkommen lassen, die sonst durch neue Verbindungen gefährlich werden könnten, jetzt aber allein eingeschlossen wären. – Dieser Rat gefiel auch dem König am besten, und er ließ den Sachsen durch Gesandte anbieten: wenn sie ihm ihre alten Feinde, die Thüringer, bezwingen hälfen, so wollte er ihnen deren Reich und Land auf ewig verleihen.

Die Sachsen ohne Säumen schickten neun Anführer, jeden mit tausend Mann, deren starke Leiber, fremde Sitten, Waffen und Kleider die Franken bewunderten. Sie lagerten sich aber nach Mittag zu auf den Wiesen am Fluß und stürmten am folgenden Morgen die Stadt; auf beiden Seiten wurde mit großer Tapferkeit gestritten, von den Thüringern für das Vaterland, von den Sachsen für den Erwerb des Landes. In dieser Not schickte

Irminfried den Iring ab, Schätze und Unterwerfung für den Frieden mit dem Frankenkönig anzubieten. Dieterichs Räte, mit Gold gewonnen, rieten um so mehr zur Willfahrung, da die Sachsen sehr gefährliche Nachbarn werden würden, wenn sie Thüringen einbekämen; und also versprach der König, morgenden Tages seinen Schwager wieder aufzunehmen und den Sachsen abzusagen. Iring blieb im Lager der Franken und sandte seinem Herrn einen Boten, um die Stadt zu beruhigen; er selbst wollte sorgen, daß die Nacht die Gesinnungen nicht änderte.

Da nun die Bürger wieder sicher des Friedens waren, ging einer mit seinem Sperber heraus, ihm an dem Flußufer Futter zu suchen. Es geschah aber, daß der Vogel, losgelassen, auf die andere Seite des Wassers flog und von einem Sachsen gefangen wurde. Der Thüringer forderte ihn wieder, der Sachse weigerte ihn. Der Thüringer: »Ich will dir etwas offenbaren, wenn du mir den Vogel lässest, was dir und deinen Gesellen sehr nützlich ist.« Der Sachse: »So sage, wenn du haben willst, was du begehrst!« – »So wisse«, sprach der Thüringer, »daß die Könige Frieden gemacht und vorhaben, euch morgen im Lager zu fangen und zu erschlagen!« Als er nun dieses dem Sachsen nochmals ernstlich beteuert und ihnen die Flucht angeraten hatte, so ließ dieser alsbald den Sperber los und verkündigte seinen Gefährten, was er vernommen.

Wie sie nun alle in Bestürzung und Zweifel waren, ergriff ein von allen geehrter Greis, genannt Hathugast, ihr heiliges Zeichen, welches eines Löwen und Drachen und darüber fliegenden Adlers Bild war, und sprach: »Bis hierher habe ich unter Sachsen gelebt und sie nie fliehen gesehen; so kann ich auch jetzt nicht genötigt werden, das zu tun, was ich niemals gelernt. Kann ich nicht weiterleben, so ist es mir das liebste, mit den Freunden zu fallen; die erschlagenen Genossen, welche hier liegen, sind mir ein Beispiel der alten Tugend, da sie lieber ihren Geist aufgegeben haben, als vor dem Feinde gewichen sind. Deswegen laßt uns heut in der Nacht die sichere Stadt überwältigen.«

Beim Einbruche der Nacht drangen die Sachsen über die

unbewachten Mauern in die Stadt, brachten die Erwachsenen zum Tod und schonten nur die Kinder; Irminfried entfloh mit Weib und Kindern und weniger Begleitung. Die Schlacht geschah am 1. Oktober. Die Sachsen wurden von den Franken des Sieges gerühmt, freundlich empfangen und mit dem ganzen Lande auf ewig begabt. Den entronnenen König ließ Dieterich trüglich zurückrufen und beredete endlich den Iring mit falschen Versprechungen, seinen Herrn zu töten. Als nun Irminfried zurückkam und sich vor Dieterich niederwarf, so stand Iring dabei und erschlug seinen eigenen Herrn. Alsbald verwies ihn der König aus seinen Augen und aus dem Reich, als der um der unnatürlichen Tat allen Menschen verhaßt sein müßte. Da versetzte Iring: »Ehe ich gehe, will ich meinen Herrn rächen«, zog das Schwert und erstach den König Dieterich. Darauf legte er den Leib seines Herrn über den des Dieterich, auf daß der, welcher lebend überwunden worden, im Tod überwände; bahnte sich Weg mit dem Schwert und entrann.

Irings Ruhm ist so groß, daß der Milchkreis am Himmel Iringsstraße nach ihm benannt wird[1].

552. DAS JAGEN IM FREMDEN WALDE

Friedrich, Pfalzgraf zu Sachsen, wohnete im Osterland bei Thüringen, auf Weißenburg an der Unstrut, seinem schönen Schloß. Sein Gemahel war eine geborene Markgräfin zu Stade und Salzwedel, Adelheid genannt, ein junges, schönes Weib, brachte ihm keine Kinder. Heimlich aber buhlete sie mit Ludwig, Grafen zu Thüringen und Hessen, und verführt durch die Liebe zu ihm, trachtete sie hin und her, wie sie ihres alten Herrn abkommen möchte und den jungen Grafen, ihren Buhlen, erlangen. Da wurden sie einig, daß sie den Markgrafen umbrächten auf diese Weise: Ludwig sollte an bestimmtem Tage

1 Abweichende Darstellung der Sage bei Goldast: Skript. rerum suevicarum, p. 1–3, wo die Schwaben die Stelle der Sachsen einnehmen.

eingehen in ihres Herrn Forst und Gebiet, in das Holz, genannt die Reißen, am Münchroder Feld (nach andern bei Schipplitz), und darin jagen, unbegrüßt und unbefragt; denn so wollte sie ihren Herrn reizen und bewegen, ihm die Jagd zu wehren; da möchte er dann seines Vorteils ersehen. Der Graf ließ sich vom Teufel und der Frauen Schöne blenden und sagte es zu. Als nun der mordliche Tag vorhanden war, richtete die Markgräfin ein Bad zu, ließ ihren Herrn darin wohl pflegen und warten. Unterdessen kam Graf Ludwig, ließ sein Hörnlein schallen und seine Hündlein bellen und jagte dem Pfalzgraf in dem Seinen bis hart vor die Tür. Da lief Frau Adelheid heftig in das Bad zu Friedrichen, sprach: »Es jagen dir ander Leut freventlich auf dem Deinen; das darfst du nimmer gestatten, sondern mußt ernstlich halten über deiner Herrschaft Freiheit.« Der Markgraf erzürnte, fuhr auf aus dem Bad, warf eilends den Mantel über das bloße Badhemd und fiel auf seinen Hengst, ungewappnet und ungerüstet. Nur wenig Diener und Hunde rannten mit ihm in den Wald; und da er den Grafen ersah, strafte er ihn mit harten Worten. Der wandte sich und stach ihn mit einem Schweinspieß durch seinen Leib, daß er tot vom Pferde sank. Ludwig ritt seinen Weg, die Diener brachten den Leichnam heim und beklagten und betrauerten ihn sehr; die Pfalzgräfin rang die Hände und raufte das Haar und gebärdete sich gar kläglich, damit keine Inzicht auf sie falle. Friedrich wurde begraben und an der Mordstätte ein steinern Kreuz gesetzt, welches noch bis auf den heutigen Tag stehet; auf der einen Seite ist ein Schweinspieß, auf der andern der lateinische Spruch ausgehauen: *Anno domini 1065 hic exspiravit palatinus Fridericus, hasta prostravit illum dum Ludovicus.* Ehe das Jahr um war, führte Graf Ludwig Frau Adelheiden auf Schauenburg, sein Schloß, und nahm sie zu seinem ehelichen Weib.

Als der Bischof von Mainz Ludwigen, genannt den Springer, taufte, begabte er ihn mit allem Land, was dem Stift zuständig war, von der Hörsel bis an die Werra. Ludwig aber, nachdem er zu seinen Jahren kam, bauete Wartburg bei Eisenach, und man sagt, es sei also gekommen: Auf eine Zeit ritt er an die Berge aus jagen und folgte einem Stück Wild nach bis an die Hörsel bei Niedereisenach, auf den Berg, da jetzo die Wartburg liegt. Da wartete Ludwig auf sein Gesinde und Dienerschaft. Der Berg aber gefiel ihm wohl, denn er war stickel und fest; gleichwohl oben räumig und breit genug, darauf zu bauen. Tag und Nacht trachtete er dahin, wie er ihn an sich bringen möchte, weil er nicht sein war und zum Mittelstein[2] gehörte, den die Herren von Frankenstein innehatten. Er ersann eine List, nahm Volk zusammen und ließ in einer Nacht Erde von seinem Grund in Körben auf den Berg tragen und ihn ganz damit beschütten; zog darauf nach Schönburg, ließ einen Burgfrieden machen und fing an, mit Gewalt auf jenem Berg zu bauen. Die Herren von Frankenstein verklagten ihn vor dem Reich, daß er sich des Ihren freventlich und mit Gewalt unternähme. Ludwig antwortete, er baue auf das Seine und gehörte auch zu dem Seinen und wollte das erhalten mit Recht. Da ward zu Recht erkannt: Wo er das erwiesen und erhalten könne mit zwölf ehrbaren Leuten, hätte er's zu genießen. Und er bekam zwölf Ritter und trat mit ihnen auf den Berg, und sie zogen ihre Schwerter aus und steckten sie in die Erde (die er darauf hatte tragen lassen), schwuren, daß der Graf auf das Seine baue, und der oberste Boden hätte von alters zum Land und Herrschaft gehört. Also verblieb ihm der Berg, und die neue Burg benannte er Wartburg, darum, weil er auf der Stätte seines Gesindes gewartet hatte.

1 Ähnliche Sage von Konstantin und Byzanz. Cod. pal. 361, fol. 63 b.
2 Weil er die Fünfscheide macht zwischen Hessen, Thüringen, Franken, Buchen und Eichsfeld.

Die Brüder und Freunde Markgraf Friedrichs klagten Landgraf Ludwigen zu Thüringen und Hessen vor dem Kaiser an, von wegen der frevelen Tat, die er um des schönen Weibes willen begangen hatte. Sie brachten also so viel beim Kaiser aus, daß sie den Landgrafen, wo sie ihn bekommen könnten, fahen sollten. Also ward er im Stift Magdeburg getroffen und auf den Giebichenstein bei Halle an der Saal geführt, wo sie ihn über zwei Jahre gefangenhielten in einer Kemnaten (Steinstube) ohne Fessel. Wie er nun vernahm, daß er mit dem Leben nicht davonkommen möchte, rief er Gott an und verhieß und gelobte, eine Kirche zu bauen in St. Ulrichs Ehr in seine neulich erkaufte Stadt Sangerhausen, so ihm aus der Not geholfen würde. Weil er aber vor schwerem Kummer nicht aß und nicht trank, war er sich gewordeon; da bat er, man möge ihm sein Seelgeräte[1] setzen, eh dann der Kaiser zu Lande käme und ihn töten ließe. Und ließ beschreiben einen seiner heimlichen Diener, mit dem legte er an: Wann er das Seelgeräte von dannen führete, daß er den anderen Tag um Mittag mit zwei Kleppern unter das Haus an die Saale käme und seiner wartete. Es saßen aber bei ihm auf der Kemnate sechs ehrbare Männer, die sein hüteten. Und als die angelegte Zeit herzukam, klagte er, daß ihn heftig fröre; tat derwegen viel Kleider an und ging sänftiglich im Gemach auf und nieder. Die Männer spielten vor Langerweile im Brett, hatten auf sein Herumgehen nicht sonderliche Achtung; unterdessen gewahrte er unten seines Dieners mit den zwei Pferden, da lief er zum Fenster und sprang durch den hohen Stein in die Saale hinab.

Der Wind führte ihn, daß er nicht hart ins Wasser fiel, da schwemmte der Diener mit dem ledigen Hengst zu ihm. Der Landgraf schwang sich zu Pferd, warf der nassen Kleider ein Teil von sich und rannte auf seinem weißen Hengst, den er den

---

1 Letzter Willen, Testament.

Schwan hieß, bis gen Sangerhausen. Von diesem Sprunge heißt
er Ludwig der Springer; dankte Gott und baute eine schöne
Kirche, wie er gelobet hatte. Gott gab ihm und seiner Gemahlin
Gnad in ihr Herz, daß sie Reu und Leid ob ihrer Sünde hatten.

Als Landgraf Ludwig nach Rom zog und vom Papst Buße empfangen hatte für seine und seines Weibes Sünde, war ihm aufgelegt worden, sich der Welt zu begeben und eine Kirche zu bauen in Unser Lieb Frauen und St. Johannes Minne, der mit ihr unterm Kreuze stand am Stillen Freitag. Also fuhr er wiederum heim zu Lande, übergab das Reich seinem Sohne und suchte eine bequeme Baustätte aus. Und als er eine Zeit von Schönberg nach der Wartburg ritt, da saß ein Töpfer bei einem großen Brunnen. Von dem vernahm der Graf, und auch sonst von etlichen Bauern zu Fricherode, daß sie alle Nacht zwei schöne Lichter brennen sähen, das eine an der Stätte, da das Münster liegt, das andere, da St. Johannes' Kapelle liegt. Da gedachte der Graf an sein Gelübde, und daß Gott, durch Offenbarung der Lichter, dahin die Kirche haben wollte; ließ sobald die Stätte räumen und die Bäume abhauen und nahm des Bischofs von Halberstadt Rat zu dem Bau. Als das Gebäude fertig war, nannte er es von dem Töpfer und Brunnen Reinhartsbrunn; da liegen die alten Landgrafen zu Hessen und Thüringen mehrenteils bestattet.

556. DER HARTGESCHMIEDETE LANDGRAF

Zu Ruhla im Thüringer Wald liegt eine uralte Schmiede, und sprichwörtlich pflegte man von langen Zeiten her einen strengen, unbiegsamen Mann zu bezeichnen: Er ist in der Ruhla hartgeschmiedet worden.
Landgraf Ludwig zu Thüringen und Hessen war anfänglich ein gar milder und weicher Herr, demütig gegen jedermann; da huben seine Junkern und Edelinge an stolz zu werden, verschmähten ihn und seine Gebote; aber die Untertanen drückten und schatzten sie aller Enden. Es trug sich nun einmal zu, daß der Landgraf jagen ritt auf dem Walde und traf ein Wild an; dem folgte er nach so lange, daß er sich verirrte, und ward benächti-

get. Da gewahrte er eines Feuers durch die Bäume, richtete sich danach und kam in die Ruhla zu einem Hammer oder Waldschmiede. Der Fürst war mit schlechten Kleidern angetan, hatte sein Jagdhorn umhängen. Der Schmied frug, wer er wäre. »Des Landgrafen Jäger.« Da sprach der Schmied: »Pfui, des Landgrafen! Wer ihn nennet, sollte allemal das Maul wischen, des barmherzigen Herrn!« Ludwig schwieg, und der Schmied sagte zuletzt: »Herbergen will ich dich heunt; in der Schuppen, da findest du Heu, magst dich mit deinem Pferde behelfen; aber um deines Herrn willen will ich dich nicht beherbergen.« Der Landgraf ging beiseit, konnte nicht schlafen. Die ganze Nacht aber arbeitete der Schmied, und wenn er so mit dem großen Hammer das Eisen zusammenschlug, sprach er bei jedem Schlag: »Landgraf, werde hart, Landgraf, werde hart wie dies Eisen!« und schalt ihn und sprach weiter: »Du böser, unseliger Herr! Was taugst du den armen Leuten zu leben? Siehst du nicht, wie deine Räte das Volk plagen und mähren dir im Munde?« Und erzählte also die liebe lange Nacht, was die Beamten für Untugend mit den armen Untertanen übeten. Klagten dann die Untertanen, so wäre niemand, der ihnen Hilfe täte; denn der Herr nähme es nicht an, die Ritterschaft spottete seiner hinterrücks, nennten ihn Landgraf Metz und hielten ihn gar unwert. »Unser Fürst und seine Jäger treiben die Wölfe ins Garn und die Amtleute die roten Füchse (die Goldmünzen) in ihre Beutel.« Mit solchen und andern Worten redete der Schmied die ganze lange Nacht zu dem Schmiedegesellen; und wenn die Hammerschläge kamen, schalt er den Herrn und hieß ihn hart werden wie Eisen. Das trieb er an bis zum Morgen; aber der Landgraf fassete alles zu Ohren und Herzen und ward seit der Zeit scharf und ernsthaftig in seinem Gemüt, begundte die Widerspenstigen zwingen und zum Gehorsam bringen. Das wollten etliche nicht leiden, sondern bunden sich zusammen und unterstunden sich gegen ihren Herrn zu wehren.

Als nun Ludwig der Eiserne seiner Ritter einen überzog, der sich wider ihn verbrochen hatte, sammleten sich die andern und wollten's nicht leiden. Da kam er zu streiten mit ihnen bei der Naumburg an der Saal, bezwang und fing sie und führte sie zu der Burg; redete seine Notdurft und strafte sie hart mit Worten: »Euren geleisteten Eid, so ihr mir geschworen und gelobet, habt ihr böslich gehalten. Nun wollte ich zwar euer Untreu wohl lohnen; wenn ich's aber täte, spräche man vielleicht, ich tötete meine eignen Diener; sollte ich euch schatzen, spräche man mir's auch nicht wohl; und ließe ich euch aber los, so achtet ihr meines Zorns fürder nicht.« Da nahm er sie und führte sie zu Felde und fand auf dem Acker einen Pflug, darein spannete er der ungehorsamen Edelleute je vier, ahr (riß, ackerte) mit ihnen eine Furche, und die Diener hielten den Pflug; er aber trieb mit der Geißel und hieb, daß sie sich beugten und oft auf die Erde fielen.

Wann dann die Furche geahren war, sandte er vier andere ein und ahrete also einen ganzen Acker, gleich als mit Pferden; und ließ darnach den Acker mit großen Steinen zeichnen zu einem ewigen Gedächtnis. Und den Acker machte er frei, dergestalt, daß ein jeder Übeltäter, wie groß er auch wäre, wenn er darauf käme, daselbst solle frei sein; und wer diese Freiheit brechen würde, sollte den Hals verloren haben; nannte den Acker den Edelacker, führte sie darauf wieder zur Naumburg, da mußten sie ihm auf ein neues schwören und hulden. Darnach ward der Landgraf im ganzen Land gefürchtet; und wo die, so im Pfluge gezogen hatten, seinen Namen hörten nennen, erseufzten sie und schämeten sich. Die Geschichte erscholl an allen Enden in deutschen Landen, und etliche scholten den Herrn darum und wurden ihm gram; etliche scholten die Beamten, daß sie so untreu waren; etliche meinten auch, sie wollten sich eh haben töten lassen denn in den Pflug spannen. Etliche auch demütigten sich gegen ihren Herrn, denen tat er gut und hatte sie lieb. Etliche aber wollten's ihm nicht vergessen, stunden ihm heimlich und öffentlich nach Leib und Leben. Und wenn er solche mit Wahrheit hinterkam, ließ er sie hängen, enthaupten und ertränken und in den Stöcken sterben. Darum gewann er viel heimliche Neider von ihren Kindern und Freunden, ging derohalben mit seinen Dienern stetig in einem eisern Panzer, wo er hinging. Darum hieß man ihn den Eisernen Landgrafen.

558. LUDWIG BAUT EINE MAUER

Einmal führte der Eiserne Landgraf den Kaiser Friedrich Rotbart, seinen Schwager, nach Naumburg aufs Schloß; da ward der Kaiser von seiner Schwester freundlich empfangen und blieb eine Zeitlang da bei ihnen. Eines Morgens lustwandelte der Kaiser, besah die Gebäu und ihre Gelegenheit und kam hinaus auf den Berg, der sich vor dem Schloß ausbreitete. Und sprach: »Eure Burg behaget mir wohl, ohne daß sie nicht Mauern hier vor der

Kemnate hat, die sollte auch stark und feste sein.« Der Landgraf erwiderte: »Um die Mauern sorg ich nicht, die kann ich schnell erschaffen, sobald ich ihrer bedarf.« Da sprach der Kaiser: »Wie bald kann eine gute Mauer hierum gemachet werden?« – »Näher denn in drei Tagen«, antwortete Ludwig. Der Kaiser lachte und sprach: das wäre ja Wunder; und wenn alle Steinmetzen des deutschen Reiches hier beisammen wären, so möchte das kaum geschehen. – Es war aber an dem, daß der Kaiser zu Tisch ging; da bestellte der Landgraf heimlich mit seinen Schreibern und Dienern, daß man von Stund an Boten zu Roß aussandte zu allen Grafen und Herren in Thüringen und ihnen meldete, daß sie zur Nacht mit wenig Leuten in der besten Rüstung und Geschmuck auf die Burg kämen. Das geschah. Frühmorgens, als der Tag anbrach, richtete Landgraf Ludwig das also an, daß ein jeder auf den Graben um die Burg trat, gewappnet und geschmuckt in Gold, Sammet, Seiden und den Wappenröcken, als wenn man zu streiten auszieht; und jeder Graf oder Edelmann hatte seinen Knecht vor ihm, der das Wappen trug, und seinen Knecht hinter ihm, der den Helm trug; so daß man deutlich jedes Wappen und Kleinod erkennen konnte. So standen nun alle Dienstmannen rings um den Graben, hielten bloße Schwerter und Äxte in Händen, und wo ein Mauerturm stehen sollte, da stand ein Freiherr oder Graf mit dem Banner. Als Ludwig alles dies stillschweigend bestellet hatte, ging er zu seinem Schwager und sagte, die Mauer, die er sich gestern berühmt hätte zu machen, stehe bereit und fertig. Da sprach Friedrich: »Ihr täuschet mich«, und segnete sich, wenn er es etwa mit der schwarzen Kunst zuwege gebracht haben möchte. Und als er auswendig zu dem Graben trat und soviel Schmuck und Pracht erblickte, sagte er: »Nun hab ich köstlicher, edler, teurer und besser Mauern zeit meines Lebens noch nicht gesehen; das will ich Gott und Euch bekennen, lieber Schwäher; habt immer Dank, daß Ihr mir solche gezeiget habt.«

Im Jahr 1173 befiel den Landgrafen schwere Krankheit, und lag auf der Neuenburg, hieß vor sich seine Ritterschaft, die ihm widerspenstig gewesen war, und sprach: »Ich weiß, daß ich sterben muß, und mag dieser Krankheit nicht genesen. Darum so gebiete ich euch, so lieb euch euer Leben ist, daß ihr mich, wann ich gestorben bin, mit aller Ehrwürdigkeit begrabet und auf euern Hälsen von hinnen bis gen Reinhartsborn traget.« Solches mußten sie ihm geloben bei Eiden und Treuen, denn sie fürchteten ihn mehr als den Teufel. Als er nun starb, leisteten sie die Gelübde und trugen ihn auf ihren Achseln weiter denn zehn Meilen Wegs.

560. WIE ES UM LUDWIGS SEELE GESCHAFFEN WAR

Als nun Ludwig der Eiserne gestorben war, da hätte sein Sohn, Ludwig der Milde, gern erfahren von seines Vaters Seele, wie es um die gelegen wäre, gut oder bös. Das vernahm ein Ritter an des Fürsten Hofe, der war arm und hatte einen Bruder, der war ein Pfaffe und kundig der schwarzen Kunst. Der Ritter sprach zu seinem Bruder: »Lieber Bruder, ich bitte dich, daß du von dem Teufel erfahren wollest, wie es um des Eisernen Landgrafen Seele sei.« Da sprach der Pfaffe: »Ich will es gerne tun, auf daß Euch der neue Herr desto gütlicher handle.« Der Pfaffe lud den bösen Geist und fragte ihn um die Seele. Da antwortete der Teufel: »Willst du mit mir darfahren, ich weise sie dir.« Der Pfaffe wollte das, so er's ohne Schaden tun möchte; der Teufel schwur, daß er ihn gesund wiederbringen würde. Nach diesem saß er auf des Teufels Hals, der führte ihn in kurzer Zeit an die Stätte der Pein. Da sah der Pfaff gar mancherlei Pein, und in mancherlei Weise, davon erbebte er sehr. Da rief ein ander Teufel und sprach: »Wer ist der, den du hast auf deinem Halse sitzen, bringe ihn auch her.« – »Es ist unser Freund«, antwortete jener, »dem hab ich geschworen, daß ich ihn

nicht letze, sondern daß ich ihm des Landgrafen Seele weise.«
Zuhand da wandte der Teufel einen eisernen glühenden Deckel ab
von einer Grube, da er aufsaß; und hatte eine eherne Posaune, die
steckte er in die Grube und blies darein also sehr, daß dem Pfaffen
deuchte, die ganze Welt erschölle und erbebete. Und nach einer
Weile, als viel Funken und Flammen mit Schwefelgestank
ausgingen, kam der Landgraf auch darin gefahren, gab sich dem
Pfaffen zu schauen und sprach: »Sieh, ich bin hier gegenwärtig,
ich armer Landgraf, weiland dein Herre; und wollte Gott, daß
ich's nie gewesen wäre, so stete Pein muß ich drum leiden.«
Sprach der Pfaffe: »Herr, ich bin zu Euch gesandt von Eurem
Sohne, daß ich ihm sagen sollte, wie's um Euch getan wäre, ob er
Euch helfen möchte mit irgend etwas.« Da antwortete er: »Wie es
mir geht, hast du wohl gesehn; jedoch solltu wissen, wär's, daß
meine Kinder den Gotteshäusern, Klöstern und andern Leuten ihr
Gut wiedergäben, das ich ihnen wider Recht mit Gewalt abgenommen habe, das wäre meiner Seele eine große Hilfe.« Da
sprach der Pfaffe: »Sie glauben mir dieser Rede nicht.« Da sagte er
ihm ein Wahrzeichen, das niemand wüßte als sie. Und da ward
der Landgraf wieder zur Grube gesenkt, und der Teufel führte den
Pfaffen wieder von dannen; der blieb gelb und bleich, daß man ihn
kaum erkannte, wiewohl er sein Leben nicht verlor. Da offenbarte er die Worte und Wahrzeichen, die ihm ihr Vater gesagt
hatte; aber es ward seiner Seele wenig Nutzen, denn sie wollten
das Gut nicht wiederkehren. Darnach übergab der Pfaffe alle seine
Lehen und ward ein Mönch zu Volkeroda.

561. DER WARTBURGER KRIEG

Auf der Wartburg bei Eisenach kamen im Jahr 1206 sechs
tugendhafte und vernünftige Männer mit Gesang zusammen
und dichteten die Lieder, welche man hernach nennte: den Krieg
zu der Wartburg. Die Namen der Meister waren: Heinrich
Schreiber, Walther von der Vogelweide, Reimar Zweter, Wolf-

ram von Eschenbach, Biterolf und Heinrich von Ofterdingen. Sie sangen aber und stritten von der Sonne und dem Tag, und die meisten verglichen Hermann, Landgrafen von Thüringen und Hessen, mit dem Tag und setzten ihn über alle Fürsten. Nur der einzige Ofterdingen pries Leopolden, Herzog von Österreich, noch höher und stellte ihn der Sonne gleich. Die Meister hatten aber untereinander bedungen, wer im Streit des Singens unterliege, der solle des Haupts verfallen, und Stempfel, der Henker, mußte mit dem Strick daneben stehen, daß er ihn alsbald aufhängte. Heinrich von Ofterdingen sang nun klug und geschickt; allein zuletzt wurden ihm die andern überlegen und fingen ihn mit listigen Worten, weil sie ihn aus Neid gern von dem Thüringer Hof weggebracht hätten. Da klagte er, daß man ihm falsche Würfel vorgelegt, womit er habe verspielen müssen. Die fünf andern riefen Stempfel, der sollte Heinrich an einen Baum hängen. Heinrich aber floh zur Landgräfin Sophia und barg sich unter ihrem Mantel; da mußten sie ihn in Ruhe lassen, und er dingte mit ihnen, daß sie ihm ein Jahr Frist gäben: so wolle er sich aufmachen nach Ungarn und Siebenbürgen und Meister Klingsor holen; was der urteile über ihren Streit, das solle gelten. Dieser Klingsor galt damals für den berühmtesten deutschen Meistersänger; und weil die Landgräfin dem Heinrich ihren Schutz bewilligt hatte, so ließen sie sich alle die Sache gefallen.

Heinrich von Ofterdingen wanderte fort, kam erst zum Herzogen nach Österreich und mit dessen Briefen nach Siebenbürgen zu dem Meister, dem er die Ursache seiner Fahrt erzählte und seine Lieder vorsang.

Klingsor lobte diese sehr und versprach ihm, mit nach Thüringen zu ziehen und den Streit der Sänger zu schlichten. Unterdessen verbrachten sie die Zeit mit mancherlei Kurzweil, und die Frist, die man Heinrichen bewilligt hatte, nahte sich ihrem Ende. Weil aber Klingsor immer noch keine Anstalt zur Reise machte, so wurde Heinrich bang und sprach: »Meister, ich fürchte, Ihr lasset mich im Stich, und ich muß allein und traurig meine Straße ziehen; dann bin ich ehrenlos und darf zeitlebens nimmermehr nach Thüringen.« Da antwortete Klingsor: »Sei unbesorgt! Wir haben starke Pferde und einen leichten Wagen, wollen den Weg kürzlich gefahren haben.«

Heinrich konnte vor Unruhe nicht schlafen; da gab ihm der Meister abends einen Trank ein, daß er in tiefen Schlummer sank. Darauf legte er ihn in eine lederne Decke und sich dazu und befahl seinen Geistern, daß sie ihn schnell nach Eisenach in Thüringerland schaffen sollten, auch in das beste Wirtshaus niedersetzen. Das geschah, und sie brachten ihn in Helgrevenhof, eh der Tag erschien. Im Morgenschlaf hörte Heinrich bekannte Glocken läuten, er sprach: »Mir ist, als ob ich das mehr gehört hätte, und deucht, daß ich zu Eisenach wäre.« – »Dir träumt wohl«, sprach der Meister. Heinrich aber stand auf und sah sich um, da merkte er schon, daß er wirklich in Thüringen wäre. »Gott sei Lob, daß wir hier sind, das ist Helgrevenhaus, und hier sehe ich St.-Georgen-Tor und die Leute, die davorstehen und über Feld gehen wollen.«

Bald wurde nun die Ankunft der beiden Gäste auf der Wartburg bekannt, der Landgraf befahl, den fremden Meister ehrlich zu empfahen und ihm Geschenke zu tragen. Als man den Ofterdingen fragte, wie es ihm ergangen und wo er gewesen, antwortete er: »Gestern ging ich zu Siebenbürgen schlafen, und zur Metten war ich heute hier; wie das zuging, hab ich nicht erfahren.« So vergingen einige Tage, eh daß die Meister singen und Klingsor richten sollten; eines Abends saß er in seines Wirtes Garten und schaute unverwandt die Gestirne an. Die Herren fragten, was er am Himmel sähe. Klingsor sagte: »Wisset, daß in dieser Nacht dem König von Ungarn eine Tochter geboren werden soll; die wird schön, tugendreich und heilig und des Landgrafen Sohne zur Ehe vermählt werden.«

Als diese Botschaft Landgraf Hermann hinterbracht worden war, freute er sich und entbot Klingsor zu sich auf die Wartburg, erwies ihm große Ehre und zog ihn zum fürstlichen Tische. Nach dem Essen ging er aufs Richterhaus (Ritterhaus), wo die

Sänger saßen, und wollte Heinrich von Ofterdingen ledig machen. Da sangen Klingsor und Wolfram mit Liedern gegeneinander, aber Wolfram tat so viel Sinn und Behendigkeit kund, daß ihn der Meister nicht überwinden mochte. Klingsor rief einen seiner Geiste, der kam in eines Jünglings Gestalt. »Ich bin müde worden vom Reden«, sprach Klingsor, »da bringe ich dir meinen Knecht, der mag eine Weile mit dir streiten, Wolfram.« Da hub der Geist zu singen an von dem Anbeginne der Welt bis auf die Zeit der Gnaden, aber Wolfram wandte sich zu der göttlichen Geburt des Ewigen Wortes; und wie er kam, von der heiligen Wandlung des Brotes und Weines zu reden, mußte der Teufel schweigen und von dannen weichen. Klingsor hatte alles mit angehört, wie Wolfram mit gelehrten Worten das göttliche Geheimnis besungen hatte, und glaubte, daß Wolfram wohl auch ein Gelehrter sein möge. Hierauf gingen sie auseinander. Wolfram hatte seine Herberge in Titzel Gottschalks Hause, dem Brotmarkt gegenüber mitten in der Stadt. Nachts, wie er schlief, sandte ihm Klingsor von neuem seinen Teufel, daß er ihn prüfen sollte, ob er ein Gelehrter oder ein Laie wäre; Wolfram aber war bloß gelehrt in Gottes Wort, einfältig und andrer Künste unerfahren. Da sang ihm der Teufel von den Sternen des Himmels und legte ihm Fragen vor, die der Meister nicht aufzulösen vermochte; und als er nun schwieg, lachte der Teufel laut und schrieb mit seinem Finger auf die steinerne Wand, als ob sie ein weicher Teig gewesen wäre: »Wolfram, du bist ein Laie Schnipfenschnapf!« Darauf entwich der Teufel, die Schrift aber blieb in der Wand stehen. Weil jedoch viele Leute kamen, die das Wunder sehen wollten, verdroß es den Hauswirt, ließ den Stein aus der Mauer brechen und in die Horsel werfen. Klingsor aber, nachdem er dieses ausgerichtet hatte, beurlaubte sich von dem Landgrafen und fuhr mit Geschenken und Gaben belohnt samt seinen Knechten in der Decke wieder weg, wie und woher er gekommen war.

562. DOKTOR LUTHER ZU WARTBURG

Doktor Luther saß auf der Wartburg und übersetzte die Bibel.
Dem Teufel war das unlieb und hätte gern das heilige Werk
gestört; aber als er ihn versuchen wollte, griff Luther das
Tintenfaß, aus dem er schrieb, und warf's dem Bösen an den
Kopf. Noch zeigt man heutigestages die Stube und den Stuhl,
worauf Luther gesessen, auch den Flecken an der Wand, wohin
die Tinte geflogen ist.

563. DIE VERMÄHLUNG DER KINDER LUDWIG UND ELISABETH

Meister Klingsor hatte zu Wartburg in der Nacht, da Elisabeth
zu Ungarn geboren wurde, aus den Sternen gelesen, daß sie dem
jungen Ludwig von Thüringen vermählt werden sollte. Im Jahr
1211 sandte der weitberühmte Landgraf Hermann herrliche
Boten von Mann und Weiben zu dem Könige in Ungarn um
seine Tochter Elisabeth, daß er sie nach Thüringen sendete,

seinem Sohne zum Ehegemahl. Fröhlich zogen die Boten zu
Roß und Wagen und wurden unterwegens, durch welche
Landschaft sie kamen, herrlich bewirtet und, als sie in Ungerland eintrafen, von dem König und der Königin lieblich empfangen. Andreas war ein guter, sittiger Mann, aber die Königin
schmückte ihr Töchterlein mit Gold und Silber zu der Reise und
entsandte sie nach Thüringen in silberner Wiege, mit silberner
Badewanne und goldnen Ringen, auch köstlichen Decken aus
Purpur und Seide, Bettgewand, Kleinoden und allem Hausrat.
Dazu viel tausend Mark Golds, bis daß sie groß würde, begabte
auch die Boten gar reichlich und ließ dem Landgrafen sagen, daß
er getrost und in Frieden lebe. Als nun Elisabeth mit ihrer Amme
in Thüringen ankam, da war sie vier Jahre alt, und Ludwig, ihr
Friedel, war elf Jahre alt. Da wurde sie höchlich empfangen und
auf die Wartburg gebracht, auch mit allem Fleiß erzogen, bis daß
die Kinder zu ihren Jahren kamen. Von dem heiligen Leben
dieser Elisabeth und den Wundern, die sie im Lande Hessen und
Thüringen zu Wartburg und Marburg verrichtet, wäre viel zu
schreiben.

564. HEINRICH DAS KIND VON BRABANT

Als nach Landgrafen und Königs Heinrich[1] Tode der thürin-
gisch-hessische Mannsstamm erloschen war, entspann sich langer Zwiespalt um die Erbschaft, wodurch zuletzt Thüringen
und Hessen voneinander gerissen wurde. Alle Hessen und auch
viele Thüringer erklärten sich für Sophien, Tochter der heiligen
Elisabeth und vermählte Herzogin in Brabant, deren unmündigen Sohn, genannt Heinrich das Kind (geboren 1244), sie für
ihren wahren Herrn erkannten. Der Markgraf von Meißen
hingegen sprach das Land an, weil es aus König Heinrichs

1 Er war Bruder Landgrafen Ludwigs, hatte die heilige Elisabeth, dessen Witwe,
hart behandelt und Hermann, ihren einzigen Sohn, der Sage nach, vergiften
lassen.

Munde, dessen Schwestersohn er war, erstorben wäre, und überfiel Thüringen mit Heereskraft. Damals war allenthalben Krieg und Raub im Lande, und als der Markgraf Eisenach eroberte, soll er, der Volkssage zufolge, einen Mann, der es mit dem hessischen Teil gehalten, von dem Felsen der Wartburg herabschleudern lassen, dieser aber in der Luft noch laut ausgerufen haben: »Thüringen gehört doch dem Kinde von Brabant!«

Sophia zog aus Hessen vor Eisenach; da man die Tore verschlossen und sie nicht einlassen wollte, nahm sie eine Axt und hieb in St. Jörgentor, daß man das Wahrzeichen zweihundert Jahre hernach noch in dem Eichenholz sah.

Die Chroniken erzählen, jener Mann sei ein Bürger aus Eisenach, namens Welspeche, gewesen, und weil er den Meißnern nicht huldigen wollen, zweimal mit der Blide über die Burgmauer in die Stadt geworfen worden, aber unverletzt geblieben. Als er immer standhaft bei seiner Aussage verharrte, wurde er zum drittenmal hinabgeschleudert und verlor sein Leben.

565. FRAU SOPHIENS HANDSCHUH

Als Sophia mit ihrem dreijährigen Sohn aus Brabant nach Hessen kam, zog sie gen Eisenach und hielt eine Sprache mit Heinrich, Markgraf von Meißen, daß er ihr das Land Hessen wieder herausgäbe. Da antwortete der Fürst: »Gern, allerliebste Base, meine getreue Hand soll dir und deinem Sohne unbeschlossen sein.« Wie er so im Reden stund, kam sein Marschall Helwig von Schlotheim und sein Bruder Hermann, zogen ihn zurück und sprachen: »Herr, was wollt Ihr tun? Und wäre es möglich, daß Ihr einen Fuß im Himmel hättet und den andern zu Wartburg: viel eher solltet Ihr den aus dem Himmel ziehen und zu dem auf Wartburg setzen!« Also kehrte sich der Fürst wieder zu Sophien und sprach: »Liebe Base, ich muß mich in diesen Dingen bedenken und Rat meiner Getreuen haben«, schied also von ihr, ohne ihrem Recht zu willfahren. Da ward die Landgräfin betrübt, weinte bitterlich und zog den Handschuh von ihrer Hand und rief: »O du Feind aller Gerechtigkeit, ich meine dich, Teufel! Nimm hin den Handschuh mit den falschen Ratgebern!« warf ihn in die Luft. Da wurde der Handschuh weggeführt und nimmermehr gesehen. Auch sollen diese Räte hernachmals keines guten Todes gestorben sein.

566. FRIEDRICH MIT DEM GEBISSENEN BACKEN

Landgraf Albrecht in Thüringen, der Unartige, vergaß aller ehlichen Lieb und Treue an seinem Gemahel und hing sich an ein ander Weibsbild, Gunda von Eisenberg genannt. Der Landgräfin hätte er gerne mit Gift vergeben, konnte aber nicht dazu kommen; verhieß also einem Eseltreiber, der ihm auf der Wartburg täglich das Küchenholz zuführte, Geld, daß er ihr nachts den Hals brechen sollte, als ob es der Teufel getan hätte. Als nun die dazu bestimmte Zeit kam, ward dem Eseltreiber bange und gedachte: Ob ich wohl arm bin, hab ich doch fromme, ehrliche Eltern gehabt; soll ich nun ein Schalk werden und meine Fürstin töten? Endlich mußte er daran, wurde heimlich in der Landgräfin Kammer geleitet, da fiel er vor dem Bette zu ihren Füßen und sagte: »Gnadet, liebe Frau!« Sie sprach: »Wer bist du?« Er nannte sich. »Was hast du getan, bist du trunken oder wahnsinnig?« Der Eseltreiber antwortete: »Schweiget und ratet mir! Denn mein Herr hat mir Euch zu töten geheißen; was fangen wir jetzo an, daß wir beide das Leben behalten?« Da sprach sie: »Gehe und heiß meinen Hofmeister zu mir kommen.« Der Hofmeister gab ihr den Rat, sich zur Stunde aufzumachen und von ihren Kindern zu scheiden. Da setzte sich die Landgräfin an ihrer Söhnlein Bette und weinte; aber der Hofmeister und ihre Frauen drangen in sie zu eilen. Da es nun nicht anders sein konnte, gesegnete sie ihre Kinder, ergriff das älteste, namens Friedrich, und küßte es oftermal; und aus sehnlichem, mütterlichen Herzen biß sie ihm in einen Backen, daß er davon eine Narbe bekam, die er zeitlebens behalten. Daher ihm auch erwachsen, daß man ihn genennet Friedrich mit dem gebissenen Backen. Da wollte sie den andern Sohn auch beißen; das wehrte ihr der Hofmeister und sprach: »Wollt Ihr die Kinder umbringen?« Sie sprach: »Ich hab ihn gebissen, wann er groß wird, daß er an meinen Jammer und dieses Scheiden gedenkt.« Also nahm sie ihre Kleinode und ging aufs Ritterhaus, wo sie der Hofmeister mit einer Frauen, einer Magd und dem Eseltreiber an Seilen das Fenster hinabließ. Noch dieselbe Nacht flüchtete sie auf den Kreinberg, der dazumal dem Hersfelder Abt hörte; von da ließ sie der Amtmann geleiten bis nach Fulda. Der Abt empfing sie ehrbarlich, und ließ sie sicher geleiten bis gen Frankfurt, wo sie in einem Jungfrauenkloster Herberge nahm, aber schon im folgenden Jahre vor Jammer starb. Sie liegt zu Frankfurt begraben.

567. MARKGRAF FRIEDRICH LÄSST SEINE TOCHTER SÄUGEN

Dieser Friedrich mit dem Biß führte hernachmals Krieg wider seinen Vater und den römischen König und war auf der Wartburg eingeschlossen, denn der Gegenteil hielt die Stadt Eisenach hart besetzt. In dieser Not gebar ihm seine Gemahlin eine junge Tochter. Als sie acht Tage alt war und er nicht länger auf der Burg aushalten konnte, setzte er sich mit Hofgesinde, der Amme und dem Töchterlein selbzwölfte auf Pferde, ritten nachts von der Burg in den Wald, doch nicht so heimlich, daß es nicht die Eisenacher Wächter gewahrt hätten; sie jagten ihm schnell nach, in der Flucht begann das Kindlein heftig zu schreien und weinen. Da rief Friedrich der Amme zu, die er vor sich herreiten ließ, was dem Kinde wäre. Sie sollte es schweigen. Die Amme sprach: »Herre, es schweiget nicht, es sauge denn.« Da ließ er den ganzen Zug halten und sagte: »Um dieser Jagd willen soll meine Tochter nichts entbehren, und kostete es ganz Thüringerland!« Da hielt er mit dem Kinde und stellte sich mit den Seinen zur Wehre so lange, bis sich die Tochter satt getrunken hatte; und es glückte, daß er die Feinde abhielt und ihnen hernach entrann.

568. OTTO DER SCHÜTZE

Landgraf Heinrich der Eiserne zu Hessen zeugte zwei Söhne und eine Tochter; Heinrich, dem ältesten Sohne, beschied er, sein Land nach ihm zu besitzen; Otto, den andern, sandte er auf die hohe Schule, zu studieren und darnach geistlich zu werden. Otto hatte aber zur Geistlichkeit wenig Lust, kaufte sich zwei gute Roß, nahm einen guten Harnisch und eine starke Armbrust und ritt unbewußt seinem Vater aus. Als er an den Rhein zu des Herzogen von Kleve Hof gekommen war, gab er sich für einen Bogenschützen aus und begehrte Dienst. Dem Herzog behagte seine feine, starke Gestalt und behielt ihn gern; auch zeigte sich Otto als ein künstlicher, geübter Schütze so wohl und redlich, daß ihn sein Herr bald hervorzog und ihm vor andern vertraute.

Unterdessen trug es sich zu, daß der junge Heinrich, sein Bruder, frühzeitig starb und der Braunschweiger Herzog, dem des Landgrafen Tochter vermählt worden war, begierig auf den Tod des alten Herrn wartete, weil Otto, der andere Erbe, in die Welt gezogen war, niemand von ihm wußte und allgemein für tot gehalten wurde. Darüber stand das Land Hessen in großer Traurigkeit, denn alle hatten an dem Braunschweiger ein Mißfallen, und zumeist der alte Landgraf, der lebte in großem Kummer. Mittlerweile war Otto der Schütz guter Dinge zu Kleve und hatte ein Liebesverständnis mit Elisabeth, des Herzogs Tochter, aber nichts von seiner hohen Abkunft laut lassen werden.

Dies bestund etliche Jahre, bis daß ein hessischer Edelmann,

Heinrich von Homburg genannt, weil er eine Wallfahrt nach Aachen gelobt hatte, unterwegs durch Kleve kam und den Herzog, den er von alten Zeiten her kannte, besuchte. Als er bei Hof einritt, sah er Otten, kannte ihn augenblicklich und neigte sich, wie vor seinem Herrn gebührte. Der Herzog stand gerade vor seinem Fenster und verwunderte sich über die Ehrerbietung, die vom Ritter seinem Schützen bewiesen wurde, berief den Gast und erfuhr von ihm die ganze Wahrheit und wie jetzt alles Erbe auf Otten stünde. Da bewilligte ihm der Herzog mit Freuden seine Tochter, und bald zog Otto mit seiner Braut nach Marburg in Hessen ein. (Otto, geboren, 1322, gestorben 1366).

569. LANDGRAF PHILIPS UND DIE BAUERSFRAU

Landgraf Philips pflegte gern unbekannterweise in seinem Lande umherzuziehen und seiner Untertanen Zustand zu for-

schen. Einmal ritt er auf die Jagd und begegnete einer Bäuerin, die trug ein Gebund Leinengarn auf dem Kopfe. »Was tragt Ihr und wohin wollt Ihr?« frug der Landgraf, den sie nicht erkannte, weil er in schlechten Kleidern einherging. Die Frau antwortete: »Ein Gebund Garn, damit will ich zur Stadt, daß ich es verkaufe und die Schatzung und Steuer bezahlen kann, die der Landgraf hat lassen ausschreiben; des Garns muß ich selber wohl an zehn Enden entraten«, klagte erbärmlich über die böse Zeit. »Wieviel Steuer trägt es Euch?« sprach der Fürst. »Einen Ortsgulden«, sagte sie; da nahm er sein Säckel, zog soviel heraus und gab ihr das Geld, damit sie ihr Garn behalten könnte. »Ach, nun lohn's Euch Gott, lieber Junker«, rief das Weib, »ich wollte, der Landgraf hätte das Geld glühend auf seinem Herzen!« Der leutselige Fürst ließ die Bäuerin ihres Weges ziehn, kehrte sich gegen sein Gesinde um und sprach mit lachendem Munde: »Schauet den wunderlichen Handel! Den bösen Wunsch hab ich mit meinem eigenen Geld gekauft.«

570.   IN KETTEN AUFHÄNGEN

Landgraf Philipp von Hessen mußte eine Zeitlang bei dem Kaiser gefangen sitzen; mittlerweile überschwemmte das Kriegsvolk seine Länder und schleifte ihm alle Festungen, ausgenommen Ziegenhain. Darin lag Heinz von Lüder, hielt seinem Herrn rechte Treue und wollte die Feste um keinen Preis übergeben, sondern lieber sich tapfer wehren. Als nun endlich der Landgraf ledig wurde, sollte er auf des Kaisers Geheiß, sobald er nach Hessen zurückkehren würde, diesen hartnäckigen Heinz von Lüder unter dem Ziegenhainer Tore in Ketten aufhängen lassen, und zu dem Ende wurde ein kaiserlicher Abgeordneter als Augenzeuge mitgegeben. Philipp, nachdem er zu Ziegenhain eingetroffen, versammelte den Hof, die Ritterschaft und des Kaisers Gesandten. Da nahm er eine güldene Kette, ließ seinen Obersten daran an einer Wand, ohne ihm wehe zu tun, aufhängen, gleich wieder abnehmen und verehrte ihm die goldene Kette unter großen Lobsprüchen seiner Tapferkeit. Der kaiserliche Abgeordnete machte Einwendungen, aber der Landgraf erklärte standhaft, daß er sein Wort, ihn aufhängen zu lassen, streng gehalten und es nie anders gemeint habe. – Das kostbare Kleinod ist bei dem Lüderschen Geschlecht in Ehren aufbewahrt worden und jetzt, nach Erlöschung des Mannsstammes, an das adlige Haus Schenk zu Wilmerode gekommen.

571. LANDGRAF MORITZ VON HESSEN

Es war ein gemeiner Soldat, der diente dem Landgrafen Moritz, ging gar wohl gekleidet und hatte immer Geld in der Tasche; und doch war seine Löhnung nicht so groß, daß er sich, seine Frau und Kinder so stolz hätte halten können. Nun wußten die andern Soldaten nicht, wo er den Reichtum herkriegte, und sagten es dem Landgrafen. Der Landgraf sprach: »Das will ich wohl erfahren.« Und als es Abend war, zog er einen alten Linnenkittel an, hing einen rauhen Ranzen über, als wenn er ein alter Bettelmann wäre, und ging zum Soldaten. Der Soldat fragte, was sein Begehren wäre. – Ob er ihn nicht über Nacht behalten wollte? – Ja, sagte der Soldat, wenn er rein wäre und kein Ungeziefer an sich trüge; dann gab er ihm zu essen und zu trinken, und als er fertig war, sprach er zu ihm: »Kannst du schweigen, so sollst du in der Nacht mit mir gehen, und da will ich dir etwas geben, daß du dein Lebtag nicht mehr zu betteln brauchst.« Der Landgraf sprach: »Ja, schweigen kann ich, und durch mich soll nichts verraten werden.« Darauf wollten sie schlafen gehen; aber der Soldat gab ihm erst ein rein Hemd, das sollte er anziehen und seines aus, damit kein Ungeziefer in das Bett käme. Nun legten sie sich nieder, bis Mitternacht kam; da weckte der Soldat den Armen und sprach: »Steh auf, zieh dich an und geh mit mir.« Das tat der Landgraf, und sie gingen zusammen in Kassel herum. Der Soldat aber hatte ein Stück

Springwurzel, wenn er das vor die Schlösser der Kaufmannslä-
den hielt, sprangen sie auf. Nun gingen sie beide hinein; aber der
Soldat nahm nur vom Überschuß etwas, was einer durch die Elle
oder das Maß herausgemessen hatte, vom Kapital griff er nichts
an. Davon nun gab er dem Bettelmann auch etwas in seinen
Ranzen. Als sie nun in Kassel herum waren, sprach der Bettelmann: »Wenn wir doch dem Landgrafen könnten über seine
Schatzkammer kommen!« Der Soldat antwortete: »Die will ich
dir auch wohl weisen; da liegt ein bißchen mehr als bei den
Kaufleuten.« Da gingen sie nach dem Schloß zu, und der Soldat
hielt nur die Springwurzel gegen die vielen Eisentüren, so taten
sie sich auf; und sie gingen hindurch, bis sie in die Schatzkammer
gelangten, wo die Goldhaufen aufgeschüttet waren. Nun tat der
Landgraf, als wollte er hineingreifen und eine Handvoll einstek-
ken; der Soldat aber, als er das sah, gab ihm drei gewaltige
Ohrfeigen und sprach: »Meinem gnädigen Fürsten darfst du
nichts nehmen, dem muß man getreu sein!« – »Nun sei nur nicht
bös«, sprach der Bettelmann, »ich habe ja noch nichts genommen.« Darauf gingen sie zusammen nach Haus und schliefen
wieder, bis der Tag anbrach; da gab der Soldat dem Armen erst zu
essen und zu trinken und noch etwas Geld dabei, sprach auch:
»Wenn das all ist und du brauchst wieder, so komm nur getrost zu
mir; betteln sollst du nicht.«
Der Landgraf aber ging in sein Schloß, zog den Linnenkittel aus
und seine fürstlichen Kleider an. Darauf ließ er den wachthaben-
den Hauptmann rufen und befahl, er sollte den und den Soldaten
– und nannte den, mit welchem er in der Nacht herumgegangen
war – zur Wache an seiner Tür beordern. Ei, dachte der Soldat,
was wird da los sein, du hast noch niemals die Wache getan; doch
wenn's dein gnädiger Fürst befiehlt, ist's gut. Als er nun da
stand, hieß der Landgraf ihn hereintreten und fragte ihn, warum
er sich so schön trüge und wer ihm das Geld dazu gäbe. »Ich und
meine Frau, wir müssen's verdienen mit arbeiten«, antwortete
der Soldat und wollte weiter nichts gestehen. »Das bringt soviel
nicht ein«, sprach der Landgraf, »du mußt sonst was haben.«

Der Soldat gab aber nichts zu. Da sprach der Landgraf endlich: »Ich glaube gar, du gehst in meine Schatzkammer, und wenn ich dabei bin, gibst du mir eine Ohrfeige.« Wie das der Soldat hörte, erschrak er und fiel vor Schrecken zur Erde hin. Der Landgraf aber ließ ihn von seinen Bedienten aufheben, und als der Soldat wieder zu sich selber gekommen war und um eine gnädige Strafe bat, so sagte der Landgraf: »Weil du nichts angerührt hast, als es in deiner Gewalt stand, so will ich dir alles vergeben; und weil ich sehe, daß du treu gegen mich bist, so will ich für dich sorgen«, und gab ihm eine gute Stelle, die er versehen konnte.

572. BROT UND SALZ SEGNET GOTT

Es ist ein gemeiner Brauch unter uns Deutschen, daß der, welcher eine Gasterei hält, nach der Mahlzeit sagt: »Es ist nicht viel zum besten gewesen, nehmt so vorlieb.« Nun trug es sich zu, daß ein Fürst auf der Jagd war, einem Wild nacheilte und von seinen Dienern abkam, also daß er einen Tag und eine Nacht im Walde herumirrte. Endlich gelangte er zu einer Köhlerhütte, und der Eigentümer stand in der Türe. Da sprach der Fürst, weil ihn hungerte: »Glück zu, Mann! Was hast du zum besten?« Der Köhler antwortete: »Ick hebbe Gott un allewege wol (genug). « – »So gib her, was du hast«, sprach der Fürst. Da ging der Köhler und brachte in der einen Hand ein Stück Brot, in der andern einen Teller mit Salz; das nahm der Fürst und aß, denn er war hungrig. Er wollte gern dankbar sein, aber er hatte kein Geld bei sich; darum löste er den einen Steigbügel ab, der von Silber war, und gab ihn dem Köhler; dann bat er ihn, er möchte ihn wieder auf den rechten Weg bringen, was auch geschah.
Als der Fürst heimgekommen war, sandte er Diener aus, die mußten diesen Köhler holen. Der Köhler kam und brachte den geschenkten Steigbügel mit; der Fürst hieß ihn willkommen und zu Tische sitzen, auch getrost sein: es sollt ihm kein Leid widerfahren. Unter dem Essen fragte der Fürst: »Mann, es ist

diese Tage ein Herr bei dir gewesen; sieh herum, ist derselbe hier mit über der Tafel?« Der Köhler antwortete: »Mi ducht, ji sünd et wol sülvest«, zog damit den Steigbügel hervor und sprach weiter: »Will ji düt Ding wedderhebben?« – »Nein«, antwortete der Fürst, »das soll dir geschenkt sein, laß dir's nur schmecken und sei lustig.« Wie die Mahlzeit geschehen und man aufgestanden war, ging der Fürst zu dem Köhler, schlug ihn auf die Schulter und sprach: »Nun, Mann, nimm so vorlieb, es ist nicht viel zum besten gewesen.« Da zitterte der Köhler; der Fürst fragte ihn, warum; er antwortete, er dürfte es nicht sagen. Als aber der Fürst darauf bestand, sprach er: »Och Herre! Ase ji säden, et wäre nig väle tom besten west, do stund de Düfel achte ju!« – »Ist das wahr«, sagte der Fürst, »so will ich dir auch sagen, was ich gesehen. Als ich vor deine Hütte kam und dich fragte, was du zum besten hättest, und du antwortetest: ›Gott und all genug!‹ da sah ich einen Engel Gottes hinter dir stehen. Darum aß ich von dem Brot und Salz und war zufrieden; will auch nun künftig hier nicht mehr sagen, daß nicht viel zum besten gewesen.«

573. NIDDA

Eine Gräfin hatte das Gelübde getan, an der Stelle, wo ihr Esel zuerst mit ihr stehenbliebe, ein Schloß zu erbauen. Als nun der Esel in einer sumpfigen Stelle stehenblieb, soll sie gerufen haben: »Nit da, nit da!« Allein das fruchtete nichts, und das Tier war nicht von demselben Platz zu bringen. Also baute sie wirklich ihr Schloß dahin, welches gleich der später da herum entstandenen Stadt den Namen Nidda behielt, die nah gelegene Wiese aber der Eselswiese.

Noch mehreres davon wußten die Spielknaben vor einem halben Jahrhundert zu sagen, was damals unter dem Volk allgemein verbreitet war, jetzo vielleicht verschollen ist und vermutlich mit den abweichenden Umständen, die Winkelmann (Hessenlands Beschreib., Buch VI, S. 231; vgl. II, S. 193) wohl auch aus mündlicher Sage erzählt, näher eintrifft. Zu Zeiten Friedrich Rotbarts war Berthold, Graf zu Nidda, ein Raubritter, hatte seinen Pferden die Hufeisen umkehren lassen, um die Wandersleute sicher zu berücken, und durch sein Umschweifen in Land und Straßen großen Schaden getan. Da zog des Kaisers Heer vor Altenburg, seine Raubfeste, und drängte ihn hart; allein Berthold wollte sich nicht ergeben. In der Not unterhandelte die Gräfin auf freien Abzug aus der Burg und erlangte endlich vom Heerführer, daß sie mit ihrem beladenen Maulesel und dem, was sie auf ihren Schultern ertragen könnte, frei herausgelassen werden sollte; mit ausdrücklicher Bedingung, daß sie nur ihre beste Sache trüge, auch der Graf selbst nicht auf dem Maulesel ritte. Hierauf nahm sie ihre drei Söhnlein, setzte sie zusammen auf das Tier, ihren Herrn aber hing sie über den Rücken und trug ihn den Berg hinab. So errettete sie ihn; allein bald ermatteten ihre Kräfte, daß sie nicht weiter konnte, und auch der müde Esel blieb im Sumpfe stecken. An der Stelle, wo sie nun diese Nacht zubrachten und ein Feuer angemacht, baute hernach die Gräfin drei Häuser ihren drei Söhnen auf, in der Gegend, wo jetzo Nieder-Nidda stehet. Die Altenburg ist zertrümmert, hat aber noch starke Gewölbe und Keller. Es geht gemeine Sage, daß da ein Schatz verborgen stecke; die Einwohner haben nachgegraben und Hufeisen gefunden, solche, die man den Pferden verkehrt aufnageln kann.

574. URSPRUNG DER VON MALSBURG

Die von der Malsburg gehören zu dem ältesten Adel in Hessen und erzählen: Zur Zeit Karl der Große den Brunsberg in Westfalen erobert, habe er seine treuen und versuchten Diener belohnen wollen, einen Edelmann, namens Otto, im Feld vor sich gerufen und ihm erlaubt, daß er sich den Fels und Berg, worauf er in der Ferne hindeute, ausmalen (das heißt eingrenzen, bezeichnen) und für sich und seine Erben eine Festung dahin bauen dürfe. Der Edelmann bestieg den Felsen, um sich den Ort zu besehen, auszumalen und zu beziehen; da fand er auf der Höhe einen Dornstrauch mit drei weißen Blumen, die nahm er zum Mal-, Kenn- und Merkzeichen. Als ihn der König hernach frug, wie ihm der Berg gefalle, erzählte er, daß er oben einen Dornbusch mit drei weißen Rosen gefunden. Der König aber sonderte ihm sein gülden Schild in zwei gleiche Teile, obenhin einen Löwen und unten drei weiße Rosen. An dem ausgemalten Ort baute Otto hernach seine Burg und nannte sie Malsburg, welcher Name hernach bei dem Geschlecht geblieben ist, das auch den zugeteilten Schild bis auf heute fortführt.

575. URSPRUNG DER GRAFEN VON MANSFELD

Während einst Kaiser Heinrich sein Hoflager auf der Burg bei Wallhausen in der Goldenen Aue hatte, bat sich einer seiner Mannen von ihm ein Stück Feld zum Eigentum aus, das an die Goldne Aue grenzte und so groß wäre, daß er es mit einem Scheffel Gerste umsäen könnte. Der Kaiser, weil er den Ritter seiner Tapferkeit wegen liebte, bewilligte ihm die Bitte, ohne sich zu bedenken. Dieser nahm einen Scheffel Gerste und umsäte damit die Grenzen der nachmaligen Grafschaft Mansfeld.

Doch dies erregte den Neid der übrigen Mannen, und sie hinterbrachten dem Kaiser, daß seine Gnade durch eine falsche Deutung gemißbraucht worden. Aber der Kaiser antwortete lachend: »Gesagt ist gesagt! Das ist des Mannes Feld!« Daher der Name Mansfeld und in dem gräflichen Wappen die Gerstenkörner, welche die Wappenkünstler Wecken nennen.

576. HENNEBERG

Ein Herr von edlem Geschlecht zog um in Deutschland, suchte Frieden und eine bequeme Stätte, zu bauen; da kam er nach

Franken an einen Ort und fand einen Berg im Land, der ihm gefiel. Als er nun hinritt, ihn zu beschauen, flog vor ihm auf eine Birkhenne, die hatte Junge; die nahm er sich zum Wappen und nannte den Berg Hennenberg und baute ein schön Schloß drauf, wie das noch vor Augen ist; und an dem Berge war ein Köre (Kehre, wo man den Pflug wendet?), da baute er seinen Dienern gar eine lustige Wohnung und nannte sie von der Köre.

577. DIE ACHT BRUNOS

Zu alter Zeit herrschte Graf Gebhard mit seiner Gemahlin auf dem Hause Quernfurt in Sachsen. Diese gebar in Abwesenheit des Grafen neun Kinder auf einmal, worüber sie mit ihren Weibern heftig erschrak, und wußten nicht, wie sie den Sachen immer mehr tun sollten. Denn weil ihr Herr gar wunderlich war, besorgten sie, er würde schwerlich glauben, daß es mit rechten Dingen zugegangen sei, daß eine Frau auf einmal von einem Manne neun Kinder sollte haben können; sonderlich, weil er zum öfternmal beschwerliche Gedanken und Reden von den Weibern gehabt hatte, die zwei oder drei Kinder auf einmal zur Welt brachten, und niemand ihn überreden mochte, dieselben für ehrlich zu halten. In dieser Furcht wurde die Gräfin mit ihren Weibern eins, dieser jungen Kindlein achte heimlich beiseite zu schaffen und nur das neunte und stärkste zu behalten. (Dieses wurde Burkhart genannt und nachmals Großvater Kaiser Lothars.) Eines der Weiber empfing demnach Befehl, die acht Kinder in einem Kessel, darein man sie gelegt, fortzutragen, im Teich über der Mühle unter dem Schlosse im Kessel mit Steinen zu beschweren, zu versenken und zu ertränken.

Das Weib nahm es auf sich und trug mit dem frühesten die Kinder aus der Burg. Nun war aber eben damals des Grafen Bruder, der heilige Bruno, mit dem Tage ins Feld gegangen, sein Gebet zu tun. Als er unterm Berge bei dem schönen Quellbrunnen (hernach Brunsbrunnen genannt) hin und her wandelte, stieß ihm das Weib auf und eilte stracks ihres Weges dahin, als fürchtete sie sich; im Vorübergehen hörte Bruno die Kindlein im Kessel unter ihrem Mantel winseln. Er wunderte sich und fragte, was sie da trüge. Ob nun gleich das Weib sagte: »Junge Wölferlin oder Hündlein«, so deuchte es Bruno doch nicht aller Dinge, als ob die Stimme wie junger Hündlein lautete; wollte deswegen sehen, was es doch Wunders wäre. Als er ihr nun den Mantel aufrückte, sah er, daß sie acht junge Kindlein trage. Über die Maßen erschrocken, drang er in die vor Furcht erstarrte Frau, ihm alsbald anzuzeigen, woher sie mit den Kindlein komme, wem sie zuständig und was sie damit tun wolle. Zitternd berichtete sie ihm die ganze Wahrheit. Darauf verbot ihr Herr Bruno ernstlich, von dieser Sache keinem Menschen, auch der Mutter selbst, nicht anders, als ob sie deren Befehl vollzogen, zu melden. Er aber nahm die Kinder, taufte sie bei dem Brunnen, nannte sie insgesamt mit Namen Bruno und schaffte, daß die armen Waisen untergebracht wurden, eins oder zwei in der Mühle unterm Schloß, die übrigen an andern Orten in der Nähe. Denen er die Kindlein aufzuziehen befahl, gab er Geld her und hieß es heimlich halten, vertraute auch keinem Menschen davon; bis auf die Zeit, da er zum letztenmal aus Quernfurt ins Land Preußen ziehen mußte und dachte, er möchte nimmer wiederkehren. Da offenbarte er vernünftiglichen seinem Bruder Gebhard, was sich zugetragen, wie die Kinder geboren und lebendig erhalten worden und wo sie anzutreffen wären. Gebhard mußte sich aber zuvor verpflichten, daß er es seiner Gemahlin nicht unfreundlich entgelten, sondern hierin Gottes Wunder und Gnadenwerk erkennen wolle. Darauf ging der heilige Bruno auch zu der Gemahlin hin, entdeckte ihr alles und strafte sie wegen ihres sündlichen Argwohns. Da war groß Leid und Freud beieinander, die acht Kindlein wurden geholt und alle gleichgekleidet ihren Eltern vorgestellt. Diesen wallte das väterliche und mütterliche Herz, und spürte man auch an Gestalt und Gebärden der Kindlein, daß sie des neuten rechte Brüderlein waren. Den Kessel, darinnen das Weib diese acht

Welfe soll von der Burg getragen haben, zeigt man noch heutigestages zu Quernfurt, da er in der Schloßkirche oben vor dem Chor in dem steinernen Schwibbogen, mit einer eisernen Kette angeschmiedet, zum Gedächtnis dieser Geschichte hängt. Der Teich aber heißt noch heutigestages der Wölferteich, gemeinlich Wellerteich.

578. DIE ESELSWIESE

Osterdonnerstags, nach gesprochenem Segen, ritt der heilige Bruno von seinem Bruder Gebhard weg, willens, nach Preußen zur Bekehrung der Heiden zu ziehen. Als er nun auf den grünen Anger hart vor Quernfurt kam, wurde ihm das Maultier oder der Esel stätig, wollte weder vor noch hinter sich, alles Schlagens, Peitschens und Spornens unerachtet. Daraus schlossen Gebhard und andere, die ihn geleitet hatten, es wäre nicht Gottes Wille, daß er diesen Zug tue, und überredeten ihn so lange, bis er wieder mit aufs Schloß Quernfurt zog. Die Nacht aber überschlug der Heilige die Sache von neuem, geriet in große Traurigkeit, und sein Herz hatte nicht Ruhe, bis er endlich den Zug doch unternahm und in Preußen von den Heiden gefangen, gepeinigt und getötet wurde (im Jahr 1008 oder 1009). – Auf der Stelle, wo damals das Tier ständig wurde, baute man nach seinem Tode ein Heiligtum, genannt die Kapelle zu Eselstett auf den heutigen Tag; und man erteilte da jeden Gründonnerstag sonderlichen Ablaß aus. Darum geschahen große Wallfahrten des Volkes auf die Quernfurter Eselswiese, und in spätern Zeiten wurde ein Jahrmarkt daraus, dem von Sonnenauf- bis zum Sonnenniedergang eine lebendige Menge der umwohnenden Leute zuzuströmen pflegen.

Thalmann von Lunderstedt lebte in Feindschaft mit Erfurt, der Hauptstadt von Thüringen. Einmal wurde dieser Ritter von seinen Feinden zwischen Jena und Kahla an der Saal bei dem Rothenstein hart bedrängt, also daß es unmöglich schien zu entrinnen. In der Not sprengte aber Thalmann mit dem Gaul vom Felsen in die Saal und entkam glücklich. Dem Thalmann hatte es geglückt; Hunderttausenden sollt es wohl nicht glücken.

580. HERMANN VON TREFFURT

In der ersten Hälfte des XIV. Jahrhunderts lebte zu Treffurt ein Ritter, Hermann von Treffen genannt, der gern auf die Buhlschaft gegangen und viel ehrbare Frauen und Jungfrauen um ihre Ehre gebracht, also daß kein Mann in seinem Gebiet seine Tochter über zwölf Jahre daheim behalten durfte. Daneben aber ist er andächtig gewesen, fleißig in die Messe gegangen, hat auch die Gezeiten St. Marien mit großer Andacht gesprochen. Dieser hat einstmals zu seiner Buhlschaft reiten wollen und zuvor, seinem Gebrauch nach, die Gezeiten St. Marien mit großer Andacht gesprochen; wie er nun in der Nacht im Finstern allein über den Hellerstein geritten, hat er des rechten Weges gefehlt und ist auf den hohen Felsen des Berges gekommen, wo das Pferd zwar stutzte, der Ritter aber meinte, es scheue vor irgendeinem Tier; gab ihm deswegen im Zorn den Sporn, also daß das Roß mit ihm den hohen Felsen hinabgesprungen und sich zu Tod gefallen; auch ist der Sattel mitsamt dem Schwert in der Scheide an vielen Stücken zerbrochen. Der Ritter aber hat in dem Fall noch die Muttergottes angerufen, und da hat ihn gedeucht, als werde er von einer Frau empfangen, die ihn sanft und unverletzt auf die Erde gesetzt.
Nach dieser wunderbaren Errettung ist er nach Eisenach in ein

Kloster gegangen, hat sein Leben gebessert, all sein Gut um Gottes willen von sich gegeben und als ein Mönch barfuß und in Wolle sein Brot gebettelt. Auch als 1347 sein Tod herannahete, hat er nicht bei andern frommen Christen sein Ruhebettlein haben wollen, sondern an einem heimlichen, unsaubern Orte, zwischen der Liebfrauenkirche und der Stadtmauer, begraben sein wollen, seine unreinen Taten desto härter zu büßen; wie auch geschehen ist.

581. DER GRAF VON GLEICHEN

Graf Ludwig von Gleichen zog im Jahr 1227 mit gegen die Ungläubigen, wurde aber gefangen und in die Knechtschaft geführt. Da er seinen Stand verbarg, mußte er gleich den übrigen Sklaven die schwersten Arbeiten tun, bis er endlich der schönen Tochter des Sultans in die Augen fiel wegen seiner besondern Geschicklichkeit und Anmut zu allen Dingen, so daß ihr Herz von Liebe entzündet wurde. Durch seinen mitgefangenen Diener erfuhr sie seinen Stand, und nachdem sie mehrere Jahre vertraulich mit ihm gelebt, verhieß sie, ihn frei zu machen und mit großen Schätzen zu begaben, wenn er sie zur Ehe nehmen wolle. Graf Ludwig hatte eine Gemahlin mit zwei Kindern zu Haus gelassen; doch siegte die Liebe zur Freiheit, und er sagte ihr alles zu, indem er des Papstes und seiner ersten Gemahlin Einwilligung zu erwirken hoffte. Glücklich entflohen sie darauf, langten in der Christenheit an, und der Papst, indem sich die schöne Heidin taufen ließ, willfahrte der gewünschten Vermählung. Beide reisten nach Thüringen, wo sie im Jahre 1249 ankamen. Der Ort bei Gleichen, wo die beiden Gemahlinnen zuerst zusammentrafen, wurde das Freudental benannt, und noch steht dabei ein Haus dieses Namens. Man zeigt noch das dreischläfrige Bett mit rundgewölbtem Himmel, grün angestrichen; auch zu Tonna den türkischen Bund und das goldne Kreuz der Sarazenin. Der Weg, den sie zu der Burg pflastern ließ, heißt bis auf den heutigen Tag der Türkenweg. Die Burggrafen von Kirchberg besitzen auf Farrenrode, ihrer Burg bei Eisenach, alte Tapeten, worauf die Geschichte eingewirkt ist. Auf dem Petersberge zu Erfurt liegen die drei Gemahel begraben, und ihre Bilder sind auf dem Grabsteine ausgehauen (gestochen in Frankensteins *Annal. nordgaviens.*).

582. HUNGERSNOT IM GRABFELD

Als im Grabfeld große Hungersnot herrschte, wanderte ein Mann mit seiner Frau und einem zarten Kinde nach Thüringen, um dem Mangel auszuweichen. Unterwegs in einem Wald übernahm ihn das Elend, und er sprach zur Frau: »Tun wir nicht besser, daß wir unser Kind schlachten und sein Fleisch essen, als daß wir selbst durch die Nahrungslosigkeit verzehrt werden?« Die Frau widersetzte sich einem so großen Verbrechen; zuletzt aber drückte ihn der Hunger so, daß er das Kind gewaltsam aus den Mutterarmen riß und seinen Willen durch die Tat ausgeführt hätte, wenn nicht Gottes Erbarmen zuvorgekommen wäre. Denn indem er, wie er hernachmals in Thüringen oft erzählte, das Schwert zog, um das Söhnlein zu würgen, sah er in der Ferne zwei Wölfe über einer Hindin stehen und sie zerfleischen. Sogleich ließ er von seinem Kinde ab, scheuchte die Wölfe vom Aas weg, das sie kaum gekostet hatten, und kam mit dem lebendigen Sohn und der gefundenen Speise zu seiner Frau wieder.

583. DER KROPPENSTEDTER VORRAT

Das Wahrzeichen des Städtchens Kroppenstedt, im alten niedersächsischen Hartingau gelegen, ist ein großer silberner Becher, der Kroppenstedter Vorrat genannt, und wird auf dem dortigen Rathause aufbewahrt. Man sieht in erhabener Arbeit dreizehn

Wiegen und eine Wanne, worin vierzehn Kinder liegen, sauber abgebildet. Eine lateinische Inschrift besagt in gedrängten Zeilen, was das Volk in der Gegend umständlicher zu erzählen weiß: Es lebte vorzeiten ein Kuhhirte an dem Ort, dem in einem Jahre von zwölf Frauen vierzehn Knaben geboren wurden. Die Mütter hatten sich aber nur auf dreizehn Wiegen geschickt, und das vierzehnte Kind mußte, weil sie nicht ausreichten, in eine Wanne oder Mulde gelegt werden.

584. SO VIEL KINDER ALS TAG' IM JAHR

Eine Meile vom Haag liegt Loosduynen (Leusden), ein kleines Dorf, in dessen Kirche man noch heutigestages zwei Taufbecken zeigt mit der Inschrift: »*In deze twee beckens zyn alle deze kinderen ghedoopt.*« Und auf einer dabeihangenden Tafel stehet in lateinischen und niederländischen Versen das Andenken einer Begebenheit erhalten, wovon die Volkssage wie folgt berichtet: Vor alten Zeiten lebte in dem Dorfe eine Gräfin, Margaretha nach einigen, Mathilde nach anderen geheißen, Gemahlin Grafen Hermanns von Henneberg. Auch wird sie bloß die Gräfin von Holland genannt. Zu der kam einst ein armes Weib, Zwillinge auf dem Arm tragend, und sprach um ein mildes Almosen an. Die Gräfin aber schalt sie aus und sprach: »Packt Euch, unverschämte Bettlerin! Es ist unmöglich, daß ein Weib zwei Kinder auf einmal von einem Vater habe!« Die arme Frau versetzte: »So bitte ich Gott, er lasse Euch so viel Kinder auf einmal bringen, als das Jahr Tage hat!« Hernach wurde die Gräfin schwanger und gebar auf einen Tag zur Welt dreihundertfünfundsechzig Kinder. Dies geschah im Jahr 1270 (1276), im dreiundvierzigsten Jahre der Gräfin. Diese Kinder wurden alle lebendig getauft von Guido, Bischof zu Utrecht, in zwei messingenen Becken, die Söhnlein Johannes, die Töchterlein Elisabeth sämtlich genannt. Sie starben aber alle auf einen Tag mit ihrer Mutter und liegen bei ihr in einem Grab in der Dorfkirche. – Auch in der Delfter Kirche soll ein Denkmal dieses Ereignisses vorhanden sein.

585. DIE GRÄFIN VON ORLAMÜNDE

Otto, Graf zu Orlamünde, starb 1340 (nach andern 1275, 1280, 1298) mit Hinterlassung einer jungen Witwe, Agnes, einer gebornen Herzogin von Meran, mit welcher er zwei Kinder, ein Söhnlein von drei, und ein Töchterlein von zwei Jahren, erzeugt hatte. Die Witwe saß auf der Plassenburg und dachte daran, sich wieder zu vermählen. Einstens wurde ihr die Rede Albrechts des Schönen, Burggrafen zu Nürnberg, hinterbracht, der gesagt hatte: »Gern wollt ich dem schönen Weib meinen Leib zuwenden, wo nicht vier Augen wären!« Die Gräfin glaubte, er meinte damit ihre zwei Kinder, sie ständen der neuen Ehe im Wege; da trug sie, blind von ihrer Leidenschaft, einem Dienstmanne, Hayder oder Hager genannt, auf und gewann ihn mit reichen Gaben, daß er die beiden Kindlein umbringen möchte. Der Volkssage nach sollen nun die Kinder diesem Meuchelmörder geschmeichelt und ihn ängstlich gebeten haben. »Lieber Hayder, laß mich leben! Ich will dir Orlamünden geben, auch Plassenburg des neuen, es soll dich nicht gereuen«, sprach das Knäblein; das Töchterlein aber: »Lieber Hayder, laß mich leben, ich will dir alle meine Docken geben.« Der Mörder wurde hierdurch nicht gerührt und vollbrachte die Untat; als er später noch andre Bubenstücke ausgerichtet hatte und gefangen auf der Folter lag, bekannte er, sosehr ihn der Mord des jungen Herrn reue, der in seinem Anbieten doch schon gewußt habe, daß er Herrschaften auszuteilen gehabt, so gereue ihn noch hundertmal mehr, wenn er der unschuldigen Kinderworte des Mägdleins gedenke. Die Leichname der beiden Kinder wurden im Kloster Himmelskron beigesetzt und werden zum ewigen Andenken der Begebenheit als ein Heiligtum den Pilgrimen gewiesen. Nach einer andern Sage soll die Gräfin die Kinder selbst getötet, und zwar Nadeln in ihre zarten Hirnschalen gesteckt haben. Der Burggraf aber hatte unter den vier Augen die seiner beiden Eltern gemeint und heiratete hernach die Gräfin dennoch nicht. Einigen zufolge ging sie, von ihrem Gewissen gepeinigt, barfuß nach Rom und starb auf der Stelle, sobald sie heimkehrte, vor der Himmelskroner Kirchtüre. Noch gewöhnlicher aber wird erzählt, daß sie in Schuhen, inwendig mit Nadeln und Nägeln besetzt, anderthalb Meilen von Plassenburg nach Himmelskron ging und gleich beim Eintritt in die Kirche tot niederfiel. Ihr Geist soll in dem Schloß umgehen.

Chronicon novaliciense, lib. II, cap. 7–13. Offenbar dieselbe Sage geht von Wilhelm dem Heiligen als Einsiedler, vergl. das dänische Volksbuch Karl Magnus, S. 140. [In dem dritten Teil des Gedichts von Ulrich von Türheim, p. 456, 57 der Kassler Hs.: Wilhelm reißt seinem Mul den Bug aus, tötet damit die Räuber und setzt dann den Bug dem Tier ein, der auch sogleich festwächst, so daß das Tier wieder fortgeht. Der Abt schilt ihn nicht, sondern gibt ihm Ablaß.]

Froschmäuseler, T. 1, cap. 2. Vergl. Aventin: Bair. Chronik, Bl. 18b. [Ascenas Genesis, 10, 3. Jeremias, 51, 27. Geogr. rav. (ed. Gron., p. 808): »Insula, quae dicitur britannia, ubi olim gens Saxonum veniens ab antiqua Saxonum cum principe suo nomine Anschis in ea habitare videtur.« Dies Anschis ist Hengist, und so könnte auch Aschanes dasselbe sein.]

Lobgedicht auf Anno 21, Cod. pal. 361, fol. 2d.

Sachsensp., III, 45, und dazu Glosse. [Bilder zum Sachsenspiegel, 21, 8.]

Witechindus corb., gleich anfangs. Vergl. Cod. pal. 361, fol. 2d. [Niebuhr: Röm. Gesch., I, ed. 3, p. 46. Anders Gotf. Viterb., 253.]

Beda: Hist. eccl., I, 14, 15, nach Alfreds Übers. p. 57, 58, ed. Cant. 1643. Gotfridus Viterb., p. 358, 359. [Conf. Witechindus.]

Beda: Hist. eccl., I, 1, nach Alfreds Übers.

in himelrich ein hus stat
ein guldin weg darin gat
die sule die sint mermelin
die zieret unser trehtin
mit edelem gesteine.]

Chronicon laurishamense, in Codice laurish., ed. Manhem. 1768, 4, I, p. 40–46.

Petrarcha: Epistolae familiares, lib. I, c. 3. Pasquier: Recherches, VI, 33. Vergl. Dippoldt, Karl d. Gr., S. 121. Aretin: Sage von Karl, S. 89, 90.

Scheuchzer: Itin. alpina, III, 381, aus *Henrici Braenwaldii Embracensis coenobii praepositi chron., ms. Cento novelle antiche, 49.* Der erste Teil der Sage umständlich in der Reimchronik, *Cod. pal. 336, fol. 271–273.* Vergl. *Gesta roman., 99* und *105,* deutsch 71.

Königschronik im *Cod. pal. 361, fol. 87 etc.,* und aus einem Wiener Kodex, gedruckt in Aretins Beitr., Teil 9.

Helinandus in chronico, lib. 15. Weier: Von Zauberern, I, 14.

Pomarius a. a. O., S. 63. Casp. Abel: Samml. alter Chroniken, Braunsch. 1732, S. 68. *[Chron. hillesheim., b. Paullini synt., p. 73: Vox interim audita: nix tibi circumscribet terminos aedis meae. illaque mox insolito anni tempore delapsa certam aliquam telluris aream implevit, qua visa imperator (Ludovicus) clamabat:* Dat is en Hildesnee und scholl auch Hildesnee heeten. Zus. mit der Sage von Frau Holle Schnee? Brem. Wb. hilde = geschäftig, hildes = eilends, *Sastrow, I, 230,* im hildesten = schnellsten. Vergl. Lüntzel, *p. 92.]*

Mündlich.

Aventin: Bair. Chronik, Bl. 301 b. *[cf. Schlosser, II, 1, 492.]*

Königschronik, *Cod. pal. 361, fol. 94. [cf. Regino chron., 2, 63.* Schlosser, II, 1, 564, 565.]

Chron. novalic., IV, c. 8, col. 735. [cf. Schlosser, II, 2, 190.]

Chroniques de S. Denys, ap. D. Bouquet, VII, p. 148, 149. Vergl. 255. Vergl. *Crusius: Ann. suev. dodecas, II, p. 70. [Vinc. bellov. sp. hist., lib. 25, cap. 49, 50.]*

Otto frising., VI, 15. Luitprand: Hist., lib. II, cap. 3. Witechindus, ed. Reinn., p. 8, 9. Gerstenberger, ap. Schminke, I, 46–48. Pomarius, S. 83. [Regino, p. m. 100. Vgl. Ditm. mers., p. 6. Vgl. Schlosser, II, 1, 589, 590.]

Witechindus corb., lib. I, edit. Reinnec., p. 8, 9, 10. Vgl. Leibnitz, I, p. 213. Ditmarus merseb., lib. I, initio. [Wagner, p. 6. Chron. ganderh., cap. 25. Conradus ursperg., ed. 1540, pag. 207.]

Volksbuch von Herzog Ernst, S. 6. Cölner Chronik 1499, Bl. 125a. Lohengrin, Strophe 317, *pag. 80. Gotfr. Viterb., p. 324. Cod. pal. 525, fol. 59 b.* [Waitz: Heinr. I., *p. 181, 182.* Maszm.: Kaiserchronik, 3, 1063, 1064. Heinricus Saxo. *Lamb. a. 919* (Pertz 5, 53). *Heinricus cogn. auceps,* beim *annal. Saxo* (Pertz 6, 594). *Cod. pal. 525, fol. 59 b* (Chron. der röm. Kaiser): Diz ist heinrich der vogeler gehaissen, wann er ward zü vinckler (?) fvnden do er von den fvrsten gekorn ward do volget (vogelt) er mit seinen kinden.]

Ekkehardus sangallensis, ap. Goldast, I, 29.

Latein. Verse bei Gottfr. v. Viterbo (*Pistorius, II,* 326, 327). Altd. Gedicht von Conrad von Würzburg (*Cod. pal. 341, fol. 241 b–246 a* und *Cod. 393, fol. 92 d–98 b*). *Crusius: Ann. dod., II,* 130, 131. Königshofen, S. 108. Cöln. Chronik v. 1499, Bl. 129. [Wiener Jahrb., 5. Band, Anzeigeblatt, *p. 35, 36.* Gedicht von Otto dem Roten, *cod. vind., a. o. 43:* Kaiser Otto lebte lange tugendhaft und bat Gott endlich, ihm seine Tugend schon jetzt zu lohnen. Eine himmlische Stimme antwortete etwas zornig: Da er nur aus Ruhmsucht so edel gehandelt, sei er weniger zu lohnen als ein Kaufmann zu Köln, der gute Gerhard genannt, der sich stets höchst fromm erwiesen. Der Kaiser erschrickt über die Antwort und beschließt auf der Stelle, mit wenig Gefolge nach Köln zu reisen, um von dem guten Gerhard Weisheit zu lernen und seine Schicksale zu erfahren. Er läßt dem dasigen Erzbischof seine Ankunft melden, dieser zieht ihm mit Pomp und Schall entgegen, et cetera. Boisserée, *p. 6, 7: Magister Gerardus rector fabricae et lapicida.* Lebte bis ans Ende des XIII. Jahrh. – Vergl. Harzens Museum, *p. 581.* Barlaam, 402, 8. *Zincgref. apoph., 1, 17.*]

Crusii Ann. suev. dod., III, p. 151, 152, nach Matth. a Pappenheim in libro
De origine dominorum de Calatin, c. 64. Zeillers Reisebuch, S. 154.

Bange: Thür. Chr., Bl. 38 b. Thomas Lirer, T. II. [Zusammenhang mit
dem Wigalois von dem Rade?]

Happel: Rel. cur., I, 753. Behrens a. a. O., S. 145, 146. Melissantes u.
d. W. Bange: Thür. Chron., 3 b. Fischarts Gargantua, c. 15, fol. 133 a.
[gaul Ramel.]

Crusius: Ann. suev. dod., II, p. 108, 109, aus Familiennachrichten durch
Caspar Baldung gesammelt.

Lohengrin, Str. 743, 744. Vgl. Cod. pal. 525, fol. 64 a. [Otto II.?
Schlosser, II, 22, 209.]

Cod. pal. 525, fol. 62 a, b. [Gemahnt an Kchr., 5909 ff., von Trajan.]

Bange, Bl. 37. Pomarius, S. 175. [Wilmans: Otto III., p. 215, 216.]

Gotfridus Viterb., l. c., p. 329, 330. Lirer, Teil II. Etterlin, S. 60, 61.
Königshofen, S. 109. Gerstenberger, ap. Schminke, I, 77–80.

Chron. noval., III, 33. cf. Walch: Hist. canon., C. M., p. 19. Cod. pal. 525,
fol. 65 b. Vergl. Lohengrin, Strophe 748, S. 188. [Vgl. Schlosser, II, 2,
297.]

Cod. pal. 525, fol. 65 b. Lohengrin, Str. 754. Pomarius, S. 181.

Pomarius a. a. O., S. 185, 186. Munster: Cosmogr., lib. III.

Gesta rom., cap. 38.

Cod. pal. 525, fol. 66 b. [Vergl. eine ausführlichere Erzählung in der
Beschreibung der Stadt Rom von Bunsen, Band III, Abt. 2, 320.]

Gotfr. viterb.: I, c. p. 333–336. Thomas Lirer, T. II. Crusius: Dod., II, 198,
199. Etterlin, S. 66–68. Vergl. Becherer: Thür. Chron., S. 199, und

Gerstenberger, S. 90–94. *Gesta roman., 20,* deutsch Nr. 44, mit einigen andern Umständen. [Noch viel andere, die dem *Gotfr. viterb.* nachschreiben, führt Stenzel: Fränk. Kaiser, II, 30–32, an.]

Aventin: Bair. Chronik, S. 330.

Mündlich. Vgl. Fischart: *Gargantua,* Bl. 31 a.

Cod. pal. 525, fol. 69, 70. [Vgl. Voigts Hildebrand, S. 4, 7, 8.]

Bange, S. 49, 50, auch im *Cod. pal. 525, fol. 74 b.* Pomarius, S. 218.

Cod. pal. 525, fol. 78. Gedicht im *Cod. pal. 361, fol. 351–354,* aber ohne Namen, von einem Ritter, dessen Knecht Hänselin heißt. [Vergl. einen anders gewendeten Schwank: Hätzlerin, *p. 291, 292.* Gesammtabenteuer, 2, 109–121. Stenzels Fränk. Könige, 2, 61. Detmar, 1, 17.]

Mündlich. Vergl. Oberlin und Jodute. [Vergl. Beneckes Wigalois, S. 451–453.]

Cölner Chronik 1499, Bl. 169. Vergl. Pfister: Geschichte von Schwaben, II, 192, 193. [Jac. Grimms Notiz zufolge ist diese Sage an diese Stelle gerückt worden. In der ersten Auflage stand sie hinter der Sage von Kaiser Heinrich III.]

Bruchstück eines Gedichts über Kaiser Friedrich aus dem XV. Jahrh., im *Cod. pal. 844.* [*cf. Frigedank in fine.* – »Barbarossa belagert und erobert Jerusalem, ihm hat Herzog Eckhart von Bayern, der einen Bundschuh im Wappen führt, dabei treuen Beistand geleistet. Der Papst Alexander will den Kaiser verderben. Er hat das Bildnis des Kaisers heimlich machen lassen und sendet es dem Sultan, damit er den Kaiser kenne. Der Sultan sendet einen Hinterhalt, und als der Kaiser sich einmal mit seinem Kapellan im Wasser erkühlen will, brechen die Leute des Sultans hervor und führen beide gefangen fort. Niemand erfährt, wo der Kaiser ist; er bleibt ein Jahr bei dem Sultan in Gefangenschaft, der ihn gut behandelt; endlich gibt er ihn unter Bedingungen frei. « Die Erzählung ist sagenhaft. Barbarossa, durch Joh. Adelffum, Stadtarzt zu Schaffhausen, 1620, klein fol., f. 2, VI ff.]

suev. dod., I, p. *337* (nach Brusch *ex relatu senum*). *Bucelinus: Monachus weingartensis, in Germ. s. et prof.*, T. *2*, p. *363*. [Ein Welf von Swaben. Man. 2, 64 a.]

Alte Zusätze zu Königshofen, *ed.* Schilter, S. 424. Vgl. Pfister: Schwäb. Gesch., II, S. 176.

Lirer: Schwäb. Chronik, Kap. 17.

Annalista Saxo, p. *660.* *Ludewig reliq.*, T. *8, 150.* Bange: Thür. Chron., Bl. 30, 31. *[Etichowolpus.]* Aventin: Bair. Chron., Bl. 304 und 363. *[Mader: Antiq. brunsv.*, p. *25. Hess: Mon. guelf.*, p. *7, 8.]*

R. *Reineccii Expositiones geminae de Welforum prosapia, Frankof. 1581, fol.* p. *22, 23,* aus einer handschriftl. altdeutschen Chronik. Desgl. auch in der deutschen Ausgabe des Reinek, Wittenb. 1580, 4.

Nach dem Volkslied.

Chronik von Freyburg, hinter Schilters Königshofen, S. 44, 45.

Nach dem altdeutschen Gedicht Erkenbolds aus dem XIV. Jahrh.

Nach dem alten Lied. Vergl. Schmid in Bragur, III, 402. Gräters Odina, S. 200–210.

Crusius: Annales suevici dodecas, Francof. 1595, II, p. *263.*

Ekkehardus monachus (ap. Goldast, I, p. *40, 41).*

Crusius: Ann. suev. dod., II, p. *149,* nach Brusch.

Altd. Gedicht im *Cod. vindob. phil. 119, fol. 188–192.* [Hartmann von Wirtenberg, Stifter der Gröning. Linie (um 1243). Docen im Morgenbl. 1818, Nr. 107.]

Crusius: Ann. suev. dod., II, p. *361, 362.* Der vielförmige Hinzelmann, 111–120. Bräuners Curiosit., 319–335.

Caspar Schütz: Beschreibung der Lande Preußen, 1599, *fol.* Bl. 102, 103. Happel: Denkwürdigkeiten der Welt, IV, 407, 408. Caspar Henneberger: Erklärung des großen Preuß. Landtafel. Rauschink: Gespenstersagen, Rudolst. 1817, St. 2.

Ottocar von Hornek, *cap. 335–338*, bei *Pez, p. 298–301.*

Flamländisches Volksbuch: Florentina de getrouwe. Volkslied vom Grafen von Rom, in Adelungs Magazin, Bd. 2, St. 3, S. 114–120. Vergl. Aretins Beitr., 1806, S. 322. Vgl. *Gesta rom., cap. 69.* [Fischart: *Garg.*, S. 73 a: »auff das sie jhren Alexander von Metz im weißen Badhembd am Pflug nicht verliere.«]

Freher: *Origines palatinae, pars II, 1612, fol. p. 38, 39,* und Anhang, S. 18–22, aus einer alten Frauenkircher Handschrift.

Iehan le Maire: Illustrations de Gaule, Paris 1548, 4, lib. III, Bl. 20–23. (Vergl. *Tacitus: Hist. IV, 55.*)

Flamländ. Volksbuch. Altdeutsch in einem Manuskript der Paulinerbibl. zu Leipzig, Nro. 89 (Feller 292). *[Helias aus Aelius Gracilis, b. Tac.: Ann., XIII, 53.]*

Helinandi Chronicon, lib. IV. Vincent. bellovac. sp. hist. [Es soll da nichts stehen, Reiffenberg: Schwank., XXIII.] Gerhard von Schuiren. *[Tross, p. 77–84.]* Hopp: Beschr. von Cleve, 1656, p. 148–150. Abel: Samml. alter Chron., Braunschw. 1732. S. 54. Görres: Lohengrin LXXI–LXXIII.]

Altdeutsches Gedicht. Vergl. Parzival, 24624–24715, und Fürtrer, bei Hofstäter, II, 131–171.

Nach dem Titurel. Vergl. Fürtrer, bei Hofstäter, II, 174–182.

Nach Conrads von Würzburg Gedicht.

Nordische Volksbücher von Kaiser Carl. Vergleiche Nyerup: Morskabsläsning, S. 90, 91. [Das *gute* zugefügt nach Rudolfs Gedicht?]

dieser Fabel in der Odina, Breslau 1812, S. 140–151. [Ähnliche Sage von Gauffredus und dem Köhler, *Joannis monachi Historia Gauffredi, Paris 1610, p. 26–29.*]

Senkenberg: Selecta, III, 352–363. Spangenbergs Adelspiegel, T. 2, Buch 9, Kap. 3. J. H. Schminke: Untersuch. von Otto dem Schützen.

Kirchhofs Wendunmuth. Winkelmann, S. 586, 587. [Rommel, 4, 434.]

Wigand: Hess. Chronik, I, 90, 91. Vgl. Hess. Denkwürdigkeiten, IV, 2, S. 477.

Mündliche Sage in Hessen.

Prätorius: Wünschelruthe, S. 7–9.

Schwarz in den Hess. Denkw., IV, 2, 298, aus mündlicher Sage.

Winkelmann: Beschr. von Hessen, VI, 127.

Otmars Volkssagen, 201, 202.

Alte Chronik in *Senkenberg: Sel. juris, III, p. 311, 312.* Bange: Thür. Chronik, Bl. 18, 19.

Cyr. Spangenberg: Quernfurtische Chronik, 1590, 4, S. 134–138. Casp. Schneider: Beschreib. von Querfurt, S. 14–16.

Spangenberg: Quernfurt. Chronik, S. 128, 132, 133.

Agricola: Sprichwort, 189.

Becherer: Thüring. Chronik, S. 337, 338. Andr. Toppius: Hist. von Eisenach, herausgeg. von Junker, S. 22 und 57. *Melissantes: Orogr.*, unter Hellerstein.

Sagittarius: Gleichische Historie, B. I, c. 5. *Pauli Jovii* (Götze) *Chronicon schwarzburg.* Tenzel: Monatliche Unterr., 1696, S. 599–620. Melissantes: Bergschlösser, S. 20–31.

Annales fuldenses ad ann. 850.

Bratring: Mag. für Land- und Geschichtskunde, erstes Heft 1798.
Otmars Volkssagen, S. 46, 47.

Becherer: Thüring. Chronik, S. 294, 295. Rheinischer Antiquarius, S. 876, 885. [*Detmar, I, 442, ad a. 1313,* mit einigen Besonderheiten.]

Lazius: De migrat. gent., lib. 7. Waldenfels: Antiquitatis selectae libri XII, Norimb. 1677, 4, p. 465–474. Vergl. Jungs Anmerk. zum Titelkupfer seiner Geisterkunde. [Vgl. Docens Marginal. zu Koch, S. 316. Vgl. zu Kindermärchen, III, *pag. 197.* Vgl. Andr. Gryphius, *p. m. 744:* O lieber Löwe laß mich leben – ich will dir gerne meine Schaube geben.]

Anthologien, Märchen, Sagen

Aladin und die Wunderlampe
Aus dem Arabischen von Enno Littmann. Mit Illustrationen einer französischen Ausgabe von 1865/66. it 199

Ali Baba und die vierzig Räuber
und die Geschichten von den nächtlichen Abenteuern des Kalifen aus 1001 Nacht. Aus dem Arabischen von Enno Littmann. Mit Illustrationen einer französischen Ausgabe von 1865/66. it 163

Hans Christian Andersen. Märchen
Mit Illustrationen von Vilhelm Pedersen und Lorenz Frølich. Aus dem Dänischen von Eva-Maria Bluhm. Drei Bände in Kassette. it 133
– Märchen meines Lebens. Eine Skizze.
Mit Porträts des Dichters. it 356

Clemens Brentano. Das Märchen von Fanferlieschen Schönerfüßchen
Mit acht Radierungen von Max Beckmann. it 341

Das Buch der Liebe
Gedichte und Lieder, ausgewählt von Elisabeth Borchers. it 82

Denkspiele
Polnische Aphorismen des zwanzigsten Jahrhunderts.
Herausgegeben und mit einem Nachwort von Antoni Marianowicz und Ryszard Marek Gronski. Mit Illustrationen von Klaus Ensikat it 76

Deutsche Heldensagen.
Nacherzählt von Gretel und Wolfgang Hecht. it 345

Der Teufel ist tot
Deutsche Märchen vor und nach Grimm
Herausgegeben mit einem Nachwort und Anmerkungen von Ninon Hesse. it 427

Die Erzählungen aus den Tausendundein Nächten
Einleitung von Hugo von Hofmannsthal. Vollständige deutsche Ausgabe in zwölf Bänden. Nach dem arabischen Urtext der Calcuttaer Ausgabe aus dem Jahre 1839. Übertragen von Enno Littmann. Mit farbigen Miniaturen. In farbiger Schmuckkassette. it 224

Anthologien, Märchen, Sagen

Der Familienschatz
Mit Holzschnitten und Zeichnungen von Ludwig Richter. it 34

Gebete der Menschheit
Religiöse Zeugnisse aller Zeiten und Völker. Herausgegeben von
Alfonso M. di Nola. Zusammenstellung und Einleitung der deutschen
Ausgabe von Ernst Wilhelm Eschmann. it 238

Geschichten aus dem Mittelalter
Herausgegeben von Hermann Hesse. Aus dem Lateinischen über-
setzt von Hermann Hesse und J. G. Th. Graesse. it 161

Geschichten der Liebe aus den 1001 Nächten
Aus dem arabischen Urtext übertragen von Enno Littmann. Mit acht
farbigen Miniaturen. it 38

Gesta Romanorum. Das älteste Märchen- und Legendenbuch
des christlichen Mittelalters
Herausgegeben und eingeleitet von Hermann Hesse. it 316

Jacob und Wilhelm Grimm. Deutsche Sagen
Zwei Bände. it 481

Kinder- und Hausmärchen, gesammelt durch die Brüder Grimm
Mit den Zeichnungen von Otto Ubbelohde und einem Vorwort von
Ingeborg Weber-Kellermann. Drei Bände. it 112/113/114

Die großen Detektive
Detektivgeschichten mit Auguste Dupin, Sherlock Holmes und Pater
Brown. Herausgegeben und mit einem Nachwort von Werner
Berthel. Mit Illustrationen von George Hutchinson. it 101
Die großen Detektive II
Nick Carter, Nat Pinkerton, Sherlock Holmes, Percy Stuart. Heraus-
gegeben von Werner Berthel. it 368

Wilhelm Hauff. Märchen
Zwei Bände. Herausgegeben von Bernhard Zeller. Mit Illustrationen
von Theodor Weber, Theodor Hosemann und Ludwig Burger.
it 216/217